經學研究叢書·經學史研究叢刊

經史散論

——從現代到古典

周春健 著

（廣州）中山大學211工程「經典與解釋：中國古典文化的多重闡釋」
項目成果

目次

題　記

　　這本小書收錄了我近十年來在「經史」方面問學的一些單篇習作，題材比較散，沒有一個集中的主題，具名「經史散論」，可謂名副其實。

　　十四篇文章，大概可以分成三組：前面七篇討論《詩經》、《左傳》、《周易》、《孝經》、《爾雅》、《中庸》等經書的相關問題，屬於「經」的方面；中間五篇主要討論《漢志》和《四庫總目》、《續修四庫總目》等目錄學著作，屬於「史」的方面；最後二篇，則是將「經史」乃至「四部」之學放到一起討論，帶有一點綜合性質。

　　這些文章，有的已經發表，有的尚未發表，下面逐一作個交代：

　　第一組中，《左傳引詩辨析》本是我二〇〇一年碩士畢業時的學位論文，曾經單篇抽出發表於《孔孟學報》、《湖北大學學報》等學術期刊，此次收錄略為修訂，刪掉〈《左傳》引《詩》與中國引用理論〉一章及原來作為附錄的〈《左傳》引《詩》綜表〉，大體保持原文風貌；〈賦詩源流小考〉發表於《文史知識》二〇〇二年第九期；〈楊伯峻《春秋左傳注》指瑕一則〉發表於《書品》二〇〇六年第二期；〈朱熹與《爾雅》〉發表於《湖北大學學報》二〇〇八年第五期；〈元代《易》學著述編年〉是「周易哲學與和諧社會——第二屆中國易道論壇」（2011，廣州）的會議論文；〈元儒吳澄與《中庸》三題〉，本是「儒家思孟學派國際學術研討會」（2007，濟南）的會議論文，後發表於《經典與解釋》第二十六輯（2008年）；〈簡朝亮與《孝經集注述疏》〉本是為〈《孝經集注述疏》校注〉寫的弁言，今略作改動。

第二組中，〈《漢志》「出、入、省」與班固的學術觀〉本是「中國文化中的經典、聖賢與傳統國際學術研討會」（2009，廣州）的會議論文，後發表於《古典研究》二〇一〇年第四期；〈讀〈四庫總目〉小箚〉發表於《書目季刊》第四十四卷第一期（2010年）；〈張舜徽先生〈四庫提要〉批評條辨〉是「張舜徽百年誕辰國際學術研討會暨中國歷史文獻研究會第三十二屆年會」的會議論文（2011，武漢），後收入會議論文集（華中師大出版社，2011）；《從徽州到漢口》，則是與崇文書局（武漢）鄒華清先生合作，發表於《湖北地方古文獻研究》論文集（崇文書局，2009）。

第三組中，〈《古史辨》第三冊〈自序〉讀箚〉是「跨文化哲學中的當代儒學」第三次小型研討會「修養、教化與政治哲學」（2011，臺北）的會議論文，並曾在中山大學哲學系「嶺南青年哲學沙龍」上交流；〈〈四庫總目〉「四部關係論」四題〉，則是為「經學與史學高層論壇」（2011，北京）而作的會議論文，並曾在臺北中研院文哲所訪學期間作過小型學術報告（2011）。

之所以把十年前的舊作〈左傳引詩辨析〉居於首，把今日新作之〈《古史辨》第三冊〈自序〉讀箚〉及〈〈四庫總目〉「四部關係論」四題〉二文殿於後，除去依照時間上的先後次序，其實還有一個更重要的用意，就是十年後的今天，自己對待經典的態度與之前迥乎不同。就《詩經》而言，則是完成了從「現代詩學」到「古典詩學」立場的根本性轉變。比如在〈左傳引詩辨析〉中，我非常認可現代學者對於「經說」的摒棄和對《詩經》所作的「文學闡釋」，而〈〈古史辨第三冊自序〉讀箚〉及〈〈四庫總目〉「四部關係論」四題〉的態度則有較大轉變。我發現，從「古典」的角度看經典，一部部經書不再是所謂「已陳之芻狗」，竟然都是那樣的富於智慧和可愛鮮活！正因為此，我在書名正題後加了一個副標題──「從現代到古典」。

　　從二○○一年碩士畢業至今，我的問學之路已經走過整整十年。這本小冊子，不妨算作對我第一個「學術十年」的小結。這些文字儘管顯得非常稚嫩，每一篇卻無不飽含著我對學術的熱情與真誠。接下來，惟願自己能夠在周圍師友的教導鼓勵下，以勤補拙，以一種嶄新的風貌，開啟下一個「學術十年」新的征程！

周春健

2011 年 7 月 1 日於廣州祈樂苑

補記

　　今年暑期在臺灣中研院文哲所訪學期間，與林慶彰先生聊天時偶爾提及拙稿的出版事宜，慶彰先生慷慨允諾可以推薦給萬卷樓圖書公司出版，令晚學感動不已！慶彰先生公心大度，提攜後進，令人敬仰！

2011 年 9 月 23 日又及

《左傳》引《詩》辨析

提要

　　《左傳》引《詩》是一種特殊的語言現象和文化現象，它最早、最系統地反映了春秋時期《詩》的文本面貌和流傳情況，具有獨特的文化意義和學術價值。前人的研究較多關注靜態的《詩》，對動態的引用行為本身沒有給予足夠的重視，這便忽略了《左傳》引《詩》作為引用活動最本質的特徵，因而不能客觀全面地認識和把握這一學術現象。本文在前人研究的基礎上，運用文獻學和語言學的觀點，以引用活動為觀照對象，將《左傳》引《詩》放置到中國學術的大背景下，對其包含的範圍進行了重新界定，對它的發生、格式、功用作了系統全面的考辨和析理，並從文獻學、闡釋學和學術史的角度考察了這一活動的學術價值。本文在努力還原一個《左傳》引《詩》本相的基礎上，進一步揭示它在學術史上的特殊意義。

一　引　言

（一）《左傳》引《詩》概說

　　《詩》是我國最早的一部樂歌總集，它以樸素的語言與手法，真實地反映了西周到春秋五百年間廣闊的社會生活，對中國文學乃至整個中國文化都產生了極其深遠的影響。它一度受到中國儒家的極度推尊，在漢代最早被列入「五經」，並被今文經學家推為「六經」

之首[1]，成為經學時代極為重要的思想統治工具。《詩》在春秋時代就為人們熟知並廣泛引用了，《左傳》和《國語》兩部文獻較早、較系統地反映了春秋引《詩》的具體情狀。《國語》引《詩》的數量遠不及《左傳》，而且品目不如《左傳》豐富，並與《左傳》引《詩》內容有所重複。日本學者小島祐馬稱：「《詩》在諸經之中，其被引於《左傳》者為最多。」[2]

　　據筆者統計，《左傳》十八萬餘言，言《詩》之處凡二七七條，涉及《詩》一五二篇；其中可以劃歸引《詩》範疇的共二五五條，涉及《詩》一三二篇。所以言「涉及」，是因為所引詩句與詩篇或詩篇與國別並非一一對應關係，其中有六處所引同一詩句在不同的兩篇詩中均可以找到，它們是：

1. 襄公二十五年所引「我躬不說，遑恤我後」，分別見於〈邶風・谷風〉和〈小雅・小弁〉；
2. 襄公二十九年所引「王事靡盬，不遑啟處」，分別見於〈小雅・四牡〉和〈小雅・采薇〉；
3. 襄公三十一年所引「敬慎威儀，惟民之則」，分別見於〈大雅・抑〉和〈魯頌・泮水〉；
4. 昭公元年所引「無競惟人」，分別見於〈大雅・抑〉和〈周頌・烈文〉；
5. 昭公十年所引「不自我先，不自我後」，分別見於〈小雅・正月〉和〈大雅・瞻卬〉；
6. 襄公二十六年所引「無競惟人，四方其順之」，分別見於〈大雅・抑〉和〈周頌・烈文〉。

1　今文經學家排列「六經」的次序是：《詩》、《書》、《禮》、《樂》、《易》、《春秋》。
2　江俠庵編譯：《先秦經籍考・春秋三傳類・左傳引經考證》（上海市：上海文藝出版社，1990年），頁236。

另外，定公十年郈駟赤曰：「臣之業在〈揚水〉卒章之四言矣。」〈揚水〉即〈揚之水〉，在今詩〈王風〉、〈鄭風〉和〈唐風〉中均有之。我們無法判定《左傳》所引詩句到底屬於哪篇、詩篇到底屬於哪國，只好作不同篇目處理。

（二）《左傳》引《詩》研究綜述

《左傳》引《詩》研究並不是一個嶄新的課題，晉代杜預作《春秋左傳集解》六十卷，創篳路藍縷之功。以二十世紀為界，《左傳》引《詩》研究呈現出不同的面貌。現代之前主要做了這樣幾項工作：

第一，對《左傳》所引具體詩句的取義有所闡說，這主要保存在《左傳》的某些注釋性著作中。《春秋左傳集解》作為「現存最早的《左傳》注全帙」[3]，既是發端之作，又是最完備者。闡說詩句取義的代表性著作還有：（宋）呂祖謙《左氏傳續說》、（宋）魏了翁《春秋左傳要義》、（元）程端學《三傳辨疑》、（明）陸粲《左傳附注》、（明）傅遜《春秋左傳屬事》、（清）張尚瑗《左傳折諸》等。

第二，對《左傳》引《詩》有裒集之功。宋人李石「以《左傳》引《詩》不皆與今說《詩》者同，因取所載一篇一句，悉裒集而闡論之，以蘄合於斷章取義之旨。凡一百六十八條，名曰《詩如例》」[4]；（清）顧棟高作《〈左傳〉引據〈詩〉〈書〉〈易〉三經表》，錄「賦詩」二十八例；（清）嚴虞惇作《經傳雜說》，錄《左傳》引《詩》二十八例；（清）阮元作《詩書古訓》六卷，將《論語》、《孝經》、《孟子》、《禮記》、《大戴記》、《春秋三傳》、《國語》、《爾雅》「十

3　沈玉成、劉寧：《春秋左傳學史稿》（南京市：江蘇古籍出版社，1992年），頁139。

4　《四庫全書總目‧經部‧春秋類存目一》（北京市：中華書局，1965年），頁245。

經中引《詩》《書》為訓者，采繫於《詩》《書》各篇各句之下」[5]，其中引《詩》占四卷，《左傳》引《詩》大多被錄。

第三，對引《詩》通例和功用等有所總結。杜預曾說：「詩人之作，各以情言，君子論之，不以文害意，故《春秋傳》引《詩》，不皆與今說《詩》者同」[6]。又說：「其全稱《詩》篇者，多取首章之義」[7]；（明）何良俊認為：「《左傳》用《詩》，苟於義有合，不必盡依本旨，蓋即所謂引申觸類者也。」[8]杜、何二氏總結的都是《左傳》引《詩》取義的通例。（宋）王柏、（清）顧棟高及勞孝輿等均以為賦詩可以「觀志」，這是總結《左傳》引《詩》的功用。

第四，利用《左傳》引《詩》推考《詩》的原始形態及其在春秋時代的流傳。（元）馬端臨根據《左傳》所載列國聘享賦詩駁「鄭風淫」之說，（明）朱朝瑛、（清）毛奇齡、嚴虞惇、朱彝尊等積極響應；（清）趙翼詳細考察《左傳》引《詩》，駁「刪詩」說，辨「古詩三千之非」；（清）勞孝輿作《春秋詩話》，把《左傳》言《詩》分為「賦」、「解」、「引」、「拾」、「評」五類，條分縷析，對春秋時代《詩》的應用流傳多所探索，並有精辟之論。

二十世紀的《左傳》引《詩》研究，較以往完成了如下幾點超越：

第一，不再限於以往隨文注釋性地闡說，開始有意識地把《左傳》引《詩》當作「詩學」或「左傳學」中的一個獨立專題來研究，

5　（清）阮元：《詩書古訓・序》，《叢書集成初編》（北京市：中華書局，1985年），冊0261。

6　（晉）杜預：《春秋左傳集解・隱公元年》（上海市：上海人民出版社，1977年），頁10。

7　（晉）杜預：《春秋左傳集解・僖公二十三年》，前揭，頁338。

8　（明）何良俊：《四友齋叢說》（北京市：中華書局，1959年），卷之二，頁12。

並湧現出相關論文數十篇，實現了《左傳》引《詩》研究由簡單的價值評判到理論層次的提升。

第二，把「《左傳》引《詩》研究」從依附於泛言「春秋引《詩》研究」的狀態下剝離出來，將視線匯聚到《左傳》這一部文獻上，出現了題目中明確限定「《左傳》引《詩》」研究的專題論文十餘篇，譬如李競西的《左傳引詩研究》、束有春的《左傳引詩探微》、李世耕的《左傳引詩的幾個問題》、潘萬木的《左傳引詩類輯》、王化鈺的《春秋左傳引詩考略》以及臺灣奚敏芳的《左傳賦詩引詩之研究》等。

第三，開始從語言學、闡釋學、文化學、音樂學、傳播學等前所未有的新角度審視《左傳》引《詩》，這既表明了研究者視野的逐步走向開闊，又表明了《左傳》引《詩》研究正逐漸完成著對傳統經學束縛的跳脫。

第四，以《左傳》引《詩》為觀照對象，推考《詩》在春秋時代的地位、功能及流傳情況，結論超越前人，初步還原了一個春秋時代《詩》的本相。代表論文（或著作）有：顧頡剛《《詩經》在春秋戰國間的地位》、朱自清《詩言志辨》、董治安《從《左傳》、《國語》看「詩三百」在春秋時期的流傳》、王昆吾《詩六義原始》等。

（三）問題的提出

儘管早在一千多年前就開始對《左傳》引《詩》進行研究，儘管這項研究已經得出了一些較為公允的結論，但今天仍有繼續研究的必要和價值。

一者，我們研究的是《左傳》引《詩》，但引《詩》到底包含哪些內容歷來是一個有爭議的問題，直到今天仍然沒有統一的認識。譬

如「賦詩」，究竟是歸屬於引《詩》，還是與引《詩》並列？眾說紛紜，莫衷一是。這是《左傳》引《詩》研究首先要解決的問題，牽一髮而動全身，這個問題不明了，勢必影響以後的結論。

二者，歷代學者較多關注的是《左傳》所引之《詩》，對「引用」行為本身沒有給予足夠的重視。換言之，學者們較多關注的是靜態的《詩》，而不是動態的《詩》的「引用」。而引用恰恰是《左傳》引《詩》作為一種語言現象最本質的特徵，忽略了它，無異於捨本逐末。

三者，《左傳》記述的固然是春秋間事，但它畢竟是成書於春秋、戰國之交的一部文獻[9]，《左傳》引《詩》與春秋引《詩》不能等同。以往的《左傳》引《詩》研究更多地把注意力投向了《左傳》記事所發生的春秋時代，而沒有很好地審視略晚其後的《左傳》這部文獻，這便疏漏了《左傳》作者引《詩》這一部分重要內容，而且無法探求《左傳》引《詩》作為文獻引用的特殊性。

鑒於以上幾點，本文試圖運用文獻學和語言學的觀點，以引用活動為觀照對象，對《左傳》引《詩》的範圍、發生、格式、功用、貢獻等作系統全面的考辨和析理，在努力還原一個《左傳》引《詩》本相的基礎上，進一步揭示它在學術史上的特殊意義。

二 《左傳》引《詩》範圍的界定

研究《左傳》引《詩》，首先要明確《左傳》中哪些是引《詩》，哪些不是引《詩》。問題的關鍵在於對「引」字該如何理解，這就自然牽涉到了引用理論問題。因此，《左傳》引《詩》不單純是一個傳統的經學命題，它又是一個語言學命題。

9　依今人楊伯峻、徐中舒等說。

　　引，即引用。所謂引用，是指為了一定的表達目的，對先前已有
的他人或自己的言語或文獻進行引取的活動。引即是用，用緣引而
來。既然是引取，那就不同於其他的呈現方式，其中有一個對言語或
文獻利用的過程。界定引用範圍的分歧由此而生，判定一種語言現象
是否屬於引用，關鍵也就要看這一語言現象的發生是否具備這種特殊
的引取之用。

　　根據表現形態的不同，《左傳》兩百七十七條言《詩》可以分為
如下六類：一曰「賦詩」，二曰「誦詩」，三曰「歌詩」，四曰「言
語引詩」，五曰「作詩」，六曰「泛稱詩」。其中「賦詩」、「誦詩」、
「言語引詩」皆屬引《詩》；「歌詩」的一部分屬於引《詩》，一部分
不屬引《詩》；「作詩」和「泛稱詩」則皆非引《詩》。

（一）「賦詩」、「誦詩」皆屬引《詩》

1.「賦詩」屬於引《詩》

　　我們首先要對《左傳》中的賦詩作一範圍上的限定。賦詩這個
概念有廣義和狹義的區別，廣義的賦詩包括「誦詩」和「歌詩」在
內，狹義的賦詩則專指被冠以「賦」字的宴享聘盟場合中的《詩》的
賦答活動。因「誦詩」、「歌詩」與狹義的賦詩在發生機制上終究還
有不同，而這些不同直接關係到三者是否屬於引《詩》，或雖同屬引
《詩》而又有差異，因此有必要把它們區分開來。本文所言《左傳》
「賦詩」均取其狹義。

　　賦詩的場合，董治安先生總結為「聘」（周王與諸侯或諸侯與諸
侯之間派專使訪問）、「盟」（一般為諸侯間訂立協議的盟會）、「會」

（一般為諸侯、大夫政治性的聚會）、「成」（相互議和）等多種[10]。賦
詩的主體不是單一的，顧頡剛先生說：「賦詩是交換情意的一件事，
他們在宴會中，各人揀了一首合意的樂詩叫樂工唱，使得自己對於
對方的情意在詩裏表出；對方也是這等的回答」[11]，並且進一步指出，
「那時人賦詩，樂工『一唱三歎』的歌著，用不到自己去唱，正像現
在人的點戲」[12]。顧氏顯然以為直接歌唱的是樂工，而不是指命他們的
諸侯或公卿大夫等當事人。朱自清先生在《經典常談》中所持觀點與
顧氏毫無二致。其實未必盡然，直接賦詩者到底為誰，要看當時的具
體環境，不能一概而論。有些賦詩偏重於娛樂，目的是營造氣氛，密
切感情，這與「點戲」有著很大的共同之處，要「樂工」歌唱的可能
性大一些；有些賦詩偏重於政治，目的是完成政治談判或國事請求
等，尤其是節奏或氣氛比較緊張時，則很可能是由當事人親自來歌
唱。雖然樂工和當事人並不一定在每一次賦詩過程中都同時出現，但
就整個賦詩活動來講，他們應當同屬於賦詩主體。

　　至於春秋賦詩的具體情狀，我們已難以確知，不過有一點可以肯
定，即賦詩必定離不開音樂，因為春秋時代詩、樂是合一的，《詩》
之所錄全為樂歌。孔子就曾說：「吾自衛返魯，然後樂正，〈雅〉
〈頌〉各得其所」[13]，墨子也說：「誦《詩》三百，弦《詩》三百，歌
《詩》三百，舞《詩》三百。」[14]因此，《左傳》所記賦詩絕大部分是合
樂而歌的，即在一定樂器的伴奏下賦《詩》的某篇或某章；也有不用

10　董治安：〈從《左傳》、《國語》看「詩三百」在春秋時期的流傳〉，載《先秦文獻
　　與先秦文學》（濟南市：齊魯書社，1994年），頁23～24。
11　顧頡剛：〈《詩經》在春秋戰國間的地位〉，載《古史辨》（上海市：樸社，1935
　　年），第3冊，頁328。
12　顧頡剛：〈《詩經》在春秋戰國間的地位〉，前揭，頁333。
13　《論語·子罕》。
14　《墨子·公孟》。

樂器伴奏的，比如襄公十四年「夏，諸侯之大夫從晉侯伐秦，以報櫟之役也。晉侯待於竟，使六卿帥諸侯之師以進。及涇，不濟。叔向見叔孫穆子，穆子賦〈匏有苦葉〉，叔向退而具舟」。前線陣地，大軍浩蕩，一場惡戰即將爆發，很難想像還有樂工相隨營中，穆子賦詩言志也很難說有樂器伴奏，倒極有可能只是合於一定樂譜的徒歌。由此，《左傳》賦詩便有了這樣兩類主體和兩種形式：

或許又有這樣的疑問：《漢書・藝文志》說：「不歌而誦謂之賦，登高能賦可以為大夫。」[15]意思是「賦」皆「不歌」，而《左傳》賦詩明明都是在「歌」，這豈不是矛盾？回答是否定的。我們說，班固所言之「賦」與《左傳》賦詩之「賦」，是指不同的兩個概念。首先，「不歌而誦」的對象十分寬泛，不單是指《詩》，因此「登高能賦」泛指一種文學能力或素養，與《左傳》中所記述的宴享場合的賦詩是根本不同的兩碼事。其次，《左傳》賦詩之「賦」在春秋時代具有特定的含義，它不同於戰國延至漢代的「辭賦」這種文學體裁，也不同於後世泛指的「創作詩篇」。應當說，「賦」的這種含義是後起的，大大晚於春秋賦詩。

那麼《左傳》賦詩究竟是不是引《詩》呢？這就要看每一處賦詩是否對先前已有的《詩》有引取行為的發生。從《左傳》賦詩的實例

---

15 《漢書・藝文志》（北京市：中華書局，1962年），頁1755。

來看，不管是當事人要樂工來唱還是當事人自己來唱，不管是奏樂而歌還是無樂徒歌，從主體口中傳達出來的都是實實在在的《詩》的文句，賦詩者以此來達到「合歡」、「請求」、「允許」或「當笑罵」[16]的目的。可見，在賦詩活動中，對《詩》義有所引取；而所賦之《詩》，都是在賦答之前已經產生了的，這符合引用最基本的條件，因此我們說《左傳》賦詩皆屬引《詩》。

然而，《左傳》賦詩與一般的引用現象不同，它是一種特殊形式的引用：

其一，《左傳》所記賦詩是當事人，也就是歷史人物在引《詩》，卻不是《左傳》作者在引《詩》，但《左傳》作者把這種引用活動客觀地記載到文獻當中，賦詩作為引用活動的性質緣由《左傳》這部文獻而表現出來。因此我們雖不能說《左傳》所記賦詩是《左傳》作者在引《詩》，卻可以說是《左傳》這部文獻在引《詩》。

其二，賦詩形式上的音樂性是《詩》之流傳在特定時代特定形態的表現，這並不影響賦詩作為引用活動的成立。因為被音樂形式包孕的賦詩，所訴諸的仍然是《詩》的某篇或某章的語言形式。換句話說，賦詩實際上已經觸及到了《詩》的言辭領域，只不過是言語引用的一種特殊表現形式。錢鍾書先生說：

> 盧蒲癸曰：「賦《詩》斷章，余取所求焉。」按癸強顏藉口，而道出春秋以來詞令一法。「賦《詩》」者，引《詩》也。[17]

正是從這一角度而發的精賅之論。

其三，同樣作為賦詩主體的「樂工」和「當事人」尚可作進一

16　顧頡剛：〈《詩經》在春秋戰國間的地位〉，前揭，頁334～335。

17　錢鍾書：《管錐編・左傳正義・四六》（北京市：中華書局，1979年），頁224。

步區分。從歷史角度把賦詩看作春秋時代一種重要的社會活動,「樂工」和「當事人」都是以主體身分出現的;從語言學角度把賦詩看作一種特殊的引用現象,由於樂工只是按照當事人的意圖去歌去唱,從主觀上對於《詩》並不是一種引取的態度,而真正完成引取活動的是不歌不唱或親自歌唱的當事人,因此我們說,樂工只是賦詩主體而非引用主體,當事人則既是賦詩主體又是引用主體。誦詩和歌詩當中存在同樣的情形。

2.「誦詩」屬於引《詩》

　　《左傳》記述《詩》,有時在詩篇或詩章前冠以「誦」字,我們稱之為「誦詩」,這是春秋時代另外一種用《詩》方式。誦詩在《左傳》中唯有兩例:

> 孫文子如戚,孫蒯入使。公飲之酒,使大師歌〈巧言〉之卒章。大師辭。師曹請為之。初,公有嬖妾,使師曹誨之琴,師曹鞭之。公怒,鞭師曹三百。故師曹欲歌之,以怒孫子,以報公。公使歌之,遂誦之。(襄公十四年)
>
> 叔孫穆子食慶封,慶封氾祭。穆子不說,使工為之誦〈茅鴟〉,亦不知。(襄公二十八年)

第一例中,師曹不是將〈巧言〉之卒章「歌」出,而是「誦」出;第二例明顯是穆子要樂工誦〈茅鴟〉。從對《詩》的態度來講,作為誦詩主體的「師曹」和「穆子」都利用《詩》表達了自己特定的情緒,同賦詩一樣,他們誦出的也是已有的《詩》的文辭。從這一點上說,誦詩屬於廣義的賦詩,也是對《詩》的一種引取活動,因此誦詩也屬引《詩》。

　　然而誦詩與賦詩又有不同:其一,《左傳》中的兩例誦詩,表達

的都是一種侮辱或不滿的情緒，這與諸多觥籌交錯、歡歌笑語的賦詩氣氛大異其趣，可見誦詩是別有用意的。其二，誦詩不但在表情達意上有別於賦詩，在形式上也有很大不同。《周禮・春官・大司樂》云：「以樂語教國子，興、道、諷、誦、言、語。」（漢）鄭玄注曰：「倍文曰諷，以聲節之曰誦。」（唐）賈公彥作疏進一步闡述說：「云『以聲節之曰誦』者，此亦皆背文，但諷是直言之，無吟詠；誦則非直背文，又為吟詠，以聲節之為異。」[18]至於「以聲節之」的具體內容，楊伯峻先生說：「以聲節之，只是指諷誦之腔調，非指樂譜。」又說：「誦僅有抑揚頓挫而已。」[19]可見，同賦詩相比，誦詩失掉了音樂性，但這種音樂性的喪失是暫時的，是由誦詩場合的特殊人物關係和特定目的決定的。誦詩可以這樣來表示：

儘管誦詩屬於廣義的賦詩，但從形式上講，誦詩比賦詩更像言語引用。

（二）「歌詩」的區分和「言語引詩」的區分

1.「歌詩」的區分

　　《左傳》中共有三處提到歌詩：一是襄公四年：「穆叔如晉，報

---

18 《十三經注疏・周禮注疏》（北京市：中華書局，1980年），卷二十二，頁787。
19 楊伯峻：《春秋左傳注・襄公十四年》（北京市：中華書局，1981年），頁1011。

知武子之聘也。晉侯享之，金奏〈肆夏〉之三，不拜。工歌〈文王〉
之三，又不拜。歌〈鹿鳴〉之三，三拜。」二是襄公十四年孫蒯入
使，衛獻公「使大師歌〈巧言〉之卒章」；三是襄公二十九年吳公子
季札來魯國聘問，請觀於周樂，魯樂工為之歌十四國風（一說，歌
十五國風）、二雅及頌。前文已經提到，襄公十四年歌詩，大師辭卻
了，師曹也並未將詩「歌」出，因此，本處歌詩實際並未發生。

歌詩與誦詩不同，誦詩暫時失掉了音樂性，歌詩則無法脫離音
樂。單純講「歌」，有徒歌和弦歌，具體到《左傳》歌詩，則僅指弦
歌，董治安先生說：「歌詩實際是一種配樂歌唱，即弦歌。它包括樂
曲演奏和歌辭演唱兩個方面。」[20] 從《左傳》中歌詩的實例來看，這種
用《詩》方式同樣也包括樂工和當事人兩類主體。歌詩可以這樣表示：

歌詩和賦詩的區別也很明顯：

其一，賦詩中的「合樂而歌」有音樂伴奏，「徒歌」僅依據一定
樂譜清唱，並無樂器。但對於歌詩來講，則無論是「樂曲演奏」還是
「歌辭演唱」都要有音樂伴奏，沒有音樂伴奏就無所謂歌詩。關於這
點，可以從《左傳》中找到內證。襄公四年歌詩例中，「〈文王〉之
三」、「〈鹿鳴〉之三」與「〈肆夏〉之三」並列而言，它們應當屬於
同種性質，而「〈肆夏〉之三」通常被人們認為是「樂曲名」或「樂

20 董治安：〈從《左傳》、《國語》看「詩三百」在春秋時期的流傳〉，前揭，頁24。

章名」，則「〈文王〉之三」與「〈鹿鳴〉之三」從形式上講必定也是樂曲；而且穆叔在陳述「不拜」的理由時說：「〈文王〉，兩君相見之樂也，使臣不敢及。」不言「詩」而言「樂」，足以證明歌詩之必有音樂伴奏。

其二，不管是否有音樂伴奏，不管是樂工唱還是當事人唱，賦詩中《詩》的辭句都是直接唱出來的，賦詩人和聽詩人主要通過這些辭句來完成交流。歌詩就不同了。歌詩中「歌辭演唱」與賦詩中的「合樂而歌」或許有所用樂器的區別，但二者都是有曲有辭，訴諸的都是具體詩句；「樂曲演奏」則有曲無辭，歌詩者將表達的意義訴諸樂曲，聽詩者需要透過樂曲才能領會歌詩者的意思。不過，樂曲之義正好是與之對應的詩篇辭句之義，因此歌詩雖然未必取《詩》之文字形式，卻總是取《詩》義的。

從一定意義上講，歌詩屬於廣義的賦詩，但賦詩皆為引《詩》，歌詩是否屬於引《詩》則需視具體情況而定。我們先來看襄公四年和襄公十四年的兩例歌詩。襄公四年，穆叔如晉，是為了回報知武子的聘問；晉侯設享禮招待他，樂工歌「〈文王〉之三」和「〈鹿鳴〉之三」，也是出於禮節，表示友好。這從晉國行人子員的話中可以明顯看出，子員問穆叔「拜」與「不拜」的理由時說：「子以君命辱於敝邑，先君之禮，藉之以樂，以辱吾子。」意思是說：「您奉著君王的命令光臨敝邑，敝邑依先君之禮用音樂來招待大夫。」[21] 可見晉國一方的用意。也就是說，對於作為主人的晉侯來講，是借了樂曲形式的詩篇之意表達友好之情，因此對《詩》義有主觀上的引取，符合引用發生的基本條件，所以此處歌詩屬於引《詩》。襄公十四年的歌詩儘管並未發生，但它表明了歌詩可以在那種情況下發生。我們把《左傳》

21　沈玉成：《左傳譯文》（北京市：中華書局，1981年），頁258。

中屬於引《詩》的襄公四年的這例歌詩稱為「歌詩 I」。

襄公二十九年歌詩是另外一種情形，我們稱之為「歌詩 II」。吳公子札來魯國聘問，請觀於周樂，魯國命樂工為他歌〈周南〉、〈召南〉、〈邶〉、〈鄘〉、〈衛〉、〈王〉、〈鄭〉、〈齊〉、〈豳〉、〈秦〉、〈魏〉、〈唐〉、〈陳〉、〈鄶〉等〈國風〉及〈小雅〉、〈大雅〉和〈頌〉。從形式上看，與襄公四年歌詩十分相近，似難區分，但仔細辨別，也可發現它們的異處：襄公四年歌詩是借《詩》義表達歌詩主體主觀上的某種意圖，此處歌詩則只是客觀上呈現《詩》的面貌，以滿足公子札「請觀周樂」的請求。歌詩主體的主觀性十分淡薄，對《詩》的意義毫無引取行為發生。故此本處歌詩不能歸為引《詩》。

簡言之，《左傳》所記歌詩存在兩種情況：一類屬於引《詩》，一類不屬引《詩》。

2.「言語引詩」的區分

所謂言語引詩，是指人們在言談話語中對《詩》的一種引用活動。春秋時，公卿列士在交往中，除在賦詩等場合依一定禮制引《詩》外，還經常在交談或發表議論時隨口直接引《詩》；《左傳》作者在著述過程中，也時常在對歷史人物或事件進行評論時引《詩》，這都可以稱為言語引詩。言語引詩與賦詩、誦詩、歌詩是並列的概念，它們之間最大的區別是：賦、誦、歌都離不開音樂或只是暫時脫離音樂，而言語引詩則完全拋開了音樂。言語引詩的出現，表明《詩》的應用「從音樂的範圍擴大到語言的範圍」[22]。這種形式的引用，與我們今天所說的引用從呈現方式上講完全相同，因此許多人認為《左傳》中只有言語引詩屬於引《詩》，而賦詩、誦詩、歌詩均不

---

22 夏傳才：《詩經研究史概要》（鄭州市：中州書畫社，1982 年），頁 32。

屬引《詩》。這種認識其實是片面的。

從文學形態的演變規律來講，《詩》首先應用於音樂範圍，然後擴大到語言範圍，也就是說，應用於音樂範圍在先，應用於語言範圍在後；而且這種擴大是一個歷史漸進過程，絕不是朝夕可就的。但《左傳》所記引《詩》，音樂範圍內的賦詩、誦詩、歌詩與語言範圍內的言語引詩不是先後出現，而是交互存在的；並且在《左傳》中，春秋人首例言語引詩為桓公六年（西元前706年）鄭大子忽引《大雅·文王》「自求多福」，首例賦詩為僖公二十三年（西元前637年）「公子賦〈河水〉。公賦〈六月〉」，首例賦詩要晚於首例言語引詩六十九年。這足以說明《左傳》引《詩》所呈現的是《詩》的應用從音樂範圍向語言範圍擴大的過渡狀態，同時也從一個側面證明了《左傳》所記賦詩並不是《詩》在音樂範圍內的最初應用。在此之前，賦詩、歌詩等現象應當是早已存在著的。

言語引詩在絕大多數情況下是引用具體詩句；也偶有引詩篇或詩章的，引詩篇的如昭公二年魯季武子曰：「宿敢不封殖此樹，以無忘〈角弓〉。」引詩章的如昭公元年晉樂王鮒曰：「〈小旻〉之卒章善矣，吾從之。」再如昭公四年魯申豐曰：「〈七月〉之卒章，藏冰之道也。」又有轉述詩之大意的，這在《左傳》中唯有一例：襄公十四年：「（士鞅）對曰：『武子之德在民，如周人之思召公焉，愛其甘棠，況其子乎？』」士鞅在這裏即是轉述〈召南·甘棠〉的大意。

言語引詩均屬引《詩》，這一點勿庸置疑，但其內部又有差別。根據引用主體的不同，言語引詩可以分為如下三種情形：

第一，當事人引

當事人是指與歷史事件直接相關的人，他們是事件發生必不可少的一員，比如莊公二十二年：「齊侯使敬仲為卿」中的「敬仲」，襄公八年「子駟、子國、子耳欲從楚，子孔、子蟜、子展欲待晉」中的

「子駟」，昭公二十六年「齊有彗星，齊侯使禳之」中的「晏子」等等。

我們把當事人的引《詩》稱為「言語引詩 I」。

第二，相關人引

相關人是指與歷史事件間接相關的人。這裏的間接相關，指與歷史事件發生本身並無直接關係，但由於通過引《詩》對事件進行了評論，從而使人物和事件有了關聯。相關人可以與歷史事件處在同一時代，比如宣公十五年引「陳錫哉周」評說「晉侯之賞」的「羊舌職」，襄公三十一年引「辭之輯矣，民之協矣；辭之繹矣，民之莫矣」評論「子產有辭」的「叔向」等。相關人也可以是後世人，比如宣公九年「陳靈公與孔寧、儀行父通於夏姬」，洩冶進諫而遭殺，孔子曰：「《詩》云：『民之多辟，無自立辟。』其洩冶之謂乎！」事件發生在西元前六〇〇年，而孔子生於西元前五五一年（一說，生於西元前552年），說這番話至少事隔五六十年。

我們把相關人的引《詩》稱為「言語引詩 II」。

第三，作者引

《左傳》的作者常常在某一歷史事件發生後對事件本身或其中人物作一番評論，其中有相當一部分是藉助於引《詩》來完成的。作者是文獻的直接著述者，與所記歷史人物處在不同的層次上，具有特殊的身分。我們把《左傳》作者的這些引《詩》稱為「言語引詩 III」。《左傳》引《詩》中到底哪些為作者所發，也是一個爭論不休的問題，這就不能不提到「君子引《詩》」。

《左傳》中「君子」名下的引《詩》共五十一條，涉及《詩》三十七篇，其中包括逸詩三篇。「君子」引《詩》的形式有「君子曰」、「君子謂」、「君子以……為」、「君子以為」、「君子是以知」五種。君子的身分歷來眾說不一：一種意見認為「君子」之言全是《左傳》作者所發，持這種觀點的有唐人孔穎達，宋人李石、鄭樵，元人

程端學、趙汸，今人楊明照、楊向奎等；一種意見認為「君子曰」乃
漢人劉歆所造偽辭，以宋人林栗、明人陸粲為代表，清人劉逢祿、康
有為及今人徐仁甫則認為不單「君子曰」，整個《左傳》都是劉歆的
造偽之作；還有一種意見認為「君子」是指「當時君子」，代表人物
有晉人杜預、宋人林堯叟、清人張照等。以上諸說均有偏頗之處，
大致說來：「君子謂」、「君子以……為」、「君子以為」、「君子是以
知」四種情形相類，其中「君子」可以看作是春秋當時的人。「君子
曰」這種形式在先秦典籍中較為常見，《離騷》中的「亂曰」、《史
記》中的「太史公曰」、《漢書》中的「贊曰」等寫作格式與《左傳》
中的「君子曰」一脈相承，形成了中國古代文體中的「頌贊」一格，
其中「君子」以解為文獻作者為上。也就是說，《左傳》中的「君子
曰」均為《左傳》作者所發之辭。

　　《左傳》作者是文獻的直接著述者，「君子曰」下的諸多引
《詩》，實際是一種著述引《詩》活動，這是《詩》之流傳過程中的
一項重要內容。朱自清先生稱：

> 言語引《詩》，春秋時始見，《左傳》裏記載極多。私家著述
> 從《論語》創始；著述引《詩》，也就從《論語》起始。[23]

這話其實不甚嚴密。若說私家著述引《詩》起自《論語》是不錯的，
若泛言著述引《詩》，它的起源就不一定是《論語》了。因為《左
傳》中就有著述引《詩》現象存在，「君子曰」下諸例引《詩》即
是；而《左傳》成書於春秋、戰國之交，《論語》「編輯成書則在戰
國初期」[24]，略晚於《左傳》。如此說來，著述引《詩》始自《左傳》，

23　朱自清：《詩言志辨》，載《朱自清說詩》（上海市：上海古籍出版社，1998 年），
　　頁 106。

24　楊伯峻：《論語譯注・導言》（北京市：中華書局，1980 年），頁 30。

而非《論語》。

（三）「作詩」、「泛稱詩」皆非引《詩》

1.「作詩」非引《詩》

　　春秋時代有「賦」某詩的說法，譬如襄公二十七年「鄭伯享趙孟於垂隴」，趙孟就曾說：「請皆賦，以卒君貺，武亦以觀七子之志。」再如昭公十六年「鄭六卿餞宣子於郊」，宣子也說：「二三君子請皆賦，起亦知鄭志。」《左傳》記述這些賦詩時，也在詩篇前冠以「賦」字，但並非詩篇前冠以「賦」字的都屬於春秋時代具有特定含義的「賦詩」。因為「賦」字的含義不是單一的，《毛詩正義·棠棣》曾引〈鄭志〉答趙商云：「凡賦詩者，或造篇，或誦古。」[25] 可見「賦」字有兩重含義，一為「造篇」，一為「誦古」；「造篇」即創制新作，「誦古」即吟唱舊章。本文所討論的「賦詩」，相對於「誦古」而言，「誦古」其實就是引用；相對於「造篇」而言的是《左傳》中的另外一類言《詩》，我們稱之為「作詩」。其實，「賦」字的這兩種含義不是一開始就都具備的，「造篇」是後起義，是《左傳》作者在著述《左傳》時賦予給它的意義。〈鄭志〉所說的「賦詩」也不同於「春秋賦詩」的「賦詩」，它是一個更為寬泛的概念。

　　《左傳》中「作詩」共有四例：

> 衛莊公娶於齊東宮得臣之妹，曰莊姜，美而無子，衛人所為賦〈碩人〉也。（隱公三年）

> 冬十二月，狄人伐衛。……衛師敗績，遂滅衛。……衛之遺

---

25 《十三經注疏·毛詩正義》（北京市：中華書局，1980年），頁408。

民……立戴公以廬於曹。許穆夫人賦〈載馳〉。（閔公二年）

鄭人惡高克，使帥師次於河上，久而弗召，師潰而歸，高克奔陳。鄭人為之賦〈清人〉。（閔公二年）

秦伯任好卒，以子車氏之三子奄息、仲行、鍼虎為殉，皆秦之良也。國人哀之，為之賦〈黃鳥〉。（文公六年）

至於定公四年「申包胥如秦乞師……秦哀公為之賦〈無衣〉」一事，其中「賦」字是「造篇」是「誦古」尚存疑問，元人朱倬曾言：「申包胥如秦乞師，哀公為之賦〈無衣〉，果作此詩乎？抑止歌此詩乎？明經者必有考於斯也，敢問。」[26]本文將其歸入「賦詩」類，不認為是「作詩」。

那麼四例作詩是否是引《詩》呢？這仍要看它們對《詩》是否有引取行為發生。關於這四篇《詩》的本事，《毛詩序·衛風·碩人》曰：

碩人，閔莊姜也。莊公惑於嬖妾，使驕上僭，莊姜賢而不答，終以無子，國人閔而憂之。[27]

〈鄘風·載馳〉曰：

〈載馳〉，許穆夫人作也，閔其宗國顛覆，自傷不能救也。衛懿公為狄人所滅，國人分散，露於漕邑。許穆夫人閔衛之亡，傷許之小，力不能救，思歸唁其兄，又義不得，故賦是詩

---

26 （元）朱倬：《詩經疑問》，文淵閣《四庫全書》本，卷七，頁565。
27 《十三經注疏·毛詩正義》，前揭，頁322。

也。[28]

〈鄭風・清人〉曰：

> 〈清人〉，刺文公也。高克好利而不顧其君，文公惡而欲遣之
> 不能，使高克將兵而禦狄於竟，陳其師旅，翱翔河上，久而不
> 召，眾散而歸，高克奔陳。公子素惡高克，進之不以禮，文公
> 退之不以道，危國亡師之本，故作是詩也。[29]

〈秦風・黃鳥〉曰：

> 〈黃鳥〉，哀三良也。國人刺穆公以人從死，而作是詩也。[30]

朱自清先生說：「《詩序》雖多穿鑿，但這幾篇與《左傳》所記都相
合，似乎不是嚮壁虛造。」[31]可見，朱氏認為《左傳》所記是《詩序》
之本，是對四篇《詩》之本事的客觀記載。根據《左傳》上下文，參
照四篇《詩》的文本，這大概是不錯的。但是《左傳》所記必也有所
本，可能是見於文獻記載的，也可能是聽到的傳聞，而且若是文獻，
肯定不會是《詩》。我們可以說《左傳》四處作詩引用了其他文獻，
卻不能說引用了《詩》。因此，作詩非引《詩》。

2.「泛稱詩」非引《詩》

所謂泛稱詩，是指寬泛地言《詩》。所稱不是詩篇，不是詩章，
更不是詩句，而是作為文獻的《詩》的整體。《左傳》中共有兩例：

---

28 《十三經注疏・毛詩正義》，前揭，頁 320。
29 《十三經注疏・毛詩正義》，前揭，頁 338。
30 《十三經注疏・毛詩正義》，前揭，頁 373。
31 朱自清：《詩言志辨》，前揭，頁 15。

> 臣巫聞其（郤縠）言矣，說禮、樂而敦《詩》、《書》。
> 《詩》、《書》，義之府也；禮、樂，德之則也；德、義，利之
> 本也。（僖公二十七年）

> 鄭伯享趙孟於垂隴，⋯⋯卒享，文子告叔向曰：「伯有將為戮
> 矣。詩以言志，志誣其上而公怨之，以為賓榮，其能久乎？」
> （襄公二十七年）

其中的「詩」，是一個抽象概念，與言辭領域離得很遠，而引用主要
是在言辭領域內討論的問題，因此我們說泛稱詩不屬引《詩》。

至此，我們應該對《左傳》引《詩》的範圍有一個較明確的認識了：

範圍	條數	涉及《詩》篇數	逸詩數
賦詩	67	57	3
誦詩	2	2	1
歌詩I	6	6	0
言語引詩	180	94	9

從引用主體的角度出發觀照整個《左傳》引《詩》，我們可以看到
《左傳》引《詩》處在這樣一個綱目當中：

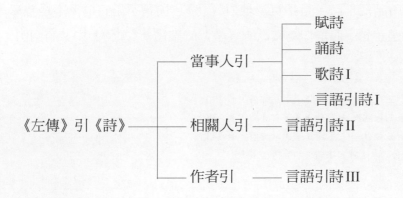

三 《左傳》引《詩》的發生

　　《左傳》引《詩》的發生不是突如其來的，也不是雜亂無章的，它有特定的社會和文化背景，並遵循著一定的發生原則。

（一）《左傳》引《詩》的發生原因

　　引用現象並非始於《左傳》，《書》中就有，比如〈湯誓〉篇曰：「夏王率遏眾力，率割夏邑。有眾率怠弗協，曰：『時日曷喪，予及汝皆亡。』」又如〈盤庚〉篇曰：「遲任有言曰：『人惟求舊，器非求舊，惟新。』」都是引用。但《左傳》引《詩》作為春秋時代一種特殊的語言現象和社會現象，有其特殊的發生原因。

1. 稽古的文化心態

　　稽者，考也，稽古就是考古。但稽古不是對古代的言論、事物作恢復本相式的考證，而是借古代已有的言論或經驗來為當今的事理作證據，概括地說，就是借古證今。這是一種特殊的文化心態，在作為東方民族代表的中國人身上表現得尤為突出。中西方的思維方式有著很大的差別，西方人重思辨，言事說理強調抽象思維中得出的邏輯規範；中國人的思維方式中則有一種依戀過去事實的傾向，因為古人昔日經驗的成果能「在中國人的心理上喚起一種確實感」[32]。在語言領域，這種稽古傳統就表現為「引用」。劉勰在《文心雕龍》中把引用稱作「事類」，他說：「事類者，蓋文章之外，據事以類義，援

32　葉舒憲：《詩經的文化闡釋》（武漢市：湖北人民出版社，1994年），頁418。

古以證今者也。」又說：「明理引乎成辭，徵義舉乎人事，乃聖賢之鴻謨，經籍之通矩也。」[33] 清末思想家嚴復在翻譯英國人耶方斯的著作《名學淺說》時評論說：

> 中國由來論辨常法，每欲求申一說，必先引用古書，《詩》云子曰，而後以當前之事體語言與之校勘離合，而此事體語言之是非遂定。[34]

《左傳》引《詩》的發生正是緣於這種稽古心理。

《左傳》有時用引《詩》來點明論題，比如昭公十年齊陳桓子擊敗作亂的欒氏、高氏後，賑濟貧困，並給被逐的子山、子商、子周三公子以財物和封地，他說：「《詩》云：『陳錫載周』，能施也。桓公是以霸。」這裏，陳桓子就是以詩句作為自己的觀點。

不過，絕大多數的《左傳》引《詩》是用作論據的，主體往往在說理過程中引用《詩》中語句來增強說服力。所以能增強論辯力量，正是因為《詩》之所言古已有之。引《詩》作論據大多是理論論據，譬如楚公子圍即位後，建造章華之宮，接納逃亡的人。昭公七年，芊尹無宇的守門人有罪逃到章華宮裏，無宇要進去逮捕，管理宮室的官員強行阻止，並將其拘捕進見楚王。無宇說：

> 天子經略，諸侯正封，古之制也。封略之內，何非君土？食土之毛，誰非君臣？故《詩》曰：「普天之下，莫非王土；率土之濱，莫非王臣。」

詩句出自〈小雅・北山〉，無宇表達之意與詩句幾乎相同，但是，引

33　南朝（梁）劉勰：《文心雕龍・事類》。
34　（清）嚴復譯：《名學淺說・論內籀術》（上海市：上海商務印書館，1931 年），頁 82。

用這古已有之的先理印證觀點比無字單純自己說理不知要令人信服多少倍。結果楚王將其赦免，並答應他逮捕守門人。

引《詩》也可以作事實論據。如宣公十一年，晉國郤成子（冀缺）向狄人各部族謀求友好，大夫們主張召集狄人到晉國來，郤成子說：

> 吾聞之，非德，莫如勤，非勤，何以求人？能勤，有繼。其從之也。《詩》曰：「文既勤止。」文王猶勤，況寡德乎？

應當說，引《詩》之前，郤成子已經把道理說得很明白了，所以引《詩》，乃是因為《詩》中描述的不是一般的人物，而是古代的賢王，用古聖先賢的事蹟來說理，自然容易服人。

經過了《左傳》等文獻典籍大量的有意識的引用實踐活動，春秋時代稽古的文化心態逐漸衍生出後來作為儒家風度的「引經據典」的文化傳統。後世談及引用古書時常說「子曰詩云」，那麼「子曰」源自《論語》，「詩云」便源自《左傳》（包括《國語》等）。

2.「辭不可已」的立世原則

春秋時代重視言辭，這在《左傳》中有多處表述。如：

> 豹聞之：「大上有立德，其次有立功，其次有立言。」雖久不廢，此之謂不朽。（襄公二十四年）

> 〈志〉有之：「言以足志，文以足言。」不言，誰知其志？言之無文，行而不遠。（襄公二十五年）

> 君子之言，信而有徵，故怨遠於其身。小人之言，僭而無徵，故怨咎及之。（昭公八年）

從中可以看出，春秋人重視言辭，已不僅僅限於追求表達的順暢，他們是把誠信恰當的言辭表達當作一項重要的立身立世原則來遵循的。正緣於此，當襄公三十一年鄭國子產憑靠出色的外交辭令規正了晉國的無禮，並使侯國得利的時候，晉國叔向才發出了「辭之不可以已也如是夫！子產有辭，諸侯賴之，若之何其釋辭也」的感慨。春秋人重辭的一個具體表現，就是重視宴享聘盟場合的賦詩活動。《漢書・藝文志》稱：

> 古者諸侯卿大夫交接鄰國，以微言相感，當揖讓之時，必稱《詩》以諭其志，蓋以別賢不肖而觀盛衰焉。

可見賦詩在當時絕非可有可無，賦詩應答因此也成了公卿列士交往的一項重要才能，並進而形成了「賦詩言志」的特殊社會風氣。

春秋時代的賦詩應答，可據以推斷賦答者自身的命運。比如襄公二十七年楚薳罷到晉國參加盟會，晉侯設宴招待，薳罷賦〈大雅・既醉〉答謝享禮、頌贊晉侯，叔向評價說：「薳氏之有後於楚國也（薳氏在楚國的後嗣將會長享祿位）。」還可以映照國運的興亡。比如昭公十六年「夏四月，鄭六卿餞宣子（韓起）於郊」，子游、子旗、子柳分別賦〈風雨〉、〈有女同車〉、〈蘀兮〉，讚美韓起，表達晉、鄭兩國的友好，韓起因此稱讚三人是「數世之主」，並預言「鄭其庶乎（鄭國差不多要強盛了吧）！」而一旦在賦詩場合辭不達意或根本賦答不出，則要被人視為極其危險的事情。比如昭公十二年夏，宋華定到魯國聘問，魯國一方賦〈小雅・蓼蕭〉，向他表示歡迎和祝福，華定卻「弗知，又不答賦」，魯臣叔孫昭子便不客氣地說：「必亡！宴語之不懷，寵光之不宣，令德之不知，同福之不受，將何以在？」可見賦詩在當時是怎樣的必要和重要，正如孔子所言：「不學《詩》，

無以言。」[35]

不過，作為引《詩》發生的原因，「辭不可已」的立世原則有其顯明的時代性。因為隨著時代的演進，《詩》失去了春秋時期那種特殊的社會地位和特定形態，人們對《詩》的態度也發生了很大的變化，到後來，即使重辭也未必非要引《詩》。從《論語》中的孔子引《詩》開始，這種原則就不再是作為引《詩》發生的一個必然原因存在的了。

3. 春秋時代《詩》的地位和特質

《左傳》引《詩》的發生，除了文化和社會的原因，還有《詩》本身的因素。

首先，《詩》在春秋時代具有特殊的地位。儘管《詩》在當時不是如同漢代那樣被人們當作「經典」尊奉著，卻已經成了家弦戶誦之書，對人們日常生活產生著重大影響。春秋時代，「無人非詩人，無地非詩景，無言非詩聲」。故此，「自朝會聘享以至事物細微，皆引《詩》以證其得失焉；大而公卿大夫，以至輿臺賤卒，所有論說，皆引《詩》以暢厥旨焉。」[36]

其次，詩樂合一的文化形態。《左傳》引書，不惟《詩》一部文獻，對《書》、《易》、《軍志》等典籍也都有引用。陳夢家先生曾裒集《左傳》引《書》四十七例[37]，董治安先生集錄《左傳》引《易》十一例[38]。但是引《書》、引《易》只存在於言語引用當中，與音樂毫

---

[35] 《論語・季氏》。

[36] （清）勞孝輿：《春秋詩話》，《叢書集成初編》（北京市：中華書局，1985年），冊1743，卷三，頁42。

[37] 陳夢家：《尚書通論・先秦引書篇》（北京市：中華書局，1985年），頁15～18。

[38] 董治安：〈戰國文獻論《易》引《易》綜錄〉，載《先秦文獻與先秦文學》，前揭，頁197。

無瓜葛。《左傳》中有對《詩》的「賦」、「誦」、「歌」，卻沒有對《書》或《易》等的「賦」、「誦」、「歌」。我們知道，詩全入樂，《詩》之所錄全為樂歌，在音樂範圍內對《詩》的引用，正是緣於《詩》的這種特殊文化形態。《書》、《易》、《軍志》等皆不入樂，因此不具備「賦」、「誦」、「歌」這些特殊的引用形式。

再次，形象含蓄、意蘊豐富的語言。《詩》是我國第一部詩集，也是我國第一部樂集。所以入樂，一個很重要的原因就是《詩》的語言形象含蓄，韻律和諧。而且，《詩》中篇章反映了西周到春秋五百年間廣闊的社會生活，語言含蘊豐富，人們可以從中讀出豐厚的言外之意，因而能夠比較充分地表情達意。而《書》、《易》等的語言，或詰屈聱牙，或抽象撲朔，雖有稱引，數量卻遠不及《詩》。

另外，所以引《詩》，還跟《詩》在當時的保存方式有關。臺灣學者屈萬里先生即指出：

> 先秦時代，古書（不是當時人的著作）既少，流傳也非常困難（因為簡冊繁重，帛書昂貴的緣故）；只有詩經這部古書，既有簡冊，又譜成樂歌，便於傳誦，所以流傳得最廣，於是人們引用得也最多。[39]

（二）《左傳》引《詩》的發生原則

《左傳》引《詩》二五五條，橫跨四百餘年，涉及《詩》一三二篇，其中有「風」，有「雅」，也有「頌」。有時引某篇，有時引某章，有時引某句，看起來十分自由，卻不是隨心所欲，任意引取。

---

[39] 屈萬里：〈先秦說詩的風尚和漢儒以詩說教之迁曲〉，載《詩經研究論集》（臺北市：學生書局，1983 年），頁 386。

《左傳》引《詩》，所以引這篇而不引那篇，所以引這句而不引那句，都遵循著一定的原則，這就是「語義適應」原則。所謂語義適應，指的是所引詩句的字面意義恰好適應於《左傳》的語言環境。正因為語義能夠適應，所以才可以拿來引用。

　　從語言學的角度講，意義可以區分為「句子意義」（sentence-meaning）和「話語意義」（utterance-meaning）[40]，它們分屬於語義學和語用學兩個範疇。句子意義指的是存在於語詞自身的、孤立於語境之外的抽象意義，也就是語詞的字面義；話語意義則指存在於交際過程中的、特定語境中的具體意義，也就是語詞的語用義，兩種意義均以語詞的文字形式為依托。句子意義是靜態的，話語意義是動態的。就詩句的語詞形式講，它所具有的只是句子意義，用在詩篇的語言環境中，便有了話語意義I，也就是《詩》的本義，或者說「作詩義」；用在《左傳》的語言環境中，便有了話語意義II，也就是《左傳》引《詩》所取之義，即「引詩義」。這種引詩義儘管不一定合於作詩義，卻可以使《左傳》上下文意貫通。產生這種語言效果，句子意義是關鍵。只有詩句的句子意義適應於《左傳》的語境，才可以產生使《左傳》文意貫通的話語意義；若不適應，《左傳》就會變得令人不知所云了。比如宣公十二年楚國攻晉，楚臣孫叔敖動員軍隊說：「進之！寧我薄人，無人薄我。《詩》云：『元戎十乘，以先啟行。』先人也。」詩句出自〈小雅‧六月〉，〈詩序〉云：「〈六月〉，宣王北伐也。」[41]詩雖然未必真的是寫宣王北伐，描述的卻的確是征伐的場面。《左傳》寫的是楚國攻晉，恰恰也是一場戰鬥，這樣，《左傳》引《詩》之義與《詩》之本義便相去不遠了。

---

[40]　何兆熊：《語用學綱要‧緒論》（上海市：上海外語教育出版社，1989年），頁16。
[41]　《十三經注疏‧毛詩正義》，前揭，頁424。

　　那麼在這裏，詩句的句子意義是如何與《左傳》語境相適應的呢？就靜態的句子意義而言，句中的「元」可解為「大」，「戎」可解為「戰車」，「乘」可解為「輛」，「先」可解為「前」，「行」可解為「進」，放入《左傳》文中恰好可以表達「先人」的意思，可見詩句的句子意義與《左傳》語境能夠適應。試想，如果此處詩句換成〈周南・關雎〉的「關關雎鳩，在河之洲」或〈王風・采葛〉的「一日不見，如三秋兮」，則真可謂牛頭不對馬嘴，因為這樣的詩句是無論如何也生成不出「先人」這種話語意義來的。《左傳》中的每一處引《詩》，詩句的句子意義，或者說《詩》的字面義都與《左傳》語境相適應，《左傳》引《詩》正是在這種原則指導下發生的。

　　從《左傳》引《詩》的實例看，這種語義適應原則大致有兩種情形：

　　一種情形是《詩》的字面義與《左傳》語境相適應，而《詩》之所指與《左傳》所指有很大不同。比如昭公八年，晉國魏榆這個地方有石頭說話，晉侯向師曠問詢這件事，師曠說做事不合時令，怨謗在百姓中產生，就會有不能說話的東西說話。當時晉侯正在大興土木，役使百姓建造虒祁之宮，叔向因此感歎說：

> 子野（師曠）之言君子哉！君子之言，信而有徵，故怨遠於其身。小人之言，僭而無徵，故怨咎及之。《詩》曰：「哀哉不能言，匪舌是出，唯躬是瘁。哿矣能言，巧言如流，俾躬處休。」其是之謂乎！[42]

叔向把師曠稱作「君子」，把師曠說的話稱「君子之言」，對師曠之言顯然是一種肯定和讚美的態度。在這種情況下引《詩》，《詩》中「能言」、「巧言」很明顯是就師曠而發。杜預也說：

---

[42] 楊伯峻：《春秋左傳注・昭公八年》，前揭，頁1301。

> 巧言如流，謂非正言而順敘，以聽言見答者。言其可嘉，以信
> 而有徵，自取安逸。師曠此言，緣問流轉，終歸於諫，故以比
> 巧言如流也。[43]

這是詩句在《左傳》語境中產生的話語意義。在詩篇中就不同了。
詩句出自〈小雅・雨無正〉，《詩序》曰：「〈雨無正〉，大夫刺幽王
也。雨自上下者也，眾多如雨，而非所以為政也。」[44]詩雖然不一定真
的是為「刺幽王」而作，不過從詩的其他章節看，詩篇明顯表達了
一種對時局不滿的情緒，譬如第三章言：「如何昊天，辟言不信。如
彼行邁，則靡所臻。凡百君子，各敬爾身。胡不相畏，不畏於天。」
再來看所引詩句，顯然用的是反語，「不能言」指的是忠直勞作的良
臣，「能言」、「巧言」則指花言巧語的佞人。朱熹的解釋大概合於
《詩》之本義，他說：

> 言之忠者，當世之所謂不能言者也，故非但出諸口，而適以瘁
> 其躬。佞人之言，當世所謂能言者也，故巧好其言，如水之
> 流，無所凝滯，而使其身處於安樂之地。蓋亂世昏主，惡忠直
> 而好諛佞類如此，詩人所以深歎之也。[45]

可見，文字形式完全相同的詩句在《詩》和《左傳》中表達了完全相
反的意思。那麼《左傳》為什麼還可以引用來表情達意呢？因為離
開了具體的語言環境，《詩》中的「能言」、「不能言」等語詞既可以
用在「君子」身上，又可以用在「小人」身上。也就是說，《詩》中
「能言」、「不能言」等語詞的字面義在《左傳》的語言環境中同樣適

---

[43] （晉）杜預：《春秋左傳集解・昭公八年》，前揭，頁1312。

[44] 《十三經注疏・毛詩正義》，前揭，頁447。

[45] （宋）朱熹：《詩集傳》（上海市：上海古籍出版社，1980年），卷十一，頁135。

應，所以可以引用。

　　上面這種情況，是整個引用內容所指與《詩》本義相比起了變化。有時，則僅是《詩》中某個語詞在被引入《左傳》後詞義發生變化，而整個詩句表達的意義與《詩》本義仍相去不遠。舉個例子說，成公二年，魯、衛兩國會同晉國攻打齊國，楚國準備發兵救援。十一月，成公、楚公子嬰齊、蔡侯、許男、秦右大夫說、宋華元等在蜀地會盟。蔡侯和許男因為身為一國之君卻乘坐楚國的車子而沒有被史官載入《春秋》，「君子」評價說：

　　　　位其不可不慎也乎！蔡、許之君，一失其位，不得列於諸侯，
　　　　況其下乎！《詩》曰：「不解於位，民之攸墍。」其是之謂矣。

詩句出自〈大雅·假樂〉，鄭玄箋云：「成王以恩意及群臣，群臣故皆愛之不解於其職位，民之所以休息由此也。」[46]《詩》中「位」字當解為「職位」。《左傳》中，蔡侯、許男並沒有失去國君的職位，丟掉的卻是他們作為國君的身分和面子，這樣，詩句引入《左傳》中，「位」就變成了「身分」之義，這是新的語境下產生的語用義，與《詩》中原義截然不同。不過《詩》之原義是對待「職位」不能怠惰，《左傳》之義是對待「身分」不能怠惰，在這一點上，《左傳》與《詩》又是相通的。由上可知，《詩》的字面義與《左傳》語境是可以適應的，而《詩》的本義與《左傳》語境有時可以適應，有時則不能適應。

　　第二種情形是《詩》的字面義與《左傳》語境相適應，而《詩》之所指與《左傳》所指相同或相近。也就是說，這種情況下《左傳》引《詩》基本上用的是《詩》的本義。我們先來看言語引詩中的兩個例子。

---

46 《十三經注疏·毛詩正義》，前揭，頁541。

宣公十一年，晉國的郤成子反對大夫們召集狄人到晉國來，他說：

> 吾聞之，非德，莫如勤，非勤，何以求人？能勤，有繼。其從
> 之也。《詩》曰：「文王既勤止。」文王猶勤，況寡德乎？

詩句出自〈周頌・賚〉，頌讚文王之勤勞。《左傳》引《詩》作論
據，以文王的實例增強自己論點「非德，莫如勤」、「能勤，有繼」
的說服力。「文王既勤」在《詩》中指文王勤勞，在《左傳》中也指
文王勤勞，意義幾乎完全相同。再如成公二年，晉、魯、衛三國攻打
齊國，楚國準備救援，發兵前，令尹子重動員說：

> 君弱，群臣不如先大夫，師眾而後可。《詩》曰：「濟濟多
> 士，文王以寧。」夫文王猶用眾，況吾儕乎？

詩句在《左傳》中的意義與《詩》本義也基本相同。賦詩中也存在同
樣的情形。比如襄公十四年晉國召集各路諸侯商討伐楚為吳報仇事
宜，會間，晉國執政范宣子打算拘捕戎子駒支，理由是如今諸侯國不
像以前那樣敬奉晉國是因為駒支言語洩漏。駒支據理力爭，歷數諸戎
在各大戰役中作出的貢獻，最後說諸戎服飾、禮節、言語等與中原皆
不通，不可能做壞事，接著「賦〈青蠅〉而退」。〈小雅・青蠅〉共
三章，曰：

> 營營青蠅，止於樊。豈弟君子，無信讒言。
> 營營青蠅，止於棘。讒人罔極，交亂四國。
> 營營青蠅，止於榛。讒人罔極，構我二人。

《詩》的本事，今已不可考，但詩義十分明白，高亨先生說：「這首

詩痛斥讒人的害人亂國，勸諫統治者不要聽信讒言。」[47]這種說法基本合於《詩》之本義。從《左傳》文意看，駒支賦詩顯然表達一種對范宣子聽信讒言、捕風捉影行為的義憤之情，這樣，駒支所賦詩句適應於《左傳》語境所產生的話語意義便與《詩》本義大致相同了。我們說，這種情形下，《詩》的字面義和《詩》本義與《左傳》語境是同時可以適應的。

從《左傳》引《詩》的實例中我們可以看出，《左傳》的引《詩》，有時與《詩》本義相同或相近，有時卻相去甚遠甚至恰然相反。但我們不能據此說春秋時代的人，包括《左傳》作者在內都錯誤地理解了《詩》的意思。因為當時的人對於《詩》所持是一種「斷章取義」的態度，他們只管詩句用在當前語境中產生的話語意義，而不管詩句的本義如何。這從一個側面反映了當時「斷章取義」的詩學風尚，同時也形象地展示出《詩》之語言的語用學價值。關於這點，顧頡剛先生說：

> 大家對於這些入樂的詩都是唱在口頭，聽在耳裏，記得熟了，所以有隨意使用它的能力。他們對於詩的態度，只是一個為自己享用的態度；要怎麼用就怎麼用。但他們無論如何把詩篇亂用，卻不預備在詩上推考古人的歷史，又不希望推考作詩的人的事實。[48]

王昆吾先生則認為當時人們引《詩》所持是一種「樂語之教」造成的「對於詩歌的實用主義態度」

---

[47] 高亨：《詩經今注》（上海市：上海古籍出版社，1980 年），頁 342。
[48] 顧頡剛：〈《詩經》在春秋戰國間的地位〉，前揭，頁 345。

一方面，對詩歌文句的重視超過了對詩歌全篇主題的重視；另
一方面，對詩歌的象徵意義的重視也超過了對詩歌本來創作
意圖的重視。在這一基礎上，也就產生了斷章取義的詩學風
尚。[49]

這種「斷章取義」的詩學風尚與《左傳》引《詩》的「語義適應」原
則有著十分密切的聯繫，也是引用理論中一個值得深入探討的課題。

四 《左傳》引《詩》的格式

《左傳》引《詩》的格式，是指《左傳》引《詩》呈現出來的一
定的規格式樣。具體說來，包含兩方面的內容：一是所引《詩》之內
容在《左傳》中的呈現方式，一是《左傳》在引出這些《詩》時所運
用的語言樣式。研究《左傳》引《詩》的格式，所關注的不再是《左
傳》和《詩》的意義層面，而是這兩部文獻的語言形式層面。下面分
別從三個方面展開論述。

（一）顯性引和隱性引

《左傳》引《詩》在很多時候，實際引用內容在文獻中得到如實
的承載，引用內容是完全明白顯露出來的，我們稱之為「顯性引」。
絕大多數的言語引詩均屬此類情況。比如成公七年吳伐郯，郯國和吳
國媾和，魯國季文子說：

中國不振旅，蠻夷入伐，而莫之或恤。無弔者也夫！《詩》

49　王昆吾：〈詩六義原始〉，載《中國早期藝術與宗教》（上海市：東方出版中心，
　　1998 年），頁 262～263。

曰：「不弔昊天，亂靡有定。」其此之謂乎！

所引為〈小雅・節南山〉第六章中的詩句。季文子所有的引用內容就是「不弔昊天，亂靡有定」八字，除此之外，再也沒有隱藏在文字形式背後的東西。

隱性引就不同了。所謂「隱性引」，是指引用內容未能如實地明白顯示出來，而是隱沒在一定文字形式的背後。具體到《左傳》引《詩》，又可以區分為兩個層次：

第一個層次的「隱性引」是指對具體詩句實際有所引用，但引用主體當時就沒有把這些詩句說出，說出的是另外一種形式。這是由當事人或相關人自己造成的隱性引。言語引詩中有幾例屬於這種情況，比如昭公元年三月甲辰，諸侯國會盟，楚公子圍僭越自己的身分用諸侯之禮來「設服」、「離衛」，各國大夫對此有所評論，有人表示讚美，有人表示批評，最後晉樂王鮒說：「〈小旻〉之卒章善矣，吾從之。」今詩〈小雅・小旻〉的最後一章是這樣的：「不敢暴虎，不敢馮河。人知其一，莫知其他。戰戰兢兢，如臨深淵，如履薄冰。」不管樂王鮒所取何義，他所說的「善矣」肯定是就具體詩句而發，也就是說這些詩句在當時被引用卻沒有被說出，而是被「〈小旻〉之卒章」五個字掩蓋著。我們說，此處引《詩》就是隱性的了。類似情況還有昭公二年季武子引《詩》：「宿敢不封殖此樹，以無忘〈角弓〉。」昭公四年申豐引《詩》：「〈七月〉之卒章，藏冰之道也。」定公十年邾工師駟赤引《詩》：「臣之業在〈揚水〉卒章之四言矣。」等等。

第二個層次的「隱性引」是指引用主體當時對具體詩句有所引用，《左傳》作者在著述文獻時卻沒有將其明白錄出，而是換用了另外一種文字形式。這是由文獻著述者造成的隱性引。這種情況只在賦詩、誦詩和歌詩中存在。賦、誦、歌的現場，不管當事人所賦、誦、

歌的是全篇還是某章，詩篇或詩章的具體詩句在當時都是實際唱出來
的；而《左傳》在記述它們的時候只出現了《詩》的篇句或章次，具
體詩句卻被篇名或章次隱沒了。我們說，這種隱性引的出現，是由文
獻著述過程中的行文要求決定的。比如襄公十九年的一處賦詩：

> 季武子如晉拜師，晉侯享之。范宣子為政，賦〈黍苗〉。季武
> 子興……賦〈六月〉。

今詩〈小雅・黍苗〉共五章，每章四句，凡八十言；〈小雅・六月〉
共六章，每章八句，凡一百九十二言，合之共二百七十二言。在賦詩
的當場，這二百七十二個字都是由樂工或當事人本人一字一字唱出
的，但《左傳》在著述時為了文字的簡潔和語意的連貫，不可能把
《詩》的全文都寫入正文，只交代一個篇名即可。試想，若把此處的
「〈黍苗〉」和「〈六月〉」都換成具體詩句，這段文字將會變得何等臃
腫和令人暈眩！更何況，〈黍苗〉和〈六月〉的篇幅在《左傳》所賦
詩篇中還遠不是最長的。

（二）引某篇、引某章、引某句

這是從引取單位角度給《左傳》引《詩》格式作出的分類。

《左傳》中的賦詩，有的稱全篇，如昭公二年宣子「自齊聘於
衛，衛侯享之。北宮文子賦〈淇澳〉，宣子賦〈木瓜〉」；有的點明所
賦某章，如成公九年夏：「季文子如宋致女，復命，公享之。賦〈韓
奕〉之五章。穆姜出於房，再拜，……又賦〈綠衣〉之卒章而入。」
賦某章時往往點明，這是《左傳》賦詩的一則通例，由此可以反推
賦詩稱全篇時很可能整首詩都被賦出。杜預在僖公二十三年《左傳》

第一例賦詩下注曰：「其全稱《詩》篇者，多取首章之義，他皆放此。」[50]這是賦詩取義的通例，與稱全篇者賦全篇並不矛盾，因為即使將整篇全部賦出，取義仍可只在首章。可以這樣說，《左傳》賦詩中，稱全篇就是賦全篇，而賦全篇就是引全篇。

《左傳》所載賦詩和言語引詩，都可以以某章為引取單位。賦詩中引取某章往往有所交代，大多數情況下引一章，也有引兩章的時候，《左傳》中只有一例，這就是襄公二十年冬：「季武子如宋，報向戌之聘也。褚師段逆之以受享，賦〈常棣〉之七章以卒」。（清）王引之說：「以，猶與也（說見《釋詞》）。卒，卒章也。言賦〈常棣〉之七章與卒章也。『卒』下無『章』字者，蒙上而省。」[51]可見褚師段所引為〈常棣〉的兩章。

引用內容為《詩》之一整章的共有七例：

1.僖公二十四年，富辰所引「常棣之華，鄂不韡韡。凡今之人，莫如兄弟」，為〈小雅・常棣〉之首章。

2.文公元年，秦伯所引「大風有隧，貪人敗類。聽言則對，誦言如醉。匪用其良，覆俾我悖」，為〈大雅・桑柔〉第十三章。

3.文公三年，君子所引「於以采蘩，於沼於沚。於以用之，公侯之事」，為〈召南・采蘩〉之首章。

4.成公十四年，甯子所引「兕觥其觩，旨酒思柔。彼交匪傲，萬福來求」，為〈小雅・桑扈〉之卒章。

5.昭公八年，叔向所引「哀哉不能言，匪舌是出，唯躬是瘁。哿矣能言，巧言如流，俾躬處休」，為〈小雅・雨無正〉第五章。

6.昭公二十八年，成鱄所引「惟此文王，帝度其心。莫其德音，

---

[50] （晉）杜預：《春秋左傳集解・僖公二十三年》，前揭，頁338。

[51] （清）王引之：《經義述聞》（南京市：江蘇古籍出版社，1985年），卷十八，頁436。

其德克明。克明克類，克長克君。王此大國，克順克比。比於
文王，其德靡悔。既受帝祉，施於孫子」，為〈大雅·皇矣〉
第四章。

7.定公九年，君子所引「蔽芾甘棠，勿翦勿伐，召伯所茇」，為
〈召南·甘棠〉之首章。

《左傳》中的賦詩以「章」為最小單位，沒有賦某句的情況。因為賦
詩是合於樂的，《詩》中的一章對應的是樂中的一段，而一般情況下
一個樂段表達一個相對完整的意思，不能輕易將其割裂。而且賦詩具
有一定的禮儀性，以一章或幾章乃至全篇為單位並不讓人覺得冗長。
而言語的表達講究恰當簡潔，因此言語引詩的內容不可能過於繁瑣，
除上面七處引整章外，其餘言語引詩都以《詩》的某句為單位。比如
僖公九年秦國大夫公孫枝引《詩》說：

> 臣聞之，唯則定國。《詩》曰：「不識不知，順帝之則。」文王
> 之謂也。又曰：「不僭不賊，鮮不為則。」無好無惡，不忌不
> 克之謂也。

所引分別為〈大雅·皇矣〉和〈大雅·抑〉中的句子。又如襄公十年
晉國率領各諸侯國攻打妘姓國偪陽，魯人秦堇父、叔梁紇、狄虎彌在
戰鬥中均有出色表現，孟獻子稱讚說：「《詩》所謂『有力如虎』者
也。」詩句在〈邶風·簡兮〉的第二章：「碩人俁俁，公庭萬舞。有
力如虎，執轡如組。」孟獻子只拿其中一句以《詩》代言，來表達讚
佩之意。

（三）引詩公式

所謂引詩公式，是指可以應用於同類引《詩》的方式、方法。一

個完整的引《詩》活動，既包括對《詩》的引入，又包括對《詩》的
解說。《左傳》引《詩》相應地就有了它的引入公式和解說公式。

1. 引入公式

　　《左傳》在引《詩》時，有時指明所引內容出自《詩》，這是明
引。其中有的泛言引自《詩》，如僖公二十二年富辰引《詩》：「《詩》
曰：『協比其鄰，昏姻孔云。』」又如襄公三十一年衛北宮文子引
《詩》曰：「《詩》云：『誰能執熱，逝不以濯。』」有的指明「風」或
「頌」，如襄公三十一年北宮文子引《詩》：「〈衛詩〉曰，『威儀棣
棣，不可選也。』」再如襄公二十六年聲子引《詩》：「〈商頌〉有之
曰：『不僭不濫，不敢怠皇。命於下國，封建厥福。』」有的則直接
指明具體詩篇，如宣公十二年隨武子引《詩》：「〈汋〉曰：『於鑠王
師！遵養時晦』，耆昧也。〈武〉曰：『無競惟烈。』」

　　《左傳》有時直接把詩句引入文中，並不交代引文的出處或作
者，這是暗引。這種情況下，需要藉助於今詩才可以判定引文是
《詩》中語句。如襄公二十四年子產托子西帶給晉范宣子一封書信，
信中說：「《詩》云：『樂只君子，邦家之基』，有令德也夫！『上帝
臨女，無貳爾心』，有令名也夫！」由於《左傳》除引《詩》之外，
還對《書》、《易》、《軍志》等文獻內容有所引用，因此我們不能單
純憑此處「上帝臨汝，無貳爾心」與「樂只君子，邦家之基」並列就
斷言「上帝臨汝」句也出自《詩》。不過今詩〈大雅・大明〉中有與
之完全相同的句子而其他文獻當中沒有，故而我們可以判定兩句引文
均為引《詩》。

　　像這種暗引的情況，引入時沒有可觀的文字形式；明引則有多種
引入方式，並形成了一定的引詩公式。見下表：

《左傳》引《詩》「引入公式」表

公式（變體）	頻率	例句
《詩》曰（又曰）	101	《詩》曰：「愷悌君子，神所勞矣。」（僖公十二年）
《詩》云	20	《詩》云：「民之多辟，無自立辟。」（宣公九年）
故《詩》曰	10	故《詩》曰：「立我烝民，莫匪爾極。」（成公十六年）
《××》曰 （《××》有之曰，在《××》曰）	11	〈商頌〉曰：「殷受命咸宜，百祿是荷。」（隱公三年）
《詩》所謂××者 （《詩》所謂××，《詩》所謂××者也）	5	《詩》所謂：「我躬不說，遑恤我後」者（襄公二十五年）
其詩曰 （××之詩曰，××作詩曰）	5	周之興也，其詩曰：「儀刑文王，萬邦作孚。」（襄公十三年）

從表中可以看出，《左傳》在引入詩句時有其相對固定的格式，其中「《詩》曰」、「《詩》云」占了絕對多數，這是《左傳》引《詩》的一種習慣方式。

2. 解說公式

　　《左傳》在引《詩》之後，往往對《詩》句內容有所解說。這種解說有時只解釋《詩》中的某一個語詞，比如昭公二十八年成鱄引《詩》：

《詩》曰：「惟此文王，帝度其心。莫其德音，其德克明。克
明克類，克長克君。王此大國，克順克比。比於文王，其德靡
悔。既受帝祉，施於孫子。」心能制義曰度，德正應和曰莫，
照臨四方曰明，勤施無私曰類，教誨不倦曰長，賞慶刑威曰
君，慈和遍服曰順，擇善而從之曰比，經緯天地曰文。九德不
愆，作事無悔，故襲天祿，子孫賴之。

所謂「九德」，正是所引詩句中的九個語詞，成鱄逐一作了解說。有
時則就整個詩句所指作一種「串解」式的解說。兩種情形都各自形成
了一定的公式，見下表：

《左傳》引《詩》「解說公式」表

公式（變體）		頻率	例句
釋詞	××為×	7	「正直為正，正曲為直」（襄公七年）；「訪問於善為咨」（襄公四年）
	××曰×	9	「心能制義曰度」；「經緯天地曰文」（昭公二十八年）
串解	××也 （是××也，是亦××也，××者也夫，××也夫，××矣）	23	《詩》云：「君子屢盟，亂是用長」，無信也。（桓公十二年）
	××之謂也 （××之謂，××之謂乎）	12	《詩》云：「惠此中國，以綏四方」，不失賞、刑之謂也。（僖公二十八年）

公式（變體）	頻率	例句
其××之謂矣 （其××之謂乎）	7	《詩》曰：「自詒伊慼」，其子臧之謂矣。（僖公二十四年）
言××也 （謂××也）	7	《詩》云：「不識不知，順帝之則」，言則而象之也。（襄公三十一年）
××有焉 （××其有焉）	5	《詩》曰：「於以采蘩，於沼於沚。於以用之？公侯之事。」秦穆有焉。（文公三年）

綜觀兩表我們不難發現，《左傳》引《詩》，無論是「引入公式」還是「解說公式」，都存在多少不等的變體，這與戰國以至漢代的情形迥然相異。戰國諸子在著作中經常引《詩》，以《荀子》所引為最多。他們的引《詩》也形成了一定的公式，比如《孟子》慣於用「《詩》云……此之謂也」這種形式，《荀子》則慣於使用「《詩》曰……此之謂也」。而且，《左傳》的解說公式中，沒有哪一種形式占絕對優勢，從《孟子》、《荀子》開始，「此之謂也」逐漸成為通行的引《詩》格式。這種情形在漢代發展到極致，《韓詩外傳》和劉向的《列女傳》是其中的代表。臺灣學者裴普賢先生指出：

> 《韓詩外傳》每節一故事或議論，最後必引《詩》作結。這是承襲《孝經》的方式，但《韓詩外傳》中也採用了孟、荀以來引《詩》以「此之謂也」作結的方式者十二次，兩次是孟式的「《詩》云……此之謂也」，十次是荀式的「《詩》曰……此之謂也」。

又說：

> 劉向《列女傳》是引《詩》濫用「此之謂也」公式的代表作。
> 全書一百二十四篇，分別記敘古來各式婦女事蹟，篇末以
> 引《詩》作結。其結語採用「此之謂也」公式的凡九十七次
> 之多。其中六十五次冠以「《詩》云」，三十二次冠以「《詩》
> 曰」。[52]

由此可見，漢代引《詩》不僅以「此之謂也」為較為固定的解說公
式，而且所引詩句都有基本固定的位置，即一般在一段議論的最末引
出詩句。若溯其源頭，「此之謂也」的引詩公式應當本自於《左傳》
引《詩》中「其是之謂乎（其是之謂矣，其此之謂乎）」這種形式。
《左傳》引《詩》中的諸種引《詩》公式，固然也可以說「都是詩教
規程的表現」[53]，但它既不能算作「儒家極度推尊《詩經》的結果」[54]，
又不能說「代表了斷章取義的極致」[55]，因為那畢竟是戰國以後的事
情。

五 《左傳》引《詩》的功用

《詩》的功用指的是一部特殊文獻的功能和用途，夏傳才先生總
結為三點：「一是應用於各種典禮儀式」，「二是貴族宴會的應用」，

---

52 裴普賢：〈從「此」字談到引詩公式「此之謂也」〉，載《詩經欣賞與研究》（臺北
市：三民書局，1981年），頁511。
53 王昆吾：〈詩六義原始〉，前揭，頁269。
54 裴普賢：〈從「此」字談到引詩公式「此之謂也」〉，前揭，頁510。
55 王昆吾：〈詩六義原始〉，前揭，頁268。

「三是賦詩言志」[56]；而引《詩》的功用則指一種用《詩》活動的功能和用途。由此可見，引《詩》的功用和《詩》的功用並非處在同一個層面上，後者關注的是一種話語或文本，前者關注的則是應用這種話語或文本的活動。綜合起來考察，《左傳》引《詩》的功用大致表現在如下三個方面：

（一）「言志」

關於詩「言志」之說，文獻中有多處記載。

> 詩言志，歌永言，聲依永，律和聲。八音克諧，無相奪倫，神人以和。（《尚書・虞書・舜典》）

> 詩以言志，志誣其上而公怨之，以為賓榮，其能久乎？（《左傳・襄公二十七年》）

> 詩，言其志也；歌，詠其聲也；舞，動其容也，三者本於心。（《禮記・樂記》）

> 在事為詩，未發為謀，恬憺為心，思慮為志，詩之為言志也。（《詩譜序・疏》引《春秋說題辭》[57]）

如上四例中，「志」字的含義並不相同。《舜典》、《樂記》和《春秋說題辭》中的話都是就詩篇創作而言的，因此其中的「志」是指作詩

---

[56] 夏傳才：《十三經概論・詩經》（天津市：天津人民出版社，1998年），頁151～152。

[57] 《十三經注疏・詩譜序》，前揭，頁262。

人創作詩篇時內心存有的思想情懷，這種「志」也就是作詩人的本義。而《左傳》中的話顯然是就詩篇的運用而言的，因為這是文子對伯有在宴會上賦〈鶉之賁賁〉一詩發出的一段議論。這裏的「志」不是指作詩人的情懷，而是指賦詩人——也就是用詩人的心意。用詩人的心意可以和作詩人的本義相合，也可以不合，這要看用詩人當時所處的具體情境。如此說來，詩「言志」中的「志」有二義：一指「作詩人」之志，二指「用詩人」之志。《左傳》「詩以言志」這句話的真正含義就是用詩可以表達心志，而對《詩》的引用是一種重要的「用詩方式」。因此，引《詩》能夠「言志」。

正因為引《詩》可以「言志」，所以通過引《詩》可以「觀志」，也可以「知志」。如襄公二十七年：「鄭伯享趙孟於垂隴，子展、伯有、子西、子產、子大叔、二子石從。趙孟曰：『七子從君，以寵武也。請皆賦，以卒君貺，武亦以觀七子之志。』」又，昭公十六年：「夏四月，鄭六卿餞宣子於郊。宣子曰：『二三君子請皆賦，起亦以知鄭志。』」又，襄公十六年，「齊高厚之詩不類。荀偃怒，且曰：『諸侯有異志矣。』」均是這方面的實例。

就賦詩而言，《左傳》引《詩》所言之「志」大致有三個方面的表現：

其一，「志」可以是某些具體的外交任務。這也就是朱自清先生所說的賦詩可以「辦交涉」[58]。比如襄公十六年，齊國再次伐魯，魯臣穆叔來到晉國請求救援。

> 晉人曰：「以寡君之未禘祀，與民之未息，不然，不敢忘。」
> 穆叔曰：「以齊人之朝夕釋憾於敝邑之地，是以大請。敝邑之
> 急，朝不及夕，引領西望曰：『庶幾乎！』比執事之間，恐無

---

[58] 朱自清：《詩言志辨》，前揭，頁20。

及也。」見中行獻子，賦〈圻父〉。獻子曰：「偃知罪矣，敢不
從執事以同恤社稷，而使魯及此！」見范宣子，賦〈鴻雁〉之
卒章。宣子曰：「　在此，敢使魯無鳩乎！」

穆叔是帶著明確的外交使命出使晉國的，剛開始遭到委婉的拒絕，
見到中行獻子和范宣子後，賦詩繼續交涉。〈圻父〉即今〈小雅·祈
父〉篇，詩共三章：

> 祈父，予王之爪牙。胡轉予於恤，靡所止居。
> 祈父，予王之爪士。胡轉予於恤，靡所底止。
> 祈父，亶不聰。胡轉予於恤，有母之尸饔。

詩之本事，是一位士卒或下級軍官，因輾轉流離而對祈父發出的怨憤
之詞。穆叔賦詩之義在於借之描繪魯國百姓遭齊侵伐後流離失所的
慘狀。今詩〈小雅·鴻雁〉卒章為：「鴻雁於飛，哀鳴嗷嗷。維此哲
人，謂我劬勞。維彼愚人，謂我宣驕。」賦詩之義更為明顯，「言魯
憂困，嗷嗷然若鴻雁之失所」[59]。這裏，穆叔兩次靠賦詩描繪了魯國的
處境，表白了魯國的請求。從中行獻子和范宣子的答語來看，晉國爽
快地答應了穆叔的國事請求，穆叔此行不辱使命。

　　其二，「志」可以是一種讚美或答謝，賦詩的目的是增進友誼，
密切感情。這主要是指朱自清先生所說的賦詩可以完成「外交酬
酢」[60]。比如昭公二年晉韓宣子到魯國聘問，「公享之，季武子賦〈綿〉
之卒章。韓子賦〈角弓〉」。〈大雅·綿〉之卒章為「虞芮質厥成，文
王蹶厥生。予曰有疏附，予曰有先後，予曰有奔奏，予曰有禦侮」，
杜預說：「卒章義取文王有四臣，故能以綿綿致興盛。以晉侯比文王，

---

[59] （晉）杜預：《春秋左傳集解·襄公十六年》，前揭，頁933。
[60] 朱自清：《詩言志辨》，前揭，頁19。

以韓子比四輔」，賦詩顯然是表達對韓子乃至晉侯的頌美之辭。韓子
賦〈小雅・角弓〉則「取其『兄弟婚姻，無胥遠矣』，言兄弟之國宜
相親」[61]，以表示答謝。一賦一答中，晉、魯兩國的友誼得到了增進。

其三，「志」又可以是一種態度或做法，這實際是一種以《詩》
代言的用途。襄公十四年：

> 夏，諸侯之大夫從晉侯伐秦，以報櫟之役也。晉侯待於竟，使
> 六卿帥諸侯之師以進。及涇，不濟。叔向見叔孫穆子，穆子賦
> 《匏有苦葉》，叔向退而具舟。

這裏，穆子沒說一句話，只賦一首詩了事，叔向卻因此知曉了穆子的
態度。杜預說：「義取於『深則厲，淺則揭』。言己志在於必濟。」[62]
此言極是，叔向「退而具舟」便是明證。由上我們可以看到賦詩所具
備的表達引《詩》人心志這種功能。

言詩引詩不像賦詩那樣有大體固定的場合和基本相類的程式，因
此「言志」的範圍應當更為廣闊。概括說來，言語引詩「言志」的功
用主要表現在兩個方面，一是印證某種道理，一是評騭人物的臧否。

印證道理的，如昭公元年，楚國令尹公子圍在宴會上表現得自己
已經是國君了，晉叔向不以為然，認為令尹雖然可以取得君位，卻一
定不會長久。趙孟問其緣故，叔向回答說：「強以克弱而安之，強不
義也。不義而強，其斃必速。《詩》曰：『赫赫宗周，褒姒滅之。』強
不義也。」叔向便是拿〈小雅・正月〉中的詩句來印證「不義而強，
其斃必速」的道理的。

評騭人物的典型例證，是文公三年「君子」的三則引《詩》。秦

---

61 （晉）杜預：《春秋左傳集解・昭公二年》，前揭，頁1209。

62 （晉）杜預：《春秋左傳集解・襄公十四年》，前揭，頁907。

大夫子桑獨具慧眼，舉薦孟明為大將；秦穆公不因孟明連續戰敗而廢棄他，而是一直重用；孟明不因受挫而懈怠氣餒，而是增修國政，重施於民，最後終於建立戰功，佐助穆公稱霸西戎，君子是以知「秦穆之為君也，舉人之周也，與人之壹也；孟明之臣也，其不解也；能懼思也；子桑之忠也，其知人也，能舉善也。《詩》曰：『於以采蘩，於沼於沚。於以用之？公侯之事。』秦穆有焉。『夙夜匪解，以事一人』，孟明有焉。『詒厥孫謀，以燕翼子』，子桑有焉」。這裏，君子分別引〈召南・采蘩〉、〈大雅・烝民〉和〈大雅・文王有聲〉中的詩句完成了對秦穆、孟明和子桑三人的評價。

（二）「專對」

「專對」作為一個語詞，出自《論語・子路》：

> 子曰：「誦《詩》三百，授之以政，不達；使於四方，不能專對；雖多，亦奚以為？」

「專對」之義，（宋）邢昺解為「獨對諷誦」。「專對」是一種外交活動，而且必定離不開引《詩》，這是春秋時代的一種特殊的社會現象。「古者使適四方，有會同之事，皆賦詩以見意」[63]，說的就是這種情況。能夠「專對」因此成了當時公卿大夫一種必備的修養和能力，並受到人們極大的重視。僖公二十三年秦穆公以享禮招待晉公子重耳，本要子犯偕從，子犯推託說：「吾不如衰之文也，請使衰從。」實際就是認為自己在「專對」方面不及趙衰之意。關於春秋時代「專對」的歷史背景，楊伯峻先生說得較為詳細：

---

63 《十三經注疏・論語注疏》，前揭，頁2507。

古代的使節，只接受使命，至於如何去交涉應對，只能隨機應
變，獨立行事，更不能事事請示或者早就在國內一切安排好，
這便叫做「受命不受辭」，也就是這裏的「專對」。同時春秋
時代的外交酬酢和談判，多半背誦詩篇來代替語言（《左傳》
裏充滿了這種記載），所以《詩》是外交人才的必讀書。[64]

從春秋時代「專對」的實際發生過程來看，「專對」與《詩》密不
可分，「專對」的內容主要是《詩》，「專對」的完成也主要是由引
《詩》——具體地說是由「賦詩」來實現的。由此我們說，「專對」是
引《詩》的一大功用。文公十三年鄭子家與魯季文子之間的一場賦答
便是引《詩》完成「專對」並獲成功的典型例證：

> 鄭伯與公宴於棐，子家賦〈鴻雁〉。季文子曰：「寡君未免於
> 此。」文子賦〈四月〉。子家賦〈載馳〉之四章。文子賦〈采
> 薇〉之四章。鄭伯拜，公答拜。

魯公自晉國歸來路過鄭國，鄭伯請求魯公返回晉國幫忙求和於晉，鄭
伯會魯公於棐地，鄭大夫子家與魯大夫季文子在宴會上賦詩。子家賦
〈小雅・鴻雁〉，「義取侯伯哀恤鰥寡有征行之勞。言鄭國寡弱，欲使
魯侯還晉恤之」；文子答以〈小雅・四月〉：「義取行役踰時，思歸祭
祀，不欲為還晉」；子家又賦〈鄘風・載馳〉之四章：「義取小國有
急，欲引大國以救助」，進一步向魯國提出請求；文子最終答以〈小
雅・采薇〉之四章，「取其『豈敢定居，一月三捷』，許為鄭還，不
敢安居」[65]。這是一項鄭重的國事請求，也是一場嚴肅的政治談判，其
間還有不小的波瀾。但這裏沒有劍拔弩張，沒有刀光劍影，在觥籌交

64　楊伯峻：《論語譯注・子路》（北京市：中華書局，1980），頁135～136。

65　這裏幾處引文皆出（晉）杜預：《春秋左傳集解・文公十三年》，前揭，頁490。

錯間，在奏樂歌唱中，一場外交應對活動圓滿結束，一項重要的政治協議最終達成，這實在是賦詩的妙用！自然，子家和季文子也都是賦詩「專對」的高手。

當然，「專對」主要是指賦詩在外事交往中的一種功用，從表情達意的角度講，賦詩也可用於本國內部人物之間，比如成公九年夏，魯臣季文子到宋國慰問嫁到那裏的魯女伯姬，歸來後，成公設宴慰勞，並賦〈大雅・韓奕〉之五章；再如襄公二十年冬，魯臣季武子為報向戌之聘出訪宋國，歸來後襄公設享禮招待，武子賦〈小雅・魚麗〉之卒章，襄公答賦〈小雅・南山有臺〉。這些都是本國君臣間的賦答。

（三）增強修辭效果

從語言學的角度講，引《詩》是一種修辭現象。《左傳》對《詩》的引用，大大增強了《左傳》語言的修辭效果。

1. 增強說服力

《左傳》中的引《詩》，大都是說理的場合。就言語引詩而言，主體往往用自己的話已把道理說得很明白，但仍要引上一句或一章詩，目的是想使人更加信服。臺灣修辭學家黃慶萱先生說：

> 引用是一種訴之於權威或訴之於大眾的修辭法，利用一般人對權威的崇拜及對大眾意見的尊重，以加強自己言論的說服力。[66]

這是引用的一種重要功用，在《左傳》引《詩》中體現得非常充

66　黃慶萱：《修辭學》（臺北市：三民書局，1983年），頁99。

分。《詩》在當時雖然不像在漢代那樣被奉為「經典」，但從人們對它的熟悉程度和其應用範圍看，《詩》明顯具有一種特殊的「權威地位」[67]，它是「史」，是「典」，是「禮」，也是「法」[68]，引取它上面的話自然要比僅從引《詩》人口中說出更能服人。茲舉一例，晉為諸侯霸主，要求各國交納厚重的貢品，鄭國被弄得困苦不堪。襄公二十四年，鄭伯出使晉國，子西為相，鄭卿子產托子西帶給晉國執政范宣子一封書信，指責晉國不重德名而重財貨，這樣下去，如同大象因有了值錢的象牙而遭捕殺一樣，晉國也會因財貨聚集過多而招致毀滅。子產在信中是這樣說的：

> 夫令名，德之輿也；德，國家之基也。有基無壞，無亦是務乎！有德則樂，樂則能久。《詩》云：「樂只君子，邦家之基。」有令德也夫！「上帝臨女，無貳爾心」，有令名也夫！恕思以明德，則令名載而行之，是以遠至邇安。毋寧使人謂子，「子實生我」，而謂「子浚我以生」乎？象有齒以焚其身，賄也。

子產以一個小國之卿的身分和地位向一位操握霸主國家權柄的執政發難，力量未免單薄了些，但他引用〈小雅·南山有臺〉和〈大雅·大明〉中的詩句來印證和支持關於「令德」和「令名」的闡說，從為當時人們熟知和推崇的《詩》中找到理論根據，這便使自己的論點找到了一個建立在「權威」和「大眾」基礎之上的堅實依托，說理的氣勢和力量因而大大增強。難怪信讀完後「宣子說，乃輕幣」[69]。

---

67 陰法魯：《詩經》，載《經書淺談》（北京市：中華書局，1984年），頁38。
68 孔慧云：〈《左傳》用《詩》初探〉，《鄭州大學學報》，1997年4月。
69 《左傳·襄公二十四年》。

2. 使表達委婉含蓄

　　這大致可以分為兩種情形：一種情形是在實際交往中，有些話不宜直接說出，相關主體往往引《詩》婉曲說明，既維護了禮節，又避免了尷尬。如襄公二十七年齊慶封來到魯國聘問，魯臣叔孫豹招待他吃飯，慶封表現得很不恭敬，叔孫豹為他賦了〈鄘風‧相鼠〉這首詩。叔孫豹對慶封的表現極端不滿，要讓他直說，必定會把慶封痛罵一頓，但這畢竟是外交場合，那樣做難免失禮，於是叔孫豹通過賦詩委婉表達。〈相鼠〉的文義本是很顯明的：

> 相鼠有皮，人而無儀。人而無儀，不死何為？
> 相鼠有齒，人而無止。人無而止，不死何俟？
> 相鼠有體，人而無禮。人而無禮，胡不遄死？

但終究沒有說「慶封無禮」直截了當。不過，也只有像慶封這樣愚蠢的人才連叔孫豹賦詩是何意居然都「亦不知也」[70]。

　　另一種情形是有些告誡或請求最終還是直白說出，但之前有引《詩》作為緩衝，使對方在心理上易於接受。舉個例子說，春秋末年，周王室衰微，權力受到極大的威脅，一些小諸候國也很不安定。昭公二十四年，鄭伯出使晉國，子大叔相禮，進見晉卿范獻子。范獻子問子大叔如何對待王室，子大叔說：

> 老夫其國家不能恤，敢及王室？抑人亦有言曰：「嫠不恤其緯，而憂宗周之隕，為將及焉。」今王室實蠢蠢焉，吾小國懼矣；然大國之憂也，吾儕何知焉？吾子其早圖之！《詩》曰：「瓶之罄矣，惟罍之恥。」王室之不寧，晉之恥也。

---

[70] 《左傳‧襄公二十七年》。

子大叔一方面指明晉國作為諸侯霸主應當對「王室之不寧」的現狀負
有責任，一方面希圖晉國有所舉動，但作為小國之臣，倘若把「晉之
恥也」的罪責逕直加到晉國頭上，對晉卿范獻子來說必定是個很大的
刺激，從心理上恐怕難以接受，子大叔也就無法達到依靠晉國維護鄭
國安定的目的。這裏，子大叔卻是先引詩句，取其比喻義，將道理含
蓄說出，然後再表述實際意思。這宕開的一筆，使對方有了心理上的
準備，接受起來也就變得較為自然了。其結果是「獻子懼，而與宣子
圖之。乃徵會於諸侯，期以明年」[71]。

3. 使語言簡約生動

《左傳》在很多情況下以《詩》代言，把要表達的複雜內容濃縮
到一兩句話裏面，文字簡約而含義豐富。如襄公七年：

> 冬十月，晉韓獻子告老，公族穆子有廢疾，將立之。辭曰：
> 「《詩》曰：『豈不夙夜？謂行多露。』又曰：『弗躬弗親，庶
> 民弗信。』」無忌不才，讓，其可乎？」

第一句引《詩》出自〈召南・行露〉，今人楊伯峻以為：「原詩為比
喻，此則斷章取義，謂己有病而不能早夜從公。」[72]第二句引《詩》出
自〈小雅・節南山〉，杜預以為：「言讒在位者不躬親政事，則庶
民不奉信其命。言己有疾，不能躬親政事。」[73]這是合於《左傳》引
《詩》之義的。穆子引《詩》辭卻官位，一方面陳說了他身體殘疾的
客觀情況，一方面表現出他所持的為政者應當躬親政事、取信於民的
政治觀點，如此豐富的意義只包含在寥寥兩句詩中，語言可謂簡約。

---

[71] 《左傳・昭公二十四年》。
[72] 楊伯峻：《春秋左傳注・襄公七年》，前揭，頁951。
[73] （晉）杜預：《春秋左傳集解・襄公七年》，前揭，頁835。

《詩》的語言形象生動，恰當引用可以大大提高表現力，如襄公十年孟獻子稱讚魯人狄虎彌等時說：「《詩》所謂『有力如虎』者也」；宣公二年君子評價宋羊斟時說：「《詩》所謂『人之無良』者，其羊斟之謂乎！」相對於直白的評價來說，這些地方的引《詩》使《左傳》語言顯得尤為活潑。

六 《左傳》引《詩》的價值

再讓我們換一個視角，把視線匯聚到《左傳》這部文獻上，考察其中引《詩》具備怎樣的學術價值。

（一）文獻學考察

從文獻學的角度講，文獻對文獻的引用也就是文獻對文獻的保存，這是引用在客觀上的一種功用。一種文獻把另一種文獻的內容引用過來，儘管是不完整的，有時甚至是片言隻語，但這些內容被保存下來，並成為這一文獻必不可少的組成部分，因而具有了特殊的文獻學價值。《左傳》引《詩》正是如此。《詩》被引入《左傳》，《詩》的篇名或語句在《左傳》中得到了客觀的承載，其中諸多信息都不是單本流傳的《詩》文本本身所能提供給我們的。今天我們所見到的《詩》是漢初的毛詩，漢代齊、魯、韓三家詩均已亡佚，我們只能從後代一些輯佚著作中窺見一斑。一九七七年在安徽阜陽縣雙古堆一號漢墓發現了漢初不同於四家詩中任何一家的「阜陽漢簡《詩經》」，遺憾的是已無一首完好者，有的僅存篇名[74]。至於春秋時期《詩》的

74　參文物局古文獻研究室、安徽省阜陽地區博物館阜陽漢簡整理組：〈阜陽漢簡簡介〉，《文物》，1983 年 2 月。

文本情況到底如何，單純從《詩》的版本上更是無從考知。然而《左傳》是記載春秋歷史的重要文獻，其中所引之《詩》呈現出來的是春秋時期《詩》的面目。這些引《詩》，對於研究《詩》的產生、編訂和流傳中的諸多問題，都是極具文獻價值的寶貴資料。

1. 關於逸詩

《左傳》所引《詩》中，有不少是今詩不載的逸文，其中既有文句之逸，又有篇目之逸。見下表：

《左傳》引《詩》「逸詩」表

逸詩	引詩編年	引詩主體	引詩內容
文句之逸	莊公二十二年	陳敬仲	翹翹車乘，招我以弓。豈不欲往，畏我友朋
	成公九年	君子	雖有絲麻，無棄菅蒯。雖有姬姜，無棄蕉萃。凡百君子，莫不代匱
	襄公五年	君子	周道挺挺，我心扃扃。講事不令，集人來定
	襄公八年	鄭子駟	俟河之清，人壽幾何。兆云詢多，職競作羅
	襄公二十一年	晉叔向	優哉游哉，聊以卒歲
	襄公三十年	君子	淑慎爾止，無載爾偽
	昭公四年	鄭子產	禮義不愆，何恤於人言
	昭公十二年	楚子革	祈招之愔愔，式昭德音。思我王度，式如玉，式如金。形民之力，而無醉飽之心
	昭公二十六年	齊晏子	我無所監，夏后及商。周亂之故，民卒流亡

逸詩	引詩編年	引詩主體	引詩內容
篇目之逸	僖公二十三年	晉公子	〈河水〉
	襄公二十六年	齊國子	〈轡之柔矣〉
	襄公二十八年	魯穆子	〈茅鴟〉
	昭公二十五年	宋公	〈新宮〉

表中所列十三條逸詩，是前賢較為一致的意見，還有幾則未成定論：一是僖公五年晉士蒍所賦「狐裘尨茸，一國三公，吾誰適從」，清嚴虞惇、勞孝輿及今人張啟成均以為逸詩，杜預則認為是「士蒍自作詩」[75]，並非《詩》之文句。二是僖公九年秦大夫公孫枝曰：「臣聞之，唯則定國。」清惠棟及今人王昆吾、張啟成均以為「唯則定國」屬逸詩，杜預則未加注明，恐不以為是逸詩。三是日本學者小島祐馬認為襄公八年鄭子駟所言「謀之多族，民之多違，事滋無成」是「《左傳》所存而《毛詩》所逸」[76]，目前尚未見到與此說相同的第二條材料。四是張啟成先生據〈周禮·鐘師〉鄭玄注以為襄公四年晉國所奏「〈肆夏〉之三」皆為「頌詩」，並將其歸入「篇句存而詩辭逸」類[77]；杜預以為是「樂曲名」[78]，楊伯峻先生以為是「樂章名」[79]，均未將其視作《詩》中篇目。

　　表中所列諸《詩》究竟為何時所逸，有待於縝密的考證，這些《詩》在當時卻是實際存在著的，否則便不能被引用。不過在當時，

75　（晉）杜預：《春秋左傳集解·僖公五年》，前揭，頁252。

76　江俠庵編譯：《先秦經籍考·春秋三傳類》，前揭，頁264～265。

77　張啟成：〈詩經逸詩考〉，《貴州文史叢刊》，1984年1月。

78　（晉）杜預：《春秋左傳集解·襄公四年》，前揭，頁813。

79　楊伯峻：《春秋左傳注·襄公四年》，前揭，頁932。

人們對它們的熟悉程度並不相同。楚王在子革面前稱讚左史倚相，稱
他能讀〈三墳〉、〈五典〉、〈八索〉、〈九丘〉，子革不以為然，說：

> 臣嘗問焉，昔穆王欲肆其心，周行天下，將皆必有車轍馬跡
> 焉。祭公謀父作〈祈招〉之詩以止王心，王是以獲沒祗宮。臣
> 問其詩而不知也。若問遠焉，其焉能知之？

客觀地說，左史倚相應當是一位好史官，楚王的讚譽之詞並非無據，
但以倚相的淵博尚且不知道〈祈招〉之詩的內容，足見該詩在當時已
鮮為人知；但並不能說此詩在當時已逸，因為下文子革便引出了它的
內容。其餘十二條逸詩應用於人們的言語之間，並能順暢地交流思
想，證明這些詩在當時是為人熟知的。

逸詩的存在，進一步證明了春秋時《詩》不止三百篇。

2. 關於異文

《左傳》引《詩》同齊、魯、韓、毛四家詩以及阜陽漢簡《詩經》
（簡稱《阜詩》）相比照，存在普遍的異文問題。詩句中的異文多達
數百條，篇名中的異文也有十八條之多。見下表：

《左傳》引《詩》篇名異文表

引詩編年	引詩主體	所引篇名	異文				
			毛	齊	魯	韓	阜詩
隱公三年	君子	采蘩	采蘩	采繁			
昭公元年	魯穆叔						
僖公三年	魯文公	嘉樂	假樂	嘉樂	嘉樂	嘉樂	
襄公二十五年	晉侯						
僖公七年	晉荀林父	板	板		亦作「版」		
襄公四年	晉樂工	皇皇者華	皇皇者華		葟葟者華		

引詩編年	引詩主體	所引篇名	異　文				
			毛	齊	魯	韓	阜詩
襄公十六年	晉穆叔	圻父	祈父	祈父	一作「頎甫」	祈父	
襄公十九年	魯季武子	常棣	常棣		棠棣	夫栘	
昭公元年	晉趙孟						
襄公二十六年	鄭子展	將仲子兮	將仲子				
襄公二十七年	鄭伯有	鶉之賁賁	鶉之奔奔	鶉之賁賁	鶉之賁賁	鶉之奔奔	鶉之賁賁
昭公元年	鄭子皮	野有死麕	野有死麕				（野有死）麇
昭公二年	魯季武子	節	節南山	節	節	節	
昭公二年	衛北宮文子	淇澳	淇奧	淇奧，亦作「淇澳」，又作「淇隩」	淇隩		
昭公十七年	魯季平子	采叔	采菽				
昭公二十五年	魯叔孫						
	昭子	車轄	車舝				
定公九年	君子	竿旄	干旄				
定公十年	邱馹赤	揚水	揚之水				

異文產生的原因頗為複雜，或是文本之異，或是今古文之別，或是假借，或是繁簡不同，或者是同源通用，或者傳抄之訛，或是後世經師的篡改等等；但它們的存在可以充分說明這樣一個不爭的事實：《左傳》所引之《詩》同我們今天所見到的任何一家《詩》相比照，是文本面貌相異的不同版本。這些異文對於《詩》的文本考察、意義詮釋、作品流傳、地位確立等課題的深入探討，具有相當重要的文獻價值。僅就篇名中的異文來看，我們就可以發現《詩》在漢代與在春秋時代的明顯差別。表中所涉及到的十五篇詩中，有十篇與《毛詩》篇名文字相異，因此，我們不能下結論說，《左傳》所引之《詩》就是

我們今天所見到的《毛詩》。

3.引《詩》保存的有關《詩》的其他文獻材料

　　除「逸詩」和「異文」之外，《左傳》引《詩》還保存了有關《詩》的其他文獻資料。其一是〈鄘風·載馳〉之章句內容與今詩不同。《左傳》賦詩中共有兩次賦〈載馳〉，所賦均為第四章，表達的意思也基本相同。第一次是文公十三年鄭伯出使魯國時，子家賦〈載馳〉之四章。從《左傳》文意看，子家賦詩的意思是國家有急，想請魯國幫忙。第二次是襄公十九年齊伐魯，魯求助於晉，晉助魯伐齊，齊與晉締結和平，魯臣穆叔對齊國仍有擔心，見到晉叔向而賦〈載馳〉之四章，穆叔賦詩的意思也是有求於人。而今詩〈鄘風·載馳〉共五章，第四章為：「陟彼阿丘，言采其蝱。女子善懷，亦各有行。許人尤之，眾稚且狂。」表達一種鬱結、悲憤的情思，與兩處文意都是方枘圓鑿，不可洽接。倒是第五章「我行其野，芃芃其麥。控於大邦，誰因其極。大夫君子，無我有尤。百爾所思，不如我所之」中的「控於大邦，誰因其極」非常切於文意，然而它不在四章，而在卒章。按照《左傳》行文的通例，賦詩若賦最後一章，往往點明「卒章」，這在《左傳》中共有七例：

（1）成公九年魯穆姜「賦〈綠衣〉之卒章」。

（2）襄公十六年魯穆叔「賦〈鴻雁〉之卒章」。

（3）襄公二十年魯季武子「賦〈常棣〉之七章以卒」。

（4）襄公二十年季武子「賦〈魚麗〉之卒章」。

（5）昭公元年鄭子皮「賦〈野有死麕〉之卒章」。

（6）昭公二年魯季武子「賦〈綿〉之卒章」。

（7）昭公二年魯季武子「賦〈節〉之卒章」。

今賦〈載馳〉不言卒章而言四章，則當時「控於大邦，誰因其極」句必不在卒章，那麼春秋時〈載馳〉一詩的章句內容與今詩便不一致了。宋代朱熹試圖調和這種矛盾，將詩分為四章，前兩章每章六句，後兩章每章八句，「控於大邦，誰因其極」因而成了第四章中的句子[80]。這表面上與《左傳》文字相合，卻又違反了行文的通例，實在是徒勞無益，倒不如承認當時〈載馳〉仍為五章，只不過「控於大邦，誰因其極」是在第四章，與今詩不同罷了。

其二，是〈周頌〉之篇章內容與今詩不同。宣公十二年，楚子引《詩》曰：

> 武王克商，作〈頌〉曰：「載戢干戈，載櫜弓矢。我求懿德，肆於時夏，允王保之。」又作〈武〉，其卒章曰：「耆定爾功。」其三曰：「鋪時繹思，我徂維求定。」其六曰：「綏萬邦，屢豐年。」

《左傳》以為「鋪時繹思」句和「綏萬邦」句分別為〈周頌·武〉的第三章和第六章；今詩中，它們則分別屬於〈周頌〉中不同的篇章：〈周頌·賚〉和〈周頌·桓〉，可見春秋時〈周頌〉的篇章內容與今詩並不相同。杜預認為：「此三、六之數，與今〈詩·頌〉篇次不同，蓋楚樂歌之次第。」[81]今人黃焯則以為：「其所以有此差異者，蓋《左傳》所載楚子之言，當為夫子正樂以前舊次。」[82]

另外，「孔子活動於春秋晚期，略早於《左傳》作者。保存在

80 （宋）朱熹：《詩集傳》（上海市：上海古籍出版社，1980 年），卷三，頁 33～34。
81 （晉）杜預：《春秋左傳集解·宣公十二年》，前揭，頁 604。
82 黃焯：《詩說·論詩之章句》（武漢市：長江文藝出版社，1981 年），頁 37。

《左傳》中的七條孔子引詩證事的文字[83]，不見於其他古籍；不僅有助於了解春秋後期詩的影響，也是研究孔子思想以及探索孔子與三百篇關係的可貴資料。」[84]

（二）闡釋學考察

闡釋學，又有解釋學、詮釋學、釋義學等不同名稱，是一門關於文本意義的闡釋和理解的學科。西方古典闡釋學是一種類似於中國訓詁學的文獻學，主要用以闡釋《荷馬史詩》等古希臘詩文以及希伯萊《聖經》。它承認文本本義的存在，其任務是「通過語法上的闡釋，又參照古代典籍所提供的有關背景材料，力圖發現文本的本義，再現歷史典籍的原有內蘊」[85]。到了近現代，西方闡釋學把闡釋範圍擴大到了整個古代文化和作品文本，闡釋學因此成為一門方法論的科學。這一時期闡釋主體的權力意識明顯增強，他們認為文本的「意義是不確定的、生成著的」[86]，因此闡釋者的任務不是恢復文本的原義，而是依靠讀者的知識和經驗把文本流動的意義揭示出來。

中國雖然沒有產生如同西方那樣自覺的闡釋學理論及其學派，但實際上，自漢代以來，在對經典的闡釋方式上，也形成了風格不同的兩個派別：一是漢學，一是宋學。漢學注重考據，重在發掘文本「本義」，與西方古典闡釋學旨趣相類；宋學講究義理，重在闡發文本的「引申義」，頗似西方近現代闡釋學的學術追求。中國文化土壤中滋

---

[83] 分別見於〈宣公九年〉、〈昭公五年〉、〈昭公七年〉、〈昭公十三年〉、〈昭公二十年〉（兩次）和〈昭公二十八年〉。

[84] 董治安：〈從《左傳》、《國語》看「詩三百」在春秋時期的流傳〉，前揭，頁22。

[85] 馮天瑜：《中華元典精神‧中華元典闡釋史鳥瞰》（上海市：上海人民出版社，1994年），頁344。

[86] 蔣成瑀：《詩解學引論》（上海市：上海文藝出版社，1998年），第一章，頁23。

生出來的這兩種不同的闡釋風格可以分別用「我注六經」和「六經注我」來概括。而文本闡釋的實踐，早在先秦時代就開始了，《左傳》引《詩》就是頗具代表性的一例。

業師張林川先生認為，文獻對文獻的引用也就是文獻對文獻的闡釋，《左傳》把《詩》引入文中，實際上對《詩》作了一種特殊形式的闡釋。從具體闡釋方式上講，大體可以分為如下三類：

第一，訓釋語詞。這是中國傳統訓詁學中的一種最基本的體式。比如襄公七年穆子引〈小雅·小明〉句「靖共爾位，好是正直。神之聽之，介爾景福」後解釋說：「正直為正，正曲為直」，對詩中的「正」字和「直」字作出了訓釋；再如襄公四年穆叔如晉聘問，晉工歌〈小雅·皇皇者華〉，穆叔施拜禮，問其緣故，回答說：

> 〈皇皇者華〉，君教使臣曰：「必諮於周。」臣聞之：「訪問於善為咨，咨親為詢，咨禮為度，咨事為諏，咨難為謀。」臣獲五善，敢不重拜？

全詩共五章，每章四句，後四章末尾四言分別是「周爰咨諏」、「周爰咨謀」、「周爰咨度」、「周爰咨詢」，穆叔在這裏對「咨」、「諏」、「謀」、「度」、「詢」也都作了訓釋。

第二，解說大旨。有的解說全篇大旨，如隱公三年君子曰：「〈風〉有〈采蘩〉、〈采蘋〉，〈雅〉有〈行葦〉、〈泂酌〉，昭忠信也。」有的解說某章大旨，如昭公二年魯申豐曰：「〈七月〉之卒章，藏冰之道也。」更多的則是解說某句大旨，如桓公十二年君子曰：「《詩》云：『君子屢盟，亂是用長。』無信也。」再如襄公七年穆叔曰：「《詩》曰：『退食自公，委蛇委蛇。』謂從者也。」又如襄公二十六年聲子曰：「《詩》曰：『人之云亡，邦國殄瘁。』無善人之謂也。」

　　第三，潛隱闡釋。無論是語詞訓釋還是解說大旨，都可以從中看出引《詩》主體對於《詩》的明確解釋，《左傳》中還有一類引《詩》對《詩》並沒有做直接和明確的闡說，但把《詩》置於一定的語言環境之中，對《詩》義有所引取，這本身就是對《詩》的一種闡釋，只不過這種闡釋是間接的，闡釋之義潛隱在一定文字形式的背後，需要讀者穿透字面和上下文才可獲得。這裏面又有兩種情形：

　　一種情形是主體雖未對所引之《詩》做直接解說，卻在詩句之外用詩句之義對當時事件或人物作了評論，我們可以從這些評論中推斷主體對《詩》做了怎樣的闡說。比如僖公五年，晉獻公派大夫士蒍為重耳和夷吾兩位公子在蒲地和屈地築城，不小心把木柴摻到了城牆裏，夷吾告知獻公，獻公派人責備士蒍，士蒍申辨說：

> 無喪而慼，憂必仇焉；無戎而城，仇必保焉。寇仇之保，又何慎焉？守官廢命，不敬；固仇之保，不忠。失忠而敬，何以事君？《詩》云：「懷德惟寧，宗子惟城。」君其修德而固宗子，何城如之？三年將尋師焉，焉用慎？

這是士蒍用詩句之義對獻公築城一事所作的評論，由此可以推斷士蒍對「懷德惟寧，宗子惟城」這句詩的理解是：「心存德行就是安寧，公子們就是邊城。」意謂君王應當修養德行而使公子們地位鞏固，這是什麼樣的城牆也比不上的，以人為城比以城為城重要得多。這是士蒍引《詩》所取之義，也正是士蒍對《詩》做出的闡釋。

　　另一種情形是主體在詩句之外未用詩句之義作任何評論，我們可以通過上下文推斷詩句在這種語境下該作何解，這實際也是主體對《詩》的闡釋，只不過這種情形下的闡釋比上一種情形潛隱得更幽深一些。比如僖公二十年小國隨國率領漢水東邊各國背叛楚國，楚國將其打敗，君子評論說：

> 隨之見伐，不量力也。量力而動，其過鮮矣。善敗而已，而由
> 人乎哉？《詩》曰：「豈不夙夜，謂行多露。」

君子引完詩句後戛然而止，未指明引《詩》所取何義，但君子以為隨
國不自量力，詩句用在此種意義環境下，也應當表達類似的意思。
楊伯峻先生注曰：「謂多露而不行，以喻有所畏則不動，量力而後動
也。」[87]這正是君子引《詩》之義，也是君子闡釋《詩》之義。

　　《左傳》通過引用，對《詩》的闡釋與傳統意義上的闡釋學中
的闡釋有著很大的不同。首先，中國闡釋古典文獻一般有「傳」、
「注」、「疏」、「箋」等體式，都是闡說、疏通字義文義的，使之易於
為人們接受，文獻因此而得以流傳，「訓釋語詞」和「解說大旨」是
其中的兩種基本形式。「潛隱闡釋」的意義儘管可以推斷，卻是隱藏
不露的，有時甚至難以捉摸，因此不可能用它來疏通文義。而引用既
可以對引用內容作直接解說，也可以不作解說，但都完成了對引用內
容的闡釋，這是其他語言現象所不具備的功能，從這一角度講「潛隱
闡釋」獨屬於引用。其次，在傳統闡釋學中，不管是哪個流派，不
管是追求本義還是闡發引申義，都是在自覺地闡釋文本，在主觀上
都有闡釋清楚某一種特定文本的目的。《左傳》引《詩》則不然，它
不是在主觀上為闡釋《詩》而引《詩》，引《詩》是為了《左傳》文
意的表達，可見，《左傳》對《詩》不是一種欣賞和解釋的態度，而
是將它拿來進行創造性地運用。因此，儘管《左傳》客觀上完成了對
《詩》的闡釋，卻不是最初想要達到的目的，因而它只是一種不自覺
的闡釋活動。正因為《左傳》引《詩》不是在主觀上為闡釋《詩》而
引《詩》，而是一種「余取所求」、為我所用的自由闡釋，因此我們
不能以《左傳》引《詩》過程中對《詩》的解說作為《詩》的「本

87　楊伯峻：《春秋左傳注・僖公二十年》，前揭，頁387。

義」，進而也可以理解《左傳》引《詩》中普遍存在的「斷章取義」現象在當時為什麼能夠被接受並且大倡其風，而到後代卻被視為說話、作文的大忌了。

《左傳》引《詩》對《詩》的闡釋是「斷章取義」的，卻又是「語義適應」的，所以這種闡釋並沒有對《詩》本義造成多大的傷損，也沒有掩蓋《詩》的本相。從文化意義上講，這在很大程度上要歸因於春秋人對於《詩》還沒有形成如同漢代一樣將《詩》義附會統治思想的「詩教」觀念。孔子論《詩》的「思無邪」說和「興觀群怨」說，開始把《詩》引入倫理「道德領域」，《毛詩序》把表現男女愛情的〈周南·關雎〉解為「后妃之德」，則把《詩》完全當成了政治倫理的教科書。正因為如此，幾千年來「《詩經》也和別的重要書籍一樣，久已為重重疊疊的注疏的瓦礫把它的真相掩蓋住了」[88]。直到現代，魯迅、郭沫若、聞一多等《詩》學研究大師才逐漸開始把《詩》當作一部詩集來作文學闡釋，試圖恢復它的本相。由此可見，《左傳》引《詩》是《詩》闡釋史上的初始階段，有其獨具的闡釋特色。《左傳》引《詩》成功地完成了對《詩》的闡釋，並為後代提供了諸多可資借鑒的材料；《左傳》引《詩》中的特殊闡釋方式豐富和補充了傳統闡釋學的內容，這都是《左傳》引《詩》在闡釋學方面的價值。

（三）學術史考察

經學是中國學術的核心，一部中國學術史在很大程度上可以說成是一部中國經學史。《詩》和《左傳》是中國經書中炙手可熱的兩部，均是代表儒家精神的「中華元典」。以之為源頭，各自形成了綿

---

[88] 鄭振鐸：〈讀毛詩序〉，載《古史辨》，前揭，第三冊，頁383。

長的學術系列，即「詩學」和「左傳學」。在此一過程中，《左傳》引《詩》起了十分重要的作用，它客觀反映了《詩》在春秋時期的流傳，極大地促進了《詩》在漢代經典地位的確立，同時也成為連接兩大學術系列的重要橋梁。

1.《左傳》引《詩》客觀反映了《詩》在春秋時期的流傳

通常以為「詩」、「詩三百」、「詩經」是一回事，其實不然。它們共同指向的儘管都是後來作為儒家經典的《詩經》，三者卻是含義有別的不同稱謂，不僅存在方式不同，所屬時代不同，內容面貌不同，社會功用也迥然相異。西漢文帝時，《魯詩》、《韓詩》被立為博士，標誌著《詩》經典地位的確立，也標誌著《詩經》的生成。在此之前，《詩經》經歷了一個由「詩」到「詩三百」再到「詩經」的演進歷程。

作為三個相對的概念，「詩」、「詩三百」和「詩經」各有其特定的內涵。「詩」實際是《詩經》在西周初年至春秋末期、孔子之先的一種存在形態。這一歷史時期是《詩經》的零散創作期和初步結集期，它有一個從口語傳播到文字傳播的演化過程。也就是說，「詩」在一個相當長的歷史時期內還不是一部典籍，或曰文獻。司馬遷在《史記・孔子世家》中說：「古者《詩》三千餘篇，及至孔子去其重，取可施於禮義；上采契、后稷，中述殷、周之盛，至幽、厲之缺。」古詩是否確有三千餘篇，是否為孔子所刪以及如何刪簡，這是《詩經》學研究的一大公案，我們暫置不論，但當時《詩》遠不止我們今天所見到的三百零五篇卻是事實。孔子生活的春秋晚期已經有了「詩三百」的固定說法。《論語・為政》曰：「子曰：『《詩》三百，一言以蔽之，曰：思無邪』。」又《論語・子路》曰：「子曰：『誦《詩》三百，授之以政，不達；使於四方，不能專對；雖多，亦奚以

為？』」這時的《詩》不但已獨立為一部文獻，而且有了三百篇左右大致固定的篇數。漢初傳授《詩》，有魯、齊、韓、毛四家，三家詩先後亡佚，《毛詩》獨存，這就是我們今天所見到的《詩經》。

概而言之，從「詩」到「詩三百」到「詩經」的演變，是一個從口語傳播到文字傳播的演變過程，又是一個從一部龐雜的典制性樂集或歌集到一部有相對固定規模的文學典籍，再到一部主宰經學時代思想文化領域的經世文獻的演變過程。在這一過程中，《左傳》引《詩》占據著重要位置。《左傳》記事起自魯隱公元年（西元前722年），終於魯哀公二十七年（西元前468年），幾乎囊括了整個春秋時代；而這一時期，恰是《詩》的文獻形成期和最初流傳期。也就是說，《左傳》所引之《詩》，介乎「詩」和「詩三百」兩種形態之間，它客觀地反映了《詩》以口語傳播和文字傳播兩種方式流傳的具體情狀。

2.《左傳》引《詩》是《詩》經典地位確立和《詩經》生成的一個
　　重要推動因素

《詩》在漢代被確立為經典，並被今文家尊為「六經」之首，這不是偶然的，除因為《詩》較真實地反映西周初年到春秋中葉一段歷史時期廣闊的社會生活外，還與《詩》在人們生活中被大量引用有關。《左傳》、《國語》較早地引《詩》用《詩》，到了戰國時代，這種引《詩》實踐活動蔚為壯觀。據董治安先生統計，戰國文獻中，《論語》引《詩》九條，《孟子》引《詩》三十七條，《周禮》引《詩》十九條，《儀禮》引《詩》五十條，《禮記》引《詩》一三九條，《荀子》引《詩》一○七條，《墨子》引《詩》十二條，《莊子》引《詩》一條，《管子》引《詩》三條，《韓非子》引《詩》五條，

《呂氏春秋》引《詩》二十條，《戰國策》引《詩》七條[89]。正因為有了如此眾多的先秦典籍引《詩》用《詩》的大量實踐活動，《詩》在社會生活中發揮的作用才越來越大，《詩》對人們思想觀念的影響才越來越深，這便極大地推動了《詩》在漢代經典地位的確立，即推動了《詩經》的生成；而《左傳》引《詩》，則可稱作是其中的中堅力量。

3. 《左傳》引《詩》是連接「詩學」和「左傳學」兩大學術系列的重要橋梁

首先，《左傳》對《詩》的內容有大量的引用和解說，《詩》的文字和意義因引用而保存在《左傳》當中，並與《左傳》文意融為一體，這是兩大學術系列在文獻源頭上的洽接。

其次，《詩》的研究著作對《左傳》引《詩》解《詩》文字也多所吸收。這樣，《左傳》引《詩》上承作為文獻的《詩》本身，下啟研究《詩》的著作，成為「詩學」和「左傳學」縱向發展中學術傳承的重要工具。比如作為「《詩經》研究的第一個里程碑」[90]的漢代《毛詩傳箋》，對《左傳》引《詩》文字就有直接的引用，如《左傳·昭公二十八年》成鱄引用〈大雅·皇矣〉中的詩句，並對「度」、「莫」、「明」、「類」、「長」、「君」、「順」、「比」、「文」等「九德」作出了訓釋。漢代毛亨在為〈大雅·皇矣〉第四章作《傳》時說：「心能制義曰度」、「慈和遍服曰順」、「擇善而從曰比」、「經緯天地曰文」[91]；鄭玄作《箋》云：「德正應和曰 」、「照臨四方曰明」、「勤施

89　董治安：〈關於戰國時期「詩三百」的流傳〉，載《先秦文獻與先秦文學》，前揭，頁61。

90　夏傳才：《詩經研究史概要》，前揭，頁85。

91　《十三經注疏·毛詩正義》，前揭，頁520。

無私曰類」、「教誨不倦曰長」、「賞慶刑威曰君」[92]。（清）阮元《校勘記》云：

> 《正義》云：此《傳》、《箋》及下《傳》九言「曰」者，皆昭廿八年《左傳》文，彼引一章，然後為此九言以釋之，故《傳》依用焉。毛引不盡，《箋》又取以足之。[93]

拿《毛詩傳箋》文字與《左傳》引《詩》文字相對照，兩者幾乎不差。再如隱公三年《左傳》作者引《詩》曰：「〈風〉有〈采蘩〉、〈采蘋〉，〈雅〉有〈行葦〉、〈泂酌〉，昭忠信也。」漢《毛詩序》在〈大雅・行葦〉下解題曰：「行葦，忠厚也。周家忠厚，仁及草木，故能內睦九族，外尊事黃耇，養老乞言，以成其福祿焉。」[94]「忠厚」之說，也很有可能本自《左傳》的「昭忠信」之解。

結　語

　　春秋引《詩》，尤其是春秋賦《詩》，因為發生在特定時代，並具備特殊的發生形態，故而成為中國學術史乃至中國文化史上一道奇美獨異的風景。而《左傳》引《詩》，第一次有意識地、大規模地把這種風景攝取並播映出來，供給後人品鑒和欣賞。《左傳》引《詩》較早、較系統地進行著文獻引用文獻的實踐，搭建著文獻與文獻之間的學術橋梁，而且在學術史上呈現出愈來愈珍貴的意義和價值。這種源頭性的椎輪之舉，是應當好好為後人肯定和傾力研究的。

---

[92] 《十三經注疏・毛詩正義》，前揭，頁520。
[93] 《十三經注疏・毛詩正義》，前揭，頁523。
[94] 《十三經注疏・毛詩正義》，前揭，頁534。

　　本文僅從本體論的角度對《左傳》引《詩》進行了較為系統的考辨和析理，是因為它有時代賦予的特殊性，是一種較為複雜的引用現象，需要我們透澈深入地認識和理解。除《國語》之外，戰國諸子、《戰國策》、《史記》、《漢書》以及後代一切引《詩》行為，無論在引用內容上，還是在表現形式上，都相對簡單了許多，不必再在引用現象的格式和功用諸方面多費筆墨。通過對《左傳》引《詩》進行較為全面地考析，澄清了一些錯誤或模糊的認識，也使我們對這一特殊學術現象的歷史流變有了宏觀上的把握。有了這樣一個基礎，接下來我們便可以利用它所提供的相關信息在經學範圍內進行更深層次的研究了：比如《詩》在春秋時期的流傳和編訂，《詩》的版本系統，《左傳》引《詩》與《詩經》的生成，《左傳》引《詩》與今古文經，等等。由於《左傳》引《詩》最早最系統地客觀承載，和再現了春秋時代特殊的用《詩》現象，因此它是「先秦引《詩》史」，以至整個「《詩經》引用史」中一個至關重要的環節，具有深遠而獨特的學術意義。

　　當然，《左傳》引《詩》畢竟只是《左傳》言《詩》中比重最大的部分，還不能代表《左傳》言《詩》的全部。《左傳》四處「作詩」和一處「歌詩（季札觀樂）」在文獻保存、推考《詩》的年代以及確定「風詩」範圍等方面所具有的價值也不容忽視和抹煞[95]。至於整個《詩》在學術史上的地位和價值，更不是僅僅《左傳》引《詩》所能夠反映和涵蓋的了。

　　再讓我們把思維的索韁提縱到中古那位偉大的文學批評家那裏，看他對於引用這一學術現象進行著怎樣的闡釋和評說：「經籍深富，

---

[95] 參陸侃如、馮沅君：《中國詩史·古代詩史·詩經》（北京市：人民文學出版社，1956年），頁9～86。

辭理遐亙。皓如江海，郁若崑鄧。文梓共采，瓊珠交贈。用人若己，
古來無懵。」[96]比前照後，這種見識是何等地超邁與高遠！

96 （南朝梁）劉勰：《文心雕龍·事類》。

「賦詩」源流小考

　　賦詩在春秋時代是一種常見的社會風習，尤其對於公卿大夫而言，甚至可以說是須臾不可離的。而且「賦詩」在當時已是一個成語了，這在《左傳》中有記載，襄公二十八年盧蒲癸就曾說：「賦詩斷章，余取所求焉。」

　　賦詩現象源自何時？今已難以確考，但《左傳》所記諸例並非其源頭則應當是大致可信的。《左傳》首例賦詩是僖公二十三年秦伯（穆公）與晉公子重耳的一場賦答。時隔十四年，即文公四年，

> 衛寧武子來聘，公與之宴，為賦〈湛露〉及〈彤弓〉。不辭，又不答賦。使行人私焉，對曰：「臣以為肄業及之也。昔諸侯朝正於王，王宴樂之，於是乎賦〈湛露〉，則天子當陽，諸侯用命也。諸侯敵王所愾而獻其功，王於是乎賜之彤弓一、彤矢百、玈弓矢千，以覺報宴。今陪臣來繼舊好，君辱貺之，其敢干大禮以自取戾？」

從這段話我們可以看出，同樣一首〈湛露〉，同樣用於賦詩場合，文公四年與往昔相比，角色卻發生了重大的變化，即由過去的諸侯朝王時的天子專用，變成了今天的諸侯兼用。這在當時不但是一種風習的易換，更是一種典制的替變。根據社會進化的一般規律，一種風習或典制的形成應當有一個較長的歷史過程；從寧武子說話的口氣中我們也可以推斷出〈湛露〉為天子專用由來已久，恐怕不止十幾年的時間。況且在此之前，《左傳》乃至《國語》中並無「朝正於王」的記載，可見這是舊事。由此我們不妨可以這樣推論：在《左傳》所記首

例賦詩之前，也就是在僖公二十三年之前就有賦詩現象存在。

從寧武子的話中我們還可以得出這樣的結論：昔日賦詩是有嚴格典制的，在什麼場合下賦詩，由什麼身分的人來賦什麼樣的詩以及賦詩表達什麼樣的意思，都有嚴格的規定和限制。這在當時被視為「大禮」，不容僭越和觸犯。關於這種情形，《左傳》中還有一則記載：「襄公四年，魯臣穆叔到晉國聘問：『晉侯享之，金奏〈肆夏〉之三，不拜。工歌〈文王〉之三，又不拜』，問其緣故，穆叔說：『三夏，文子所以享元侯也，使臣弗敢與聞。〈文王〉，兩君相見之樂也，使臣不敢及。』」《國語・周語下》在記載同一事件時也說：「夫先樂金奏〈肆夏〉、〈樊〉、〈遏〉、〈渠〉，天子所以饗元侯也；夫歌〈文王〉、〈大明〉、〈綿〉，則兩君相見之樂也。」但至遲到文公四年，這種「禮有定制、樂有定譜、詩有定篇」的嚴格典制被打破了[1]，代之以「人無定詩，詩無定指」、「古人所作，今人可援為己詩；彼人之詩，此人可賡為自作」的自由狀態[2]，這正是盧蒲癸所謂「賦詩斷章，余取所求」的真正內涵。《左傳》、《國語》所記賦詩，也正是賦詩活動在新的歷史階段的新的表現形態。

「春秋之後，周道浸壞，聘問歌詠不行於列國」[3]，賦詩現象因失去賴以存在的文化基礎而宣告消亡，《戰國策》中就無一例關於賦詩的記載。當然，後代也有「賦詩」這種說法，比如三國魏曹丕曾說：「每至觴酌流行，絲竹並奏，酒酣耳熱，仰而賦詩。」[4]晉代陶淵明說：

---

1 王扶漢：〈《左傳》所記賦詩例發微——論《詩》在春秋時期一種特殊的社會功能〉，《北京師範學院學報》，1989 年 2 月。

2 （清）勞孝輿：《春秋詩話》，《叢書集成初編》（北京市：中華書局，1985 年），冊 1743，卷一。

3 《漢書・藝文志》（北京市：中華書局，1962 年），頁 1756。

4 （東漢・魏）曹丕：〈與吳質書〉。

「登東皋以舒嘯，臨清流而賦詩。」[5]我們今天也常說「賦詩一首」之類的話。但其中的「賦」指創作，全然不同於春秋賦詩時所指的「歌詠，引用」之意；「詩」泛指詩歌，指的是一種文學體裁，而不是春秋賦詩時所特指的作為一部文獻典籍的《詩經》。因此我們說，後代的賦詩與春秋賦詩是截然不同的兩個概念，無論是從產生背景上，還是從表現形式以及社會功用上，都與春秋賦詩有著本質的區別。

5　（晉）陶淵明：〈歸去來分辭〉。

楊伯峻《春秋左傳注》指瑕一則

　　楊伯峻《春秋左傳注（修訂本）》（以下簡稱《楊注》，中華書局，1990年5月第2版），於文公十三年「鄭伯與公宴於棐，子家賦〈鴻雁〉」下有一則注文：

> 〈鴻雁〉，〈詩·小雅〉篇名。《傳》言賦詩某篇，不言某章，皆指首章。

這則注文實際上歸納的是《左傳》賦詩的一則通例。關於這點，晉代杜預作《春秋左傳集解》（以下簡稱《集解》）早有說明。《集解》在僖公二十三年「公子賦〈河水〉，公賦〈六月〉」下注曰：

> 古者禮會，因古詩以見意，故言賦詩斷章也。其全稱《詩》篇者，多取首章之義，他皆放此。

將《楊注》與《集解》相比照，並考察《左傳》賦詩的實際，我們不難發現《楊注》此則注文在體例和內容上存在著疵誤之處。

　　從體例上講，《左傳》記載賦詩共計二十八處、六十七條，始於僖公二十三年「公子賦〈河水〉。公賦〈六月〉」，終於定公四年「秦哀公為之賦〈無衣〉」，且「賦詩某篇」之例起自僖公二十三年所賦。按照注文的一般規則，通例性的歸結應該在此類現象首次出現之例下，而《楊注》在僖公二十三年注中僅說明「《左傳》記賦《詩》者始於此」，未對「賦詩某篇」的通例加以歸結，卻把它放到了二十年以後，因此這是一例明顯的注釋體例上的失誤。

　　從內容上講，《楊注》此則注文立論有失武斷，且前後自相矛

盾。考察《左傳》賦詩中所有「賦詩某篇」之例，多數是賦首章的。
比如文公十三年「子家賦〈鴻雁〉」，《楊注》云：

> 〈鴻雁〉之首章云：「鴻雁於飛，肅肅其羽。之子於征，劬勞
> 於野。爰及矜人，哀此鰥寡。」子家賦此者，鄭國以鰥寡自
> 比，欲魯文憐惜之，為之道路奔波，再度去晉，而請和也。

這一分析是正確的，但並非每一處「賦詩某篇」時皆賦首章，有時是
賦首章之外的另外一章。比如襄公二十七年「鄭伯享趙孟於垂隴，
子展、伯有、子西、子產、子大叔、二子石從」，宴會上賓主賦答，
是《左傳》賦詩中頗為精彩的一例。其中「公孫段賦〈桑扈〉。趙孟
曰：『匪交匪敖』，福將焉往？若保是言也，欲辭福祿，得乎？」〈小
雅·桑扈〉共四章，每章四句，全詩如下：

> 交交桑扈，有鶯其羽。君子樂胥，受天之祜。
> 交交桑扈，有鶯其領。君子樂胥，萬邦之屏。
> 之屏之翰，百辟為憲。不戢不難，受福不那。
> 兕觥其觩，旨酒思柔。彼交匪敖，萬福來求。

公孫段賦詩後，趙孟有答語。「匪交匪敖」[1]為〈桑扈〉卒章之句。據
《左傳》文意，趙孟此語承公孫段賦詩而來。所謂「匪交匪敖，福將
焉往」者，乃是將公孫段賦詩之句摘出，以作強調。「若保是言也，
欲辭福祿，得乎？」曰「是言」，進一步證明了公孫段所賦必有「匪
交匪敖」句。如此說來，則公孫段所賦並非〈桑扈〉之首章，而賦
卒章的可能性為最大。再如昭公十二年，「夏，宋華定來聘，通嗣君
也。享之，為賦〈蓼蕭〉，弗知，又不答賦。昭子曰：「必亡。宴語

---

[1] 「匪」與「彼」通，成公十四年即引作「彼交匪敖」。

之不懷，寵光之不宣，令德之不知，同福之不受，將何以在？」〈小雅‧蓼蕭〉共四章，每章六句：

> 蓼彼蕭斯，零露湑兮。既見君子，我心寫兮。燕笑語兮，是以有譽處兮。
> 蓼彼蕭斯，零露瀼瀼。既見君子，為龍為光。其德不爽，壽考不忘。
> 蓼彼蕭斯，零露泥泥。既見君子，孔燕豈弟。宜兄宜弟，令德壽豈。
> 蓼彼蕭斯，零露濃濃。既見君子，鞗革沖沖。和鸞雝雝，萬福攸同。

昭子評語中言「宴語」、「寵光」、「令德」、「同福」，蓋依詩四章之序責華定之非禮：首章有「燕笑語兮，是以有譽處兮」，可對「宴語」；二章有「既見君子，為龍為光」，可對「寵光」；三章有「宜兄宜弟，令德壽豈」，可對「令德」；卒章有「和鸞雝雝，萬福攸同」，可對「同福」。由此可以判定當時所賦必為〈蓼蕭〉之全篇，而非僅有首章。

從另一個角度講，《楊注》之說有違《左傳》賦詩的實際。我們知道，賦詩在春秋時代是一種風氣，廣泛應用於外交、宴享場合，且是合於樂的一種誦唱活動。樂段是有相對獨立性的，因此當時的賦詩也以「詩章」為最小單位。由於這種詩樂合一體制的限制，就導致了賦詩內容與賦詩主體所要表達意思的兩個層面的分離。也就是說，「賦詩某篇」時，賦詩者所取之義不一定完全是賦詩者在現場誦唱出的歌辭內容。具體說來又包含兩種情形：

一種是賦詩者雖賦首章，但取義只是首章中的某句。比如昭公十六年：「夏四月，鄭六卿餞宣子於郊……子齹賦〈風雨〉。子旗

賦〈有女同車〉。」〈風雨〉首章為：「風雨淒淒，雞鳴喈喈。既見君
子，云胡不夷。」杜預曰：「取其『既見君子，云胡不夷』。」〈有女
同車〉首章為：「有女同車，顏如舜華。將翱將翔，佩玉瓊琚。彼美
孟姜，洵美且都。」杜預曰：「取其『洵美且都』，愛樂宣子之志。」
這都是符合《左傳》文意的。

　　另一種情形是雖賦全篇，但取義仍是首章。比如襄公二十七年：
「叔孫與慶封食，不敬。為賦〈相鼠〉，亦不知也。」〈鄘風·相鼠〉
共三章，每章四句：

> 相鼠有皮，人而無儀。人而無儀，不死何為？
> 相鼠有齒，人而無止。人而無止，不死何俟？
> 相鼠有體，人而無禮。人而無禮，胡不遄死？

詩之三章內容相近，篇幅也較短小，且叔孫此處是為羞辱不知禮的慶
封而賦，故此處賦全篇的可能性極大。而首章為大家最為熟知且能代
表全詩之意，因此這裏雖賦全篇，而取義仍可能只在首章。由以上
分析可以看出：《楊注》所謂「賦詩某篇，不言某章，皆指首章」之
說，忽略了賦詩取義與實際所賦歌辭之間的差別，而且疏漏了「雖賦
全篇而取義在首章」這樣一類賦詩的情形，故而是不嚴密的。

　　另外，《楊注》對賦詩通例的解說有明顯的自相矛盾之處。他在
歸結通例時說「賦詩某篇，不言某章，皆指首章」，話說得很絕對，
而在襄公二十六年「秋七月，齊侯、鄭伯為衛侯故如晉，晉侯兼享
之……子展賦〈將仲子兮〉」下注曰：「蓋《詩》有句云：『豈敢愛
之，畏人之多言。仲可懷也，人之多言，亦可畏也。』」此句卻分明
是〈鄭風·將仲子〉的最末一章。

　　反過來再看杜預之說，言「多取首章之義」，看似模糊，實則精
確。他儘管沒有具體指明「取首章之義」以外的其他情況，但言「多

取」而不言「全部」，至少為那些可能留下了餘地。況且這種說法注意到了賦詩取義與實際所賦歌辭的不同層次，更符合《左傳》賦詩的實際，因此較《楊注》要更完善一些。

朱熹與《爾雅》

提要

十三經中，朱熹惟於《爾雅》既無專門著作，又極少論說，後人於朱熹與《爾雅》關係的研究也很罕見。但《爾雅》是儒家重要經典，朱熹與《爾雅》的關係也應是朱熹經學的重要組成部分，因此頗有研究的必要。今從朱熹對《爾雅》的總體評價、朱熹對《爾雅》的駁正與擷取、朱熹辨偽《爾雅》與宋代疑古辨偽思潮等三個方面，對朱熹與《爾雅》的關係略作闡說。

　　《爾雅》是我國古代最早的一部大致按照詞義系統和事物分類而編纂的詞典，是儒家學派的經典著作。關於《爾雅》的名義，周祖謨先生在〈重印《爾雅考》跋〉一文中稱：

> 《爾雅》一書，蓋漢時經生所纂，所以疏通故訓，繫類繁稱，辨別名物，取資多識者也。古今言異，方國語殊，釋以雅言，義歸乎正，故名《爾雅》，言近正也。[1]

從全書內容看，《爾雅》乃是從先秦五經、諸子書及各地方言俗語等選取詞語，按類編排，各加解釋，以為閱讀古書掃清障礙。按照東漢趙岐的說法，漢文帝時，《爾雅》曾被立為「傳記博士」[2]，至唐文宗開

---

[1]　周祖謨：《問學集》（北京市：中華書局，1966年），頁689。

[2]　趙岐：《孟子題辭》云：「漢興，除秦虐禁，開延道德，孝文皇帝欲廣遊學之路，《論語》、《孝經》、《孟子》、《爾雅》皆置博士。後罷傳記博士，獨立五經而已。」

成年間，刻十二石經，《爾雅》列於其末，宋代「十三經」亦保留其位次，《爾雅》從此擁有了穩固的學術地位和社會地位。

　　南宋大儒朱熹，學宗二程，傾畢生精力而成《四書章句集注》，創建獨特的「四書學」體系，影響中國宗法社會後期達八九百年。朱熹學識宏富，遍注群經，除「四書學」的系列著作外[3]，於「五經學」亦卓有建樹，並有各種著述問世，如「易學」方面有《周易本義》、「詩經學」方面有《詩集傳》、「禮學」方面有《儀禮經傳通解》等。其他如「書學」和「春秋學」方面雖未形成專門著述，卻在《文集》、《語類》等許多場合有較多論說[4]。「十三經」中，朱熹惟於《爾雅》一經既無專門著作，又極少論說，學者對朱熹與《爾雅》關係的研究因此也十分罕見。比如陳榮捷的大著《朱子新探索》[5]列專題一二六個，卻未涉及此一論題；詳盡展列朱熹學術的錢穆的《朱子新學案》也只是在論「朱熹之辨偽學」時稱：「朱子又疑《爾雅》。語類又曰：『《爾雅》是取傳注以作，後人卻以《爾雅》證傳注。』」[6]極為簡略，遠不足以反映朱熹與《爾雅》關係的全貌。今人蔡方鹿著《朱熹經學與中國經學》，列專章講朱熹的「四書學」、「易學」、「詩經學」、「尚書學」、「禮學」、「春秋學」及「孝經學」，亦於朱熹與《爾雅》的關係未有提及。但《爾雅》畢竟是一部重要的儒家經書，在學術史上產生了重要影響，朱熹與《爾雅》的關係應當是朱熹經學一個不可或缺的組成部分。而且，通過探討朱熹對待《爾雅》的態度，還

---

[3]　朱熹現存四書學著作主要有《四書章句集注》、《四書或問》、《論孟精義》、《中庸輯略》、《四書語類》等。

[4]　錢穆：《朱子新學案》（成都市：巴蜀書社，1986年）和蔡方鹿：《朱熹經學與中國經學》（北京市：人民出版社，2004年）二書，均闢有「朱子之易學」、「朱子之詩學」、「朱子之書學」、「朱子之春秋學」、「朱子之禮學」專章，可參。

[5]　臺北市：臺灣學生書局，1988年。

[6]　錢穆：《朱子新學案》，前揭，頁1783～1784。

可以從一個側面反觀宋代學術大勢以及《爾雅》一書的性質。今從朱熹現存著作中剔抉相關材料，紬繹幾點，略作淺論，以就教於方家。

一 朱熹對《爾雅》的總體評價

朱熹之所以對《爾雅》極少論說，與他對《爾雅》一書的態度有關。從總體上說，朱熹對《爾雅》持一種較為明確的懷疑和否定態度，這在《文集》、《語類》中有所記錄。比如《朱子語類》載陳文蔚記錄云：「《爾雅》是取傳注以作，後人卻以《爾雅》證傳注。」同卷又載湯泳記錄云：「《爾雅》非是，只是據諸處訓釋所作。趙岐說《孟子》、《爾雅》皆置博士，在《漢書》亦無可考。」[7]兩則記錄均應當有具體的緣由，今已無法確考，卻至少向我們透露了這樣兩條信息：

其一，「取傳注以作」和「據諸處訓釋所作」，都表明朱熹認為《爾雅》是一部彙集先前訓釋而成的著作。關於這點，王力先生有較為詳細的解說：

> 《爾雅》實際上是一種故訓彙編。……歐陽修《詩本義》說：「考其文理，乃是秦漢之間學《詩》者纂集說詩博士解詁。」這話說得很有道理，只是要補充兩點：第一，書中釋《詩》的地方不到十分之一，釋五經的地方不到十分之四，可見《爾雅》不全是為了說《詩》；第二，這書不是一手所成，它經過許多人的增補。有些地方恐怕是東漢人增補進去的，其中跟《詩經》鄭箋相符合的地方，不一定是鄭玄抄《爾雅》，還可能是《爾雅》的作者抄鄭箋。朱熹說得對：「《爾雅》是取傳

---

[7] 《朱子語類》（北京市：中華書局，1986年），卷一三八，頁3277。

注以作，後人卻以《爾雅》證傳注。」[8]

其二，「只是據諸處訓釋所作」中的「只是」二字是包含有朱熹的感情色彩的，即朱熹認為《爾雅》既是一部故訓彙編性質的書，所以後人在解釋先秦典籍時不可盲目以之為據，因之才有「《爾雅》非是」的話，因之才對趙岐在《孟子題辭》對《爾雅》曾設「傳記博士」一說不以為然，稱「在《漢書》亦無可考」。大概在同時或稍後[9]，朱熹在答覆陸九淵的信中對《爾雅》便有了更明確的定位和評價：「《爾雅》乃是纂集古今諸儒訓詁以成書，其間蓋亦不能無誤，不足據以為古。」[10]

《語類》、《文集》中的這些記述，是朱熹對待《爾雅》的基本態度。與之相應，朱熹在其他場合也表達了類似的傾向。比如在答曾景建的一通書信中說：

> 前此辱書，蔡季通行曾附數字奉報矣。所論主一之功甚善……
> 《爾雅》未暇細看，然此等亦未須閑費日力也。[11]

在答曾景建的另一通書信中也說：

> 《爾雅》竟未暇細考，但〈釋親〉篇恐非如所刊定也。禮書已略定，但惜無人錄得，亦有在黃直卿處者，聞吉父在彼，必能

8　王力：《中國語言學史》（太原市：山西人民出版社，1981年），第一章，頁11～12。

9　據《朱子語類》所附〈朱子語錄姓氏〉，陳文蔚所記當是「戊申（1188年）以後所聞」，湯泳所記當是「乙卯（1195年）以後所聞」；據陳來《朱子書信編年考證》，朱熹此處答覆陸九淵的信當作於宋孝宗淳熙十六年（1189）。

10　〈答陸子靜〉《晦庵先生朱文公文集》《朱子全書》（上海市：上海古籍出版社、合肥市：安徽教育出版社，2002年），卷三十六，頁1574。

11　〈答曾景建〉《晦庵先生朱文公文集》，前揭，卷六十一，頁2976。

傳其梗概。[12]

朱熹對《爾雅》「未暇細看」、「未暇細考」的原因，正是在於他認為「此等亦未須閑費日力」，對《爾雅》的態度明白可見。

朱熹不惟對《爾雅》持懷疑態度，對後世繼《爾雅》而形成的所謂「群雅」類書籍也並不確信。比如〈記尚書三義〉一文稱：

> 棐，本木名，而借為「匪」字。顏師古注《漢書》云：「棐，古匪字，通用。」是也。「天畏棐忱」，猶曰天難謀爾。《孔傳》訓作「輔」字，殊無義理。嘗疑今《孔傳》並〈序〉皆不類西京文字氣象，未必真安國所作，只與《孔叢子》同是一手偽書。蓋其言多相表裏，而訓詁亦多出《小爾雅》也。此事先儒所未言，而予獨疑之，未敢必其然也。姑識其說，以俟知者。[13]

這裏的《小爾雅》，即舊題漢孔鮒為增廣《爾雅》所撰之作，是「群雅」中的較早作品。朱熹疑孔傳為偽書，論據之一就是因其訓詁「多出《小爾雅》」，其否定態度也十分明顯。

不過，我們不能由此認為朱熹對《爾雅》全盤否定，一無所取。除去在專門著作中引用《爾雅》經文及重要注疏著作文字幾百處外，從朱熹的某些言論也可以約略看出他對《爾雅》的某些肯定。比如在答門人程正思的信中說：「《小學字訓》甚佳，言語雖不多，卻是一部大《爾雅》。」[14]《小學字訓》書不得見，但想必在體例及作用上與

---

[12] 〈答曾景建〉《晦庵先生朱文公文集》，前揭，卷六十一，頁2977。

[13] 《晦庵先生朱文公文集》，前揭，卷七十一，頁3425。

[14] 〈答程正思〉，《晦庵先生朱文公文集》，前揭，卷五十，頁2330。又，《朱子語類》卷一一七楊至記述同一事時稱：「因說正思《小學字訓》，直卿云：『此等文字亦難做，如「中」，只說得無倚之中，不曾說得無過不及之中。』曰：『便是此等文字

《爾雅》相似。以「一部大《爾雅》」許之，既可以看出朱熹對程著《小學字訓》的稱賞，又可以看出朱熹對《爾雅》的某些認可。

此外，朱熹在有的場合還偶將「爾雅」作為一語詞，而不是作為一書名來使用，比如〈學校貢舉私議〉稱：

> 其治經必專家法者，天下之理固不外於人之一心，然聖賢之言則有淵奧爾雅而不可以臆斷者，其制度、名物、行事本末又非今日之見聞所能及也，故治經者必因先儒已成之說而推之。[15]

儘管由此處描述並看不出朱熹於《爾雅》一書明顯的思想傾向，但「爾雅」之含義與《爾雅》一書名義是相一致的，在相關論說極其缺乏的情況下，我們也不妨把這作為一個佐證，以證明朱熹對《爾雅》在一定程度上的認同。

二　朱熹對《爾雅》的駁正與擷取

儘管朱熹對《爾雅》的基本態度是否定的，但在其著作中對《爾雅》解說進行正面駁正的例子卻極少。前文所提朱熹給陸九淵的回信中，曾提到《爾雅》對某字的具體解說：

> 〈大傳〉、〈洪範〉、《詩》、《禮》皆言「極」而已，未嘗謂「極」為「中」也。先儒以此極處常在物之中央而為四方之所面內而取正，故因以「中」釋之，蓋亦未為甚失。而後人遂直以「極」為「中」，則又不識先儒之本意矣。《爾雅》乃是纂

難做，如『仁』，只說得偏言之仁，不曾說得包四者之仁。」（若海錄云：「一部大《爾雅》。」）」

[15] 《晦庵先生朱文公文集》，前揭，卷六十九，頁3360。

集古今諸儒訓詁以成書，其間蓋亦不能無誤，不足據以為古。
又況其間但有以「極」訓「至」，以「殷、齊」訓「中」，初
未嘗以「極」為「中」乎？[16]

這裏固然稱《爾雅》「不足據以為古」，但從上下文可以明確判
斷，朱熹對於《爾雅》以「極」訓「至」[17]，以「殷、齊」訓「中」[18]的
解說並不是一種否定的態度。朱熹對於《爾雅》解說的一則明顯駁正
是在他的《楚辭辯證》中，〈辯證上〉稱：「《爾雅》說『四極』，恐
未必然。邠國近在秦隴，非絕遠之地也。」《爾雅·釋地》云：「東
至於泰遠，西至於邠國，南至於濮鉛，北至於祝栗，謂之四極。」晉
人郭璞《爾雅注》云：「皆四方極遠之國」，（南宋）鄭樵進一步解
釋：「皆四方極遠之國。邠國，非大王去邠之地。」[19]所謂「大王去邠
之地」，乃指周代祖先公劉所立之國，在今陝西彬縣一帶。今人徐朝
華的解說較為合理：「泰遠、祝栗等都是我國古代傳說中四方極遠處
國名，並非實有其國。」[20]由此看來，朱熹儘管對《爾雅》之說有所駁
正，卻顯得過於拘泥。

朱熹著作中更多的則是對於《爾雅》解說的擷取，這也從一個側
面反應了朱熹求真務實的嚴謹學術態度。比如《論語或問·子罕第
九》稱：

或問三十章之說。……曰：「或以〈小雅·棠棣〉之一章，而
夫子所刪而不取者也，信乎？」曰：「不然也。按《爾雅》棠

16　〈答陸子靜〉《晦庵先生朱文公文集》，前揭，卷三十六，頁1574。

17　《爾雅·釋詁》第一。

18　《爾雅·釋言》第二。

19　鄭樵：《爾雅注·釋地》第九，文淵閣《四庫全書》本。

20　徐朝華：《爾雅今注》（天津市：南開大學出版社，1987年），頁226。

> 棣：『棣，唐棣，栘』，則〈小雅〉之『棠棣』與此章之『唐
> 棣』，非一物矣。且彼詩文義屬連，無刊削之跡，必為所刪，
> 則未知以此為彼之第幾章乎？考之無證，而驗之不合，且又非
> 大義之所存也，亦何必曲為之說，而強通之耶？」

這就是採《爾雅》之說，以為證〈小雅・棠棣〉非孔子「所刪而
不取者」的論據。再如《儀禮經傳通解》卷第二「姆纚笄宵衣，在其
右」下云：

> 纚以繒為之，以縭髮而紒之。女有纚有次，姆有纚而無次也。
> 綃衣亦與純衣同，是緣衣用綃為領，故因得名綃衣也。《詩》
> 云「朱綃」，又云「朱襮」。《爾雅》云：「黼領謂之襮。」襮
> 既為領，則綃亦領可知。

又，《儀禮經傳通解》卷第二十三「公許，賓升，公揖，退於箱」下
云：

> 箱，東夾之前，俟事之處。○疏曰：按《爾雅》「有東西廂曰
> 廟」，其夾皆在序外故也。知是「俟事之處」者，正以此文
> 「公揖退於廂」而俟賓食，即待事之處也。

上例，皆屬朱熹引《爾雅》之說以釋名物。

《爾雅》經文之外，朱熹對於歷代《爾雅》著名注疏也多所擷
取。比如《詩集傳》中〈周南・卷耳〉「陟彼砠矣，我馬瘏矣，我僕
痡矣，云何吁矣」下注云：「吁，憂歎也，《爾雅注》引此作『盱』，
張目望遠也。」此處《爾雅注》即晉人郭璞所作之《注》。又〈小
雅・六月〉「玁狁匪茹，整居焦穫。侵鎬及方，至於涇陽。織文鳥
章，白旆央央。元戎十乘，以先啟行」下云：「焦、穫、鎬、方，皆

地名。焦未詳所在。獲，郭璞以為瓠中，則今在耀州三原縣也。」以「獲」為「瓠中」，亦出自郭璞《爾雅注》。再如《楚辭集注》卷五「遠遊」一篇「祝融戒而蹕禦兮……焉乃逝以徘徊」下注云：「娟，於緣反。《爾雅疏》引作娗嬛，音同。」這裏的《爾雅疏》，便是宋人邢昺所作之《疏》。又《儀禮釋宮》云：「室中西南隅謂之奧。邢昺曰：室戶不當中而近東。西南隅最為深隱，故謂之奧，而祭祀及尊者常處焉。」[21] 以「西南隅」為「奧」，亦出自邢昺《爾雅疏》。郭璞《爾雅注》和邢昺《爾雅疏》，是《爾雅》注疏中的名作，為通行的《十三經注疏》所採。

除此，朱熹對「群雅」類書籍中的解說還有所擷取，如《楚辭集注》卷二「國殤」二字下注云：「謂死於國事者。《小爾雅》曰：『無主之鬼謂之殤。』」[22] 再如《楚辭辯證上・離騷經》「通其變，使民不倦。神而化之，使民宜之」下云：「《博雅》曰：『昆侖虛』赤水出其東南陬『河水出其東北陬』洋水出其西北陬『弱水出其西南陬』。河水入東海，三水入南海。」[23]《博雅》，即《廣雅》之別稱，魏張揖撰，亦屬增廣《爾雅》之作。

三 朱熹辨偽《爾雅》與宋代疑古辨偽思潮

錢穆將朱熹之疑《爾雅》放在「朱子之辨偽學」中檢討，是有深刻學術見地的。其實，就古籍辨偽而言，除《爾雅》外，朱熹對《詩經》、《尚書》、《周易》、《孝經》諸經均有辨說，其中尤以辨《詩

---

21 《晦庵先生朱文公文集》，前揭，卷六十八，頁3310。

22 《朱子全書》，前揭，頁62。

23 《朱子全書》，前揭，頁194。

序》之偽和辨《尚書》之今古文於後世影響最大。關於《詩序》，
《朱子語類》卷八十云：「〈小序〉漢儒所作，有可信處絕少。〈大序〉
好處多，然亦有不滿人意處。」又同卷云：「《詩》小序全不可信。如
何定知是美刺那人？詩人亦有意思偶然而作者。」關於《尚書》，《朱
子語類》卷七十八云：

> 蓋《書》有古文，有今文。今文乃伏生口傳，古文乃壁中之
> 書。〈禹謨〉、〈說命〉、〈高宗肜日〉、〈西伯戡黎〉、〈泰誓〉
> 等篇，凡易讀者皆古文。況又是科斗書，以伏生書字文考之，
> 方讀得。豈有數百年壁中之物，安得不訛損一字？又卻是伏生
> 記得者難讀，此尤可疑。今人作全書解，必不是。

又同卷云：

> 孔壁所出《尚書》，如〈禹謨〉、〈五子之歌〉、〈胤征〉、〈泰
> 誓〉、〈武成〉、〈冏命〉、〈微子之命〉、〈蔡仲之命〉、〈君牙〉
> 等篇皆平易，伏生所傳皆難讀。如何伏生偏記得難的，至於易
> 的全記不得？此不可曉。

錢穆以為：

> 此一疑問遂開出後來明清兩代儒者斷定《尚書》古文之偽之
> 一案，而其端實是朱子開之。可與其論《易》為卜筮書，與
> 《詩》小序之不可信，同為經學上之三大卓見。[24]

朱熹辨偽《爾雅》，辨偽群經，反映了宋人對待經書態度的極大轉
變，這也是宋代疑古辨偽思潮的必然結果。按照顧頡剛先生的說法，

---

24 錢穆：《朱子學提綱》（北京市：三聯書店，2002 年），卷二十六，頁173。

中國學術史上的疑古思潮，從戰國、秦、漢即已發興，三國、六朝時則是造偽與辨偽並行，至唐代，辨偽工作正式拉開帷幕，宋代辨偽則「走上發展的道路，辨偽之風非常盛行」[25]。司馬光在〈論風俗箚子〉一文中對當時學風有精當描述：

> 竊見近歲公卿大夫好為高奇之論，喜誦老莊之言，流及科場，亦相習尚。新進後生，未知臧否，口傳耳剽，翕然成風，至有讀《易》未識〈卦〉、〈爻〉，已謂《十翼》非孔子之言；讀《禮》未知篇數，已謂《周官》為戰國之書；讀《詩》未盡〈周南〉、〈召南〉，已謂毛、鄭為章句之學；讀《春秋》未知十二公，已謂三傳可束之高閣。[26]

儘管司馬光在這裏是在批評時風的澆薄，卻從一個側面反映了宋代疑古辨偽思潮的洶湧不可阻擋。正是由於這種疑古思潮的大興，才使宋代學人對待傳統儒家經典的態度發生了根本變化。傳統經書在他們眼中不再具有不可撼動的權威地位，他們對經書非但不唯諾恭敬，反而力辨其偽，甚至大加撻伐。歐陽修是宋代辨偽的發端人物，開創有宋一代新風，他著《詩本義》，稱《詩序》「非子夏之作」[27]、「《序》之所述，乃非詩人作詩之本意，是太史編《詩》假設之義也。毛、鄭遂執《序》意以解《詩》，是以太史假設之義解詩人之本義，宜其失之遠也」[28]，對南宋的鄭樵和朱熹有直接的影響。再如王安石視《春秋》經為「斷爛朝報」[29]，程頤以為「《尚書》文顛倒處多，如〈金縢〉尤

---

[25] 顧頡剛：〈中國辨偽史略〉，《秦漢的方士與儒生》（上海市：上海古籍出版社，1998年），頁203。

[26] 司馬光：《傳家集》卷四十二，文淵閣《四庫全書》本。

[27] 歐陽修：《詩本義》卷十四，文淵閣《四庫全書》本。

[28] 歐陽修：《詩本義》卷一，文淵閣《四庫全書》本。

[29] 《宋史·王安石傳》。

不可信」[30]等，都是宋代疑古辨偽的著名成果。正是在這一學術情勢下，以及在前代學者疑古辨偽成果的基礎上，朱熹作了更深廣的開拓，有諸多辨偽著作問世，而《爾雅》辨偽僅是其中鮮為人道者。

四　簡短的小結

綜上所述，關於朱熹與《爾雅》，我們大致可以得出如下結論：

第一，朱熹對《爾雅》鮮有論說，與《爾雅》一書的詞典性質有關。詞典的形式使它無法像其他經書那樣可以更直接地表現其義理思想，因而難以引起主要作為理學家的朱熹的更大關注。

第二，朱熹對《爾雅》的懷疑態度，是宋代以來疑古辨偽思潮的必然結果；朱熹懷疑《爾雅》，也是其辨偽學的重要成果。

第三，朱熹於《爾雅》，既無專門著作，又論說極簡，不足堪以「朱熹之爾雅學」稱之，但其論說引證卻或多或少地涉及到了《爾雅》經文、《爾雅》注疏、「群雅」著作等，對《爾雅》地位也有所評價，因此應當成為朱熹經學的組成部分。

---

[30] 《二程遺書》卷二十二上，文淵閣《四庫全書》本。

元代易學著述編年

　　元代百年，雖然在學術史上相對平淡，卻也不失其特色。譬如《四書》得以北傳，並在仁宗時首次實現與國家科舉制度的有效連接，使之得到廣泛傳播，影響明清七八百年。五經之學也得到發展，譬如吳澄對《禮記》篇章進行改編，便是出於「對宋儒矯枉過正者進行調整」[1]，並對明清禮學造成一定影響。至於《周易》，雖然「元代易學是對宋代易學的繼承，元人研究《周易》的方法和內容基本不出宋人的範圍……元人的易學發展了南宋義理之學與象數之學合流的傾向，邵雍等人的象數學和道教易學都得到了進一步的闡發。不過，元代的某些易學家已經開始更注意圖書學的淵源和傳授系統，對其與《周易》的關係提出異議，這就開了明清學者考辨易圖或對圖書學進行批評的先河」[2]。茲抽取元代重要易學著述二十餘部，考證其撰述年代，並對作者、卷數、成書、價值、影響等略作考釋，錄其序跋，以見元代易學成就之一斑。

憲宗八年　戊午（1258）

○是年後，許衡《讀易私言》一卷成

【文獻】許衡《魯齋遺書》卷十三〈考歲略〉：「先生著述曰：……

---

[1]　姜廣輝：〈吳澄對《禮記》的改編〉，載《中國經學思想史》（北京市：中國社會科學出版社，2010年），第三卷下，頁986。

[2]　廖名春等：《周易研究史》（長沙市：湖南出版社，1991年），第五章，頁320～321。

《讀易私言》，是先生五十後所作。」

【考釋】許衡生於太祖四年（1209），五十歲後，當為憲宗八年
（1258）後。（清）朱彝尊《經義考》卷四十二著錄《讀易私言》一
卷，云：「耶律有尚曰：先生著述曰⋯⋯《讀易私言》，是五十後所作
（又云時年四十一）。」若依另說，則《讀易私言》之撰作年代當在海
迷失后元年（1249）。

世祖中統元年　庚申（1260）

○七月，李簡《學易記》九卷成

【文獻】文淵閣《四庫全書》本《學易記》書前李氏〈自序〉：「伊川
先生嘗云：『學《易》者，當看王輔嗣、胡翼之、王介甫三家文字，
令通貫，然後卻有用心處。』時先生《易傳》未出也，及溫陵曾獻之
集《大易粹言》傳於世，則學者知有所宗，而三家之說不無去取也。
歲在壬寅春三月，予自泰山之萊蕪，挈家遷東平。時張中庸、劉佚庵
二先生與王仲徽輩，方聚諸家《易》解而節取之。一相見，遂得廁於
講席之末，前後數載，凡讀六七過，其書始成。然人之所見，不能盡
同，其去取之間，則亦不能無少異。大抵張與王意在省文，劉之設心
務歸一說，僕之所取寧失之多，以俟後來觀者去取也。僕居萊蕪幾二
載，當時所讀之《易》，止有王輔嗣與《粹言》而已。諸家之說，則
未之見也。六百日之間，節取《粹言》凡三度。前賢之說，或中心有
所不安，則思之夜以繼日，雖在道路鞍馬間，與窗下無少異。脫有所
得，隨即書之，以待它年讀之，驗其學之進與否也。比遷東平，積謬
說百餘段，及得胡安定、王荊公、南軒、晦庵、誠齋諸先生全書及楊
彬夫所集《五十家解》、單渢所集《三十家解》讀之，謬說暗與前賢
之說相合者十有二三，私心始頗自信。今卷中凡無名字者，以兼採諸

人之意合而為一說，不能主名，亦或有區區管見，輒不自揆而廁於其間者，其初心將便觀覽而傳於家，非敢有意傳諸人以取著述之名也。親友之間，有堅欲求觀而不能違者，或復為人錄，去予甚患之。己未歲，承乏倅泰安，山城事少，遂取向之所集《學易記》觀之，重加去取焉。噫！親友相知相愛由此書，獲謗獲罪於朋儕亦由此書，它日必有能辨之者。中統建元庚申秋七月望日，信都李簡序。」

【考釋】李簡作〈序〉時間在「中統建元庚申秋七月望日」，知《學易記》之最終成書當在元世祖中統元年，即西元一二六〇年。李簡生平不詳，《元史》無傳，《宋元學案》卷十六《伊川學案下》入「伊川續傳」云：「李簡，字蒙齋，信都人。官泰安州通判。著《學易記》九卷。」《學易記》九卷，（明）朱睦㮮《授經圖義例》卷四、《續文獻通考‧經籍考》、（清）黃虞稷《千頃堂書目》卷一、（清）朱彝尊《經義考》卷四十二、（清）錢大昕《補元史藝文志》等皆著錄。是書今存，有《通志堂經解》本、文淵閣《四庫全書》本等。

又，《四庫全書總目‧易類四》所撰是書提要云：「（元）李簡撰。簡里貫未詳，《自序》稱『己未歲承乏倅泰安』，己未為延祐六年，蓋仁宗時也。其書所採自子夏《易傳》以逮張特立、劉肅之說，凡六十四家，一一各標姓氏。其集數人之說為一條者，亦注曰兼採某某。其不注者則簡之新義矣，大抵仿李鼎祚《集解》、房審權《義海》之例。〈自序〉稱：『在東平時，與張中庸、劉佚庵、王仲徽聚諸家《易》解節取之。張與王意在省文，劉之設心務歸一說，僕之所取，寧失之多，以俟後來觀者去取。』又稱：『己未歲，取向所集重加去取。』則始博終約，蓋非苟作，故所言多淳實不支。其所見楊彬夫《五十家解》、單渢《三十家解》，今並不存。即所列六十四家遺書，亦多散佚。因簡所輯猶有什一之傳，則其功亦不在鼎祚、審權下也。」

世祖至元九年　壬申（1272）

○正月，郝經《周易外傳》八十卷成

【文獻】郝經《陵川集》卷二十九〈周易外傳序〉：「孔子承三聖之
《易》，為之作《傳》，凡道德之要，性命之理，幽明之故，死生之
說，天地人物之在夫意言象數之間者，莫不充周表著，推致其極，
《易》於是乎集大成。聖人大經大法之原，而不可加損焉。蓋數聖人
之制作，孔子復以聖述聖故也。後之人德未至於聖，欲以一己之見求
夫數大人之意，雖黻精極神，不免於猜揣料量之私，不能造夫真。是
或有見焉，而不能純備；斷然自作，則違戾遠甚，是以紛紛藉藉，
至於今而不已也。夫《易》，聖人所以用道之書也。伏犧氏按圖畫卦
以述道，造書契以開斯文之統，歷數千百年至於黃帝、堯舜氏，而法
制始備。又歷夏商千有餘年，而文王受命作周，重伏犧氏之卦，繫之
辭，而命之為《易》。聖子周公，心傳口授，分其文而繫之辭，以斷
其吉凶。復六百有餘年而孔子出焉，晚年讀《易》而韋編三絕，以
求三聖之意，於是退而修經，推皇帝王伯之世，而本乎伏犧，終於
五霸，列為四經，而為《易》作《傳》，尊之為經，以冠夫《詩》、
《書》、《春秋》，使天下萬世共享一道。舉畫前之固有，重後之逆
數，造無窮之形器，壞無窮之形器而一，《易》之用，不可勝窮矣。
則伏犧氏述道，文王述伏犧，周公述文王，孔子述三聖，世代相去若
此，其甚遠也；聖人之作若此，其鮮也；以聖述聖若此，其恭也。至
孔子而僅為成書，猶以為書不盡言，言不盡意，加我數年，五十以
學《易》，可以無大過，則《易》之大，不能一聖人當一世而為之，
必數聖人數十百世而僅成。以孔子之聖，不敢自作，曲為之述，而猶
以為未既盡而懼，或有過後之人，乃欲以一己之私，遽述數千載之
德業，四聖人之能事，又輒自作為，不亦難矣哉！且自孔子沒，曾

子、子思、孟子得其傳而著之書，雖皆《易》道，而不及《易》中一言。繼而火於秦，雖幸而以卜筮之故，《易》之書獨存，天下之人祇以卜筮視之，而其道不明也。漢興，言《易》自田何。本其所自，謂孔子授之商瞿子木，而授受及何，何為傳數篇而不傳，自是學各專門，原遠而末益分矣。揚雄之學，最為深到，準《易》作《玄》，而不述《易》道。東觀學者雖盛，而祇為傳注之學，亦各專門自私，而明夫《易》道者亦鮮。魏正始間，王弼以二漢之學為之注，唐世以為至當，而孔穎達為之疏，學者至今宗之，殆亦專門之學也。寥寥千載，竟無聖人，而述聖人，家異傳，人異義，《易》道不可復聞矣。故王通謂『九師興而《易》道微，《三傳》作而《春秋》散』，惡其私而專，專而分，分而異，卒使聖人之意不可得而見也。宋興，大儒輩出，莫不以闡明《易》道為己任。於是華山陳摶肇開宗統，而濂溪周敦頤、西都邵雍遠探羲、文、周、孔之業，推演意言象數之本。至侍講程頤大變傳注，為《易》作《傳》，直造先秦，布武聖門。其諸師友更唱迭和，《易》道幾明，今二百有餘年矣。學者復各擅其師傳，立論馳說，求新角奇，誕誇而自聖。言義理者不及象數，象數者不及義理，又往往雜入偏駁小數，異端曲學，周、邵、程氏之學，復昧沒而不明。其詆王弼蔑正義、厚誣妄訾、悖理傷道者，不可勝紀，又甚於專門之弊矣。反覆壞爛，遂至此極。世代如是之遠，聖人不作如是之久，蠹食穿鑿如是之眾且多也，又豈一人之專見臆戾所能蔽之哉！則聖人之意，終不可得而見矣。竊嘗以為，後世雖無大聖人，兼綜諸聖以述夫聖，如孔子之集大成，苟不以一人自私曲學自蔽，專門自聖，削去畦町，沒夷滋蔓，排斥一我，開示公道，合漢、魏、唐、宋諸儒之學，順考其往，逆征其來，積數千百年之學問，數十百人之能事，契其所見，會其所得，合天下以一心，通天下以一理，貫古今以一《易》，聖一而後世百之，聖十而後世千之，溯流求原，問津以

濟乎道，則亦庶乎其可也。故不自揆，嘗欲論次孔子以來述《易》而
有合於聖人者纂為一書而未能也。中統元年，詔經持節使宋，宋人館
於儀真，留而不遣，五六年間，頗得肆意經傳。及被劫殺，出居別
室，益曠寂無事，乃據所有書及故所記憶者，自孔子以來迄於今，凡
訓詁論說諸所注釋，核其至精，去其重複，義理象數兼采並載，巨細
不遺。不徵其人，惟是是與，各以世代第其先後，凡諸經傳子史百
氏《易》之自出，而不謬聖人。必當關涉引用者，亦各依世次編入，
其流入老佛、異端曲說非聖人意者，則盡刊黜。夫漢魏傳注之學，則
至於魏王氏；唐宋論議之學，則至於宋程氏，故備錄二氏以為諸家折
衷。經有所見聞者，則彌縫其闕而要終之。且徵之歷代之得失，以為
《易》之事業，窮源極委，致諸道、《易》、神之本然。以為一經之綱
領，疑而不可固必者，則存而弗論，以俟能者，積成八十卷；旁搜遠
蹈，創圖立說，為《太極演》二十卷，申明列聖及諸儒餘意，共為一
百卷。《易》之成，俶落周世，謂之《周易》。近世或單稱《易》及
《大易》等以為題，而不言周，有未當言者，故仍稱《周易》。孔子
為經作《傳》，既謂之『傳』矣。後之人復為傳注，則皆《傳》外之
傳也。故曰為《外傳》，且示不敢自同於聖人之作也。然亦未敢自為
成書，後來繼今，或別有所得，當復增入云。九年春正月立春日，郝
經序。」

【考釋】郝經（1223～1275），字伯常，澤州陵川（今山西陵川）
人，家世業儒。金末，避亂於河南。金亡，徙順天（今北京一帶）。
家貧苦讀，為守帥張柔、賈輔所知，延為上客。二家藏書皆萬卷，經
博覽無不通。世祖中統元年（1260）奉命出使宋朝，為宋相賈似道所
拘，滯留十六年，至至元十二年（1275）得回。氣節高尚，《元史・
郝經傳》載：「經還之歲，汴中民射雁金明池，得繫帛，書詩云：
『霜落風高恣所如，歸期回首是春初。上林天子援弓繳，窮海累臣有

帛書。』後題曰：『至元五年九月一日放雁，獲者勿殺，國信大使郝
經書於真州忠勇軍營新館。』其忠誠如此。」被拘期間，「思托言垂
後」，乃撰《續後漢書》、《易春秋外傳》、《太極演》、《原古錄》、
《通鑑書法》、《玉衡貞觀》等書及文集，凡數百卷。《四庫全書總目》
卷一六六《陵川集》提要評價云：「其生平大節，炳耀古今，而學問
文章，亦具有根柢。如《太極先天諸圖說》、《辨微論》數十篇及論
學諸書，皆深切著明，洞見閫奧。《周易》、《春秋》諸傳，於經術尤
深。故其文雅健雄深，無宋末膚廓之習。其詩亦神思深秀，天骨挺
拔。與其師元好問可以雁行，不但以忠義著也。」

○郝經《太極演》二十卷成

【文獻】郝經《陵川集》卷二十九〈太極演總敘〉：「天下之理，一
隱一顯而已矣。故其間有開合之機，總萃之體，變動之用，布散之
跡焉。其始焉，皆自夫隱而出也；其終也，皆自夫顯而反也。於是
天下之理，無滯無弊，道之大用，全體旁行而不流，確乎其不可拔
而不易。而《易》行乎其間，妙萬物而為神，翕然而藏，天地萬物
無不隱闢焉而生。天地萬物無不顯，一翕一闢，一生一藏，一隱一
顯，所以為道，所以為《易》，所以為神，天地萬物至今而不窮，至
今而冥冥也，至今而昭昭也。是以聖人作《易》，推其隱者而為賾為
密，為幽為深，為幾為微，窮原築底而無上，反而為顯，於是為《太
極》推其顯者，而為圖為畫，為卦為爻，為象為數，為辭為說，亦窮
原築底而無上，復反而為隱，而止於太極。故《易》之為書，本末
一隱顯，太極則其開闢之機也，總萃之體也，變動之用也，布散之
跡也。故道、《易》、神之蘊奧，皆具於太極，而伏犧發之。伏犧之
圖，文王之卦，周公之爻，孔子之象，皆自太極推出，而孔子獨為言
之，故《易》有太極。而太極，《易》之本也，學《易》者必先求其

本，本得而易道可求矣。攝網者必提其綱，衣裘者必挈其領，入室者必由其戶也。由孔子而來，言《易》者眾矣。開卷而便及乾坤，直造犧文，莫不忽恍茫漠以為高深幽遠，至簡至易者而以為至煩至難。夫《易》成於四聖人之手，莫不先後相因，伏犧演《河圖》，文王演伏犧，周公演文王，孔子演三聖。後世之言《易》也，則在夫孔子之後矣。故當由孔子之《易》，以求三聖之《易》。自流徂源，由末及本也。孔子之《易》，其〈彖〉、〈象〉、〈文言〉、〈說卦〉、〈序卦〉、〈雜卦〉，皆所以承三聖人擴而充之也。其〈繫辭〉上下，探索犧文之前，包舉萬世之業，其抉示道本，挈舉《易》鈕，轉斡神機，推出兩儀、四象，造起天地萬物，則在夫《易》有太極之一言，固當即此以為學也。知孔子之《易》，則知三聖之《易》矣。嘗聞之師，讀《易》者當先讀〈繫辭〉，其次〈說卦〉、〈序卦〉、〈雜卦〉，其次讀〈乾〉、〈坤〉二卦，既精且熟，然後讀〈屯〉、〈蒙〉諸卦，此學《易》之序也。蓋意言象數之本，皆在於是矣。故取〈太極〉一章，以為學〈易〉之標準。類〈繫辭〉、〈文言〉、〈說卦〉、〈彖〉、〈象〉之名義，探諸太極之前而演其隱，徵諸太極之後而演其顯。問津洙泗，以及河洛，遍參諸儒，庶幾數年之後，可以學《易》，觀道、《易》、神之彷彿，不失吾身之極焉。故取道、《易》、神等二十三條為一類，合為一圖，以示其序而各為之說，謂為《易》道蘊極，演諸太極之前者也。其次取太極等六條為一類，合為一圖，以示其序而各為之說，謂為《易》有太極，所以演太極也。其次取《易》、《書》、《詩》、《春秋》、《論語》、《大學》、《中庸》、《孟子》名義、人輿、皇極等凡二十四條為一類，合為一圖，以示其序而各為之說，謂為人道建極，合隱顯而立，極成《易》也。其次分《易》為四，為伏犧《易》、文王《易》、周公《易》、孔子《易》，合為《四聖易圖》，以示其序而各為之說，為之圖演太極，之後所以成《易》者也。其次為

孔門言《易》諸儒，擬《易》傳注疏釋等類，以為《易》之支流餘
裔，見太極為《易》之用，極盡而無極，神而明之存乎其人焉爾矣。
凡十類六十篇，總謂之《太極演》云。年月日，陵川郝經書於儀真新
館。」

【考釋】《太極演》二十卷之具體撰作年代無考，〈太極演總敘〉亦未
指明確切年代，但定當作於拘宋期間。所謂「儀真新館」，即指郝經
於真州（今江蘇儀征）所拘之所。《元史・郝經傳》載：「經為人尚
氣節，為學務有用。及被留，思托言垂後，撰《續後漢書》、《易春
秋外傳》、《太極演》、《原古錄》、《通鑒書法》、《玉衡貞觀》等書及
文集，凡數百卷。其文豐蔚豪宕，善議論。詩多奇崛。拘宋十六年，
從者皆通於學。」（清）黃虞稷《千頃堂書目》卷一亦云：「郝經《周
易外傳》八十卷。經羈館真州時所作。自孔子以來諸家注釋，核其至
精，去其重複，義理象數兼采，巨細不遺，積成八十卷。又旁搜遠
紹，創圖立說，為《太極演》二十卷，申明列聖及諸儒餘意，謂之
《外傳》。孔子為經作傳，後人著作皆傳外之傳也，故曰《外傳》，示
不敢同於聖人之作云。」以上均可證明《太極演》撰於郝氏拘留真州
期間。又據郝氏〈周易外傳序〉，知《太極演》與《周易外傳》皆當
成書於「至元九年」或是年之前。又，《太極演》二十卷，（清）朱
彝尊《經義考》注曰「佚」，（清）錢大昕《補元史藝文志》亦有著
錄。

世祖至元十八年 辛巳（1281）

○吳澄纂次《易》、《書》諸經，注釋《孝經章句》成，次年校定諸
經成

【文獻】（元）危素《臨川吳文正公年譜》：「（至元）十八年辛巳，留

布水谷，纂次諸經，注釋《孝經章句》成。十九年壬午，留布水谷，校《易》、《書》、《詩》、《春秋》，修正《儀禮》、《小戴、大戴記》成。」（元）虞集《道園學古錄》卷四十四《臨川先生吳公行狀》：「十八年，纂次諸經，注釋《孝經章句》成。十九年，校定《易》、《書》、《詩》、《春秋》，修正《儀禮》、《小戴、大戴記》。」《元史·吳澄傳》：「至元十三年，民初附，盜賊所在蜂起。樂安鄭松招澄居布水谷，乃著《孝經章句》，校定《易》、《書》、《詩》、《春秋》、《儀禮》及大、小《戴記》。」《新元史·吳澄傳》：「至元二十年，撫州內附。樂安丞蜀人黃西卿不肯降，遁於窮山中，招澄教其子。澄從之。樂縣人鄭松又招澄居布水谷，乃著《孝經章句》，校定《易》、《書》、《詩》、《春秋》、《儀禮》及大、小《戴記》。」（日）今關壽麿《宋元明清儒學年表》於宋端宗景炎元年（1276年）下云：「元吳澄（字幼清，撫州崇仁人）以鄭松之招居布水谷，著《孝經章句》，校定《易》、《書》、《詩》、《春秋》、《儀禮》及大、小《戴記》。」

【考釋】據危素《臨川吳文正公年譜》：「大元至元十二年乙亥，撫州內附。十三年丙子，奉親避寇，時寧都盜起」，《元史》所載「民初附，盜賊所在蜂起」事與之相合。《新元史》言衡著《孝經章句》在「至元二十年」後，未知所據。《宋元明清儒學年表》言其事在「至元十三年」，蓋據《元史》推論而來，誤，因為《元史》並未言「樂安鄭松招澄居布水谷，乃著《孝經章句》」之事即在至元十三年。據危素《年譜》「隱居布水谷」事，當在「十七年庚辰」。

世祖至元二十一年 甲申（1284）

○八月，俞琰自序《易外別傳》

【文獻】文淵閣《四庫全書》本《易外別傳》書前俞氏〈自序〉：

「《易外別傳》者，先天圖環中之秘、漢儒魏伯陽參同契之學也。人生天地間，首乾腹坤，呼日吸月，與天地同一陰陽。《易》以道陰陽，故伯陽借《易》以明其說，大要不出《先天》一圖。是雖《易》道之緒餘，然亦君子養生之切務，蓋不可不知也。圖之妙在乎終坤始復，循環無窮，其至妙則又在乎坤復之交，一動一靜之間。愚嘗學此矣，遍閱云笈，略曉其一二。忽遇隱者，授以讀《易》之法，乃盡得環中之秘，反而求之吾身，則康節邵子所謂太極，所謂天根月窟，所謂三十六宮，靡不備焉，是謂身中之《易》。今為圖如左，附以先儒之說，明白無隱，一覽即見，識者當自知之。至元甲申八月望日，古吳石澗道人俞琰書。」

【考釋】《四庫全書總目・子部・道家類》所撰是書提要云：「宋俞琬撰。其書以邵子《先天圖》闡明丹家之旨。考《先天圖》傳自陳摶，南宋以來，無不推為伏羲之秘文，卦爻之本義。袁樞、林栗雖據理以攻之，然不能抉其假借之根，口眾我寡，無以相勝也。迨元延祐間，天臺陳應潤始指為《參同契》爐火之說，其言確有根據。然宗河洛者深諱之，巧辨萬端，轇轕彌甚。惟琬作此書，絕無文飾。其後序有曰：名之曰《易外別傳》，蓋謂丹家之說雖出於《易》，不過依仿而托之者，非《易》之本義也。可謂是非皎然，不肯自誣其心者矣。後序稱是書附《周易集說》後。其子仲溫〈跋〉亦云：《易外別傳》一卷，先君子之所著，而附於《周易集說》後者。今通志堂所刊《集說》，納蘭性德序中雖稱《易圖纂要》一卷、《易外別傳》一卷附焉，而印本實無此卷。豈初錄於木，後覺其不類而刪之耶？《白雲霽道藏目錄》以此書與《易圖通變》、《易筮通變》同載於太玄部若字號中，並題曰雷思齊撰。考揭傒斯為思齊作序，稱所著有《老子本義》、《莊子旨義》、《和陶詩》，吳全節〈序〉又稱其別有文集，而均不及此書。殆《雲霽》以三書同函而誤歟？（案此書純為道家之

說，自序中已明言之。舊雖附於《周易集說》之後，今移置於道家。
蓋一家之書，可以不分品目，自相繫屬。若區別門類，則宗旨各殊，
不容以黃、老之談參羲、文之笈矣。）」

世祖至元三十年 癸巳（1293）

○十一月，鄭滁孫進《中天圖》

【文獻】（清）朱彝尊《經義考》卷四十三引鄭滁孫〈進中天圖表〉：
「臣竊惟聖人之道與天地準，《易》有聖人之道，亦與天地準。未有
畫也，庖犧氏仰觀象於天，俯觀法於地，觀鳥獸之文與地之宜，近取
諸身，遠取諸物，於是始作八卦，以通神明之德，以類萬物之情。及
既有畫也，黃帝、堯、舜垂衣裳而天下治，蓋取諸乾坤。天地者，萬
物父母也；乾坤者，則天地性情也；坎離者，乾坤妙用也，震巽、艮
兌、陰陽、上下、進退之序也。恭惟帝王之盛，早朝聽政，清燕頤
神，宜有圖書以昭法象。謹按今世所傳伏羲始畫八卦圖，乃《易》祖
也，華山陳摶傳至邵雍，所謂有極圖者，以二氣消長，為乾坤之限者
也。可開學者推測之端，未備帝王觀省之要。臣愚幸叨涵育，獲事鑽
研，因畫窮象，因象窺玄，千歲之日，可指諸掌。有非臣愚能及，蓋
因昌運所召也。有顯象焉，有藏象焉，內貞外悔，上下三畫，重為六
畫卦者，顯象也；往過來續，中四畫遞成六畫畫者，藏象也。今圖顯
象，內外相遠，各以單卦取義藏象，先後相禪，合以重卦取義。按圖
次第觀之，乾究午半君之仁也，坤究子半臣之敬也。又為男女居室外
內賓主之齊焉，乾專乎午，君享乎成也；坤專乎子，臣服其勞也。又
為男正位外，女正位內，私不害公，宮不乾朝之度焉，乃若天宮布左
地宮布右，君須乎臣，臣須乎君者也。天旋而上，地轉而下，君尊統
臣，臣卑奉君也。四象皆八，天道下濟，地道上行，上下交也。八卦

皆八陰，中有陽，陽中有陰，陰陽蹟也。升不極高，降不極深，上交
不詔，下交不瀆也。愈推愈廣，愈分愈密，不行而至，不疾而速也。
於是布二十四氣，晦朔弦望，晨昏之次焉。冬至之日，坤主之陽，氣
萌資慈母育之也；夏至之日，乾主之陰，氣兆倚嚴父禦之也。二分啟
閉門也，四立終始際也，左規坤乾而接坤健也，右規乾坤而遇乾順
也。他月初中坎離值之，時中之義也。望依乎乾，君與先也；晦伏乎
坤，臣韜光也。朔，日月會也；弦，上下規也。上規乾，中左右皆兌
者，兌重乾而消長二用也；下規坤，中左右皆艮者，艮重坤而消長二
用也。規之半，其上東西皆復者，震重坤而消長二用也；規之半，其
下東西皆姤者，巽重乾而消長二用也。復以上頤相對，頤肖離也，陽
氣消長，皆當致養也。又上而對者既濟，始吉終亂也。又上曰睽，曰
歸妹，中藏既濟者也；曰家人，藏未濟者也。既濟生於未濟，未濟生
於既濟者也。姤以下，大過相對，大過肖坎也；陽氣消長，皆當自強
也。又下而對者未濟，雖不當位，剛柔應也。又下曰蹇，曰漸，中藏
未濟者也。曰解藏，既濟者也。未濟生於既濟，既濟生於未濟也。升
降之運，繫之天者也；治亂之理，存乎人者也。《易》有太極，於坎
離之際，見之聖人，御極於禮樂之制作。象之陰陽，得中而寒暑平，
制作造極而刑賞當，故《易》曰知變化之道者。其知神之所為乎？
《易》備三才之道，略舉人爻之見於藏象者言之，人爻主之以帝王者
也，帝王誠能體乾元御極之理，則與天地合，其德日月合，其明四時
合，其序鬼神合。其吉凶先天而天弗違，後天而奉天時。天且弗違，
況於人乎？九寓幸甚，三才幸甚。臣謹布中天盛德大業，圖畫畫成
軸，捧詣闕庭，仰千聖覽，臣不勝拳拳瞻天仰聖激切屏營之至。至元
二十年十一月。」

【考釋】進表年月，《經義考》引文作「至元二十年十一月」，考《四
庫全書總目・易類存目一》云：「其《中天圖》後署曰至元三十年十

一月吉日，宣召赴闕，儒人臣鄭滁孫，蓋即其被薦時所進也。」又據
《元史‧鄭滁孫傳》，滁孫之被薦事在「至元三十年」，故《經義考》
所引乃誤，進表時間當為「至元三十年十一月」。

成宗大德五年 辛丑（1301）

○是年或之前，王申子《大易緝說》十卷成

【文獻】文淵閣《四庫全書》本《大易緝說》卷首有元人程文海及王
履序文。程氏序文云：「《易》晦於九師，褻於卜筮，言《易》者何
紛紛也？深者遂為古奧難測之書，淺者又如牆壁勸誡之語。象數、義
理幾於不相為用，學者徒能習知其辭，罕究其蘊，而《易》遂虛矣。
予所識知，無慮十數家，言人人殊，獨吾友吳幼清最為精詣，往往
出人意表。今見王君巽卿《緝說》，確然粲然者也。夫乾以易知，坤
以簡能，乾、坤毀則無以見《易》。欲知《易》，固自乾、坤始；欲
知乾、坤，必先知易簡之用。王氏淵源之學，其幾是乎。惜幼清方留
燕山，不得相與探賾其說，且印吾言之是否也。姑著之篇，間以為
異日張本。大德七年良月朔，廣平程文海書。」王氏序文云：「嘗觀
魏鶴山〈答蔣得之書〉及史學齋《臨汝講義》，皆祖張觀物語。以九
其圖者，見後天八卦之象；十其書者，具〈洪範〉五行之數。謂晦庵
不及見是書，故謂十圖而九書。余雖不敢以其說為然，然亦無以正其
說之不然。蓋二圖無一相合，而縱橫十五，乃彷彿八卦之位。然卦位
雖見，而除四正外至補四隅空處，老師宿儒復不敢伸一喙，此誠宇宙
間一大疑事。及分教澧陽時，丁石潭遞至沅陽書院策題，以《易》圖
書數偕《春秋》王正月為問，所疑正與前合。余謂十圖九書本體也，
九圖十書經緯也。擬書答之未果，而石潭已矣，至今抱此一恨。忽
南陽學正李君章《袖編易》見示，讀之，則吾巽卿所著《緝說》補說

也。巽卿生諸老後，乃能力探其原而正之，取十其圖者，分緯之以畫先天；取九其書者，錯綜之以位後天。自我作古，無一毫之穿鑿，有理致之自然，真可以斷千百年未了底公案。昔蔣得之指先天為《河圖》，鶴山猶喜之。今巽卿正二圖且緯河洛，以為文王全《易》，意旨卓勝得之遠矣。巽卿、鶴山桑梓，使鶴山見此，其喜又將何如邪？數年來經生學士，晨星落落，吞三爻於天上，留七分於人間，孰謂天門十六峰下尚有斯人為斯學乎？蓋二圖於《易》，猶河之崑崙，源委正則下流正矣。故特拈出，以與世之知《易》者道。時大德辛丑日長至，昌元王履序。」

【考釋】程文海序文作於「大德七年」（1303），王履序文作於「大德辛丑」，即大德五年（1301）。《大易緝說》十卷之具體撰作年代無考，然必成書於大德五年（1301）或之前。《大易緝說》十卷，（清）黃虞稷《千頃堂書目》卷一、（清）朱彝尊《經義考》卷四十四、（清）錢大昕《補元史藝文志》等著錄。今有《通志堂經解》本、文淵閣《四庫全書》本等。王申子，柯紹忞《新元史》入《儒林傳二》，載：「王申子，字巽卿，邛州人。寓居慈利天門山。著《大易緝說》十卷。嘗見魏了翁答蔣得之，及史學齋臨汝講義，皆祖張觀物語，以九其圖者，見後天八卦之象，十其書者，具〈洪範〉五行之數，謂晦庵不及見是書，故謂十圖而九書，此讀《易》者一大疑事。申子力探其原而正之。取十其圖者分緯之，以畫先天，九其書者錯綜之，以位後天，不假穿鑿，可以祛疑辨惑。皇慶二年，徵為南陽書院山長。卒。」

又，《四庫全書總目・易類四》所撰是書提要云：「元王申子撰。申子字巽卿，邛州人，其始末未詳。據卷首載田澤《刊書始末》，惟稱其『皇慶二年行省箚付充武昌路南陽書院山長』，又稱其寓居慈利州天門山，垂三十年始成《春秋類傳》及此書。澤為申送

行省、咨都省移翰林國史院勘定，令本處儒學印造而已。其說《春秋》，主有貶無褒之說，今未之見。其說《易》則力主數學，而持論與先儒迥異。大旨以《河圖》配先天卦，以《洛書》配後天卦，而於陳摶、邵子、程子、朱子之說一概辨其有誤。於古來說《易》七百餘家中，惟取六家。一《河圖》、《洛書》，二伏羲，三文王，四周公，五孔子，六周子《太極圖》也。其自命未免太高，不足為據。同時有玉井陽氏者（案陽氏佚其名字，惟其姓見申子此書中，字為陰陽之陽，蓋宋陽枋之族也。朱彝尊《經義考》作楊氏，誤。謹附訂於此），受《易》於朱子門人晏（上曰下爱）淵，已傳五世，著《易說》二卷以駁之。申子又一一辨答，其大端具見於書中。蓋萬事不出乎奇偶，故《圖》、《書》之學，縱橫反覆，皆可以通。彼亦一是非，此亦一是非耳。然考申子之繳繞《圖》、《書》者，僅前二卷。至於三卷以後，詮解經文，仍以詞變象占比應乘承為說，絕不生義於圖書。其言轉平正切實，多有發明。然則又何必繪圖作解，纚纚然千萬言乎？讀是書者，取其詁經之語，而置其經外之旁文可也。所解惟《上下經》為詳，〈繫辭〉稍略，〈說卦〉、〈雜卦〉尤略，〈序卦〉一傳則排斥非孔子之言，但錄其文而無一語之詮釋。蓋自李清臣、朱翌、葉適以來即有是說，不始於申子。其論《易》中錯簡、脫簡、羨文凡二十有四，但注某某當作某某，而不改經文，亦尚有鄭氏注書之遺意，與王柏諸人毅然點竄者異焉。」

成宗大德十年 丙午（1306）

○鄭滁孫《大易法象通贊》七卷成

【文獻】（清）朱彝尊《經義考》卷四十三引鄭滁孫〈大易法象通贊自序〉：「子曰：『道之不行也，我知之矣。知者過之，愚者不及也。』

滁孫下愚不移，學《易》不得其津，年逾五十，探索《先天圖》，忽
得中天玄景。中天者非他，是即天也。由其運用合一居中，故曰中
天；由其在生兩之後、用九之前，故曰中天，適夫時位德之稱也。其
象藏於互體，其義發見於文王、周公、孔子之辭。習焉者察弗精，
語弗詳，迷其主宰之真，惑於分別之變。嘻，其久矣！時方輯《周
易記玩》，韻語入其大概。後十年，北方館下無事，得以貫穿源委，
為〈述考〉等篇，因觸前聞。康節邵先生有曰：『氣一而已，主之者
乾也。神一而已，秉氣出入乎有無生死之間，無方而不測者也。不知
乾，無以知性命之理。』文公朱先生有曰：『一陰一陽，此是天地之
理，如大哉乾元，萬物資始，乃繼之者善也。乾道變化，各正性命，
此成之者性也。』〈繫辭〉所謂一陰一陽之謂道，繼之者善，成之者
性，此是中天時位，德業之大綱領。文公舉以歸之於乾元，歸之於乾
道，所言造化，豈有異趨？二先生之語，皆中天之玄旨也，於是始
信蠡窺，確然用力，以卒其業。歸老舊隱，疾病有間，自《河圖》、
《洛書》，伏羲始畫《先天圖》，以及《後天圖》，重加掇拾，為《大
易法象通贊》，頗覺簡明。回首舊作，呻畢可愧，私竊惟念羲、文太
遠，孔、孟轍遐，康節、文公天稟超卓，三才之學，百世猶將賴之。
如前所云，已若到鈞天、聞廣樂，使其陟降庭止，見帝親的，暢明道
妙，發於《經世》、《觀物》、《啟蒙》、《本義》諸書者，奚啻所傳？
夫何大音稀聲，飄忽別調，殆蒼蒼愛道猶未釋耶？孟子沒千有餘年，
《先天圖》去今未五百年，時則近然，而造物乃擇愚魯者授之，殆不
可曉也。夫兩儀生而陰陽分，八卦定而吉凶見，氣機之變，所以不可
亂、不可惡者，飛龍在天，上治之力也。恭惟聖朝龍興，四海會同，
普天率土，同一慶賴，自開物以來，皇極一元，於今為盛，中天玄
景，至此示現，豈偶然也？《易》之豐曰：『豐亨，王假之，勿憂，
宜日中。』夫子象之曰：『王假之，尚大也。勿憂，宜日中，宜照天

下也。」此言乾之入大過也。大過者，雷電之互體也。〈繫辭〉曰：『顯諸仁，藏諸用，鼓萬物而不與聖人同憂，盛德大業至矣哉！』亦言乾既歷姤也。姤者，天地之相遇也。此為中天乾元作用之境也。消息盈虛，作《易》者其有憂患乎？造物於此，何為不與聖人同憂也？聖人於此，何為使人勿憂也？乾元有御天之道，聖人體乾有御世之法，是故知《易》之數，不可不知《易》之理也。中天者，《易》理之宏綱大用悉備於此，聖人之崇德廣業無出於此。為人上不知中天，則不知所以治世；為臣子不知中天，則不知所以事君事父；為人不知中天，則不知所以誠意、正心、修身。於是承先聖所以體天地之撰，通神明之德，補中天圖象，紬繹大義於久湮未墜之際，使見天德隆盛。前乎弗違太極之根柢，後乎弗先太極之流行，庶幾天下後世舉悟性命一源，古今一日修者不怠悖者，能馴正人心，息邪說，距詖行，當有取於斯。大德十年長至日。」

【考釋】《大易法象通贊》七卷，（清）黃虞稷《千頃堂書目》、（清）錢大昕《補元史藝文志》、《續文獻通考・經籍考》、《浙江通志・經籍考》等著錄。（明）朱睦㮮《授經圖義例》著錄，具名「法象通贊七卷」。

又《四庫全書總目・易類存目一》所撰是書提要云：「元鄭滁孫撰。滁孫字景歐，處州人。宋景定間進士。嘗知溫州樂清縣，遷宗正丞、禮部郎官。入元，以薦召授集賢直學士。事跡具《元史・儒學傳》。此書首為諸圖，次以中天述考、述衍等說，終以甲辰、乙巳、丙午三年所作《習坎書院旅語》。其《中天圖》後署曰『至元三十年十一月吉日，宣召赴闕，儒人臣鄭滁孫』，蓋即其被薦時所進也。其〈序〉自言『年逾五十，探索《先天圖》，忽得中天玄景』云云。案中天之說，始見於干寶《周禮注》，朱元昇衍之為《三易備遺》。然滁孫所謂中天玄景與干寶之說又異。大旨謂中天即天也，由其運用合

一居中，故曰中天。由其在生兩之後，用九之前，故曰中天。其象藏於互體，而義發見於文王、周公、孔子之辭。其說大抵皆幽渺恍惚，不可究詰。計滁孫登第，自宋景定至元世祖至元中，當已五六十歲，而此書之成在成宗之末，又在進圖後十餘年，逮至嘉興、溫州升席說經，年已耄耋矣。其始終敷析者，皆一中天之義。又刪《周易·繫辭傳》以遷就己說，而牽合諸經以證之。支離曼衍，終無歸宿。自來以奇偶推《易》者病於穿鑿，以老莊談《易》者病於虛無。此書更以穿鑿之數附會於虛無之理，兩家流弊，兼而有之，可謂敝精神於無用者矣。」

武宗至大四年　辛亥（1311）

○俞琰《周易集說》成

【文獻】文淵閣《四庫全書》本《周易集說》書前俞琰〈自序〉之一：「琰幼承父師面命，首讀朱子《本義》，次讀程《傳》。長與朋友講明，則又有程、朱二公所未言者，於心蓋不能無疑。乃歷考諸家《易》說，擷其英華，萃為一書，名曰《大易會要》，凡一百三十卷。不揣固陋，遂自至元甲申，集諸說之善而為之說，凡四十卷，因名之曰《周易集說》云。」俞琰〈自序〉之二：「自至元甲申下筆，解上下經，並六十四象辭，與夫〈彖傳〉、〈爻傳〉、〈文言傳〉，期年而書成。改竄者二十餘年，凡更四稿，或有勉余者云。日月逝矣，〈繫辭傳〉及〈說卦〉、〈序卦〉、〈雜卦〉猶未脫稿，其得為完書乎？予亦自以為欠。至大辛亥，自番禺歸吳，憩海濱僧舍，地僻人靜，一夏風涼閑生，無所用心，因取舊稿〈繫辭傳〉讀之，不三月，並〈說卦〉、〈序卦〉、〈雜卦〉改竄皆畢，遂了此欠。」（元）干文傳〈周易集說序〉：「以歲月考之，起至元甲申，至元貞丙申，凡十有二年而

後成。其積學久，其用功深，概可見已。」（以上均載（清）朱彝尊
《經義考》卷四十）《四庫全書總目》卷三《周易集說》提要：「生平
邃於《易》學，初裒諸家之說為《大易會要》一百三十卷，後乃掇其
精華以著是編。始於至元甲申，至至大辛亥，凡四易稿。其初主程朱
之說，後乃於程朱之外自出新義。」

【考釋】據干文傳〈序〉，則《周易集說》成書於成宗元貞二年
（1296），未知所據。又（日）今關壽麿《宋元明清儒學年表》以
《周易集說》刻成年代在至大二年（1309），云：「俞琰（字玉吾，
號林屋，吳郡人）《周易集說》刻成。琰著《經傳考證》、《讀易須
知》等書，學者稱曰石澗先生」，亦不知所據。另據潘國允、趙坤
娟《蒙元版刻綜錄》著錄，元至正八年至十年（1348～1350），《周
易集說》四十卷有吳郡俞氏讀易樓刻本（內蒙古大學出版社1996年
版，頁195）。《周易集說》四十卷，（清）黃虞稷《千頃堂書目》卷
一、（清）朱彝尊《經義考》卷四十、《續文獻通考》卷一四二《經
籍考》、《續通志》卷一五六《藝文略》、（清）倪燦、盧文弨《補遼
金元藝文志》、（清）錢大昕《補元史藝文志》（署名俞玉吾）等皆著
錄，（清）金門詔《補三史藝文志》作「俞琰《大易集說》十卷，一
作《會要》」。

又，《四庫全書總目·易類三》所撰是書提要云：「宋俞琰撰。
琰字玉吾，吳縣人。生宋寶祐初，入元隱居著書。徵授溫州學錄，不
赴，至延祐初始卒。生平邃於《易》學，初裒諸家之說為《大易會
要》一百三十卷，後乃掇其精華以著是編。始於至元甲申，至至大辛
亥，凡四易稿。其初主程、朱之說，後乃於程、朱之外自出新義。
嘗與孟淳講〈坤〉之六二，謂『六二既中且正，是以其德直方，惟
從〈乾〉陽之大，不習〈坤〉陰之小，故無不利。』如此之類，其說
頗異。至謂『《尚書·顧命》天球、河圖在東序，河圖與天球並列，

則河圖亦是玉名。』如此之類，則大奇矣。然其覃精研思，積三四十
年，實有冥心獨造，發前人所未發者，固不可廢也。據琬自作〈後
序〉，尚有《讀易舉要》、《讀易須知》、《易圖纂要》、《易經考證》、
《易傳考證》、《六十四卦圖》、《古占法》、《卦爻象占分類》、《易圖
合璧連珠》、《易外別傳》諸書。今惟《易外別傳》有本單行，《讀易
舉要》、《易圖纂要》見《永樂大典》，餘皆未見。〈序〉稱諸編皆舊
所作，將毀之而兒輩以為可惜，又略加改竄而存於後。則舊刻本附此
數書，今佚之矣。」

仁宗皇慶二年　癸丑（1313）

○胡一桂《周易本義啓蒙翼傳》四卷成

【文獻】（清）于敏中等《欽定天祿琳琅書目》卷五：「元胡一桂撰。
四卷，前一桂自序。《元史》：『胡一桂，字廷芳，徽州婺源人。精
於《易》。初，饒州德興沈貴寶受《易》於董夢程，夢程受朱子之
《易》於黃榦，而一桂之父方平及從貴寶、夢程學，嘗著《易學啟蒙
通釋》。一桂之學出於方平，得朱子源委之正。宋景定甲子，一桂年
十八，遂領鄉薦，試禮部不第，退而講學，遠近師之，號雙湖先生。
所著有《周易本義附錄纂疏》、《本義啟蒙翼傳》諸書，並行於世。』
按景定甲子為宋理宗景定五年，書中一桂自序作於皇慶癸丑，係元
仁宗皇慶二年，距景定甲子已五十有二載，其時一桂年已七十矣。序
稱『先君子懼愚不敏，既為《啟蒙通釋》以誨之，愚不量淺陋，復為
《本義附錄纂疏》，以承先志。今重加增纂，又成《翼傳》四篇』云
云，是一桂之究心《周易》，克承家學，亦非一朝夕之故也。是書字
體版式規仿宋槧，亦元刻之佳者。」
【考釋】據《天祿琳琅書目》，《周易本義啟蒙翼傳》之成書在皇慶二

年或此年之前。李似珍《中國學術思想編年・宋元卷》以為是書撰
成在順帝至正二十八年（1368），誤（陝西師範大學出版社，2006年
版，頁711）。據《元史・胡一桂傳》，宋理宗景定甲子（1264），一
桂年十八，則可推知一桂生年在西元一二四七年。若從李說，則是書
撰成時一桂已一百二十二歲，殊不合常理。

　　又，各家著錄是書書名、卷數頗異，（明）朱睦㮮《授經圖義
例》卷四、（清）黃虞稷《千頃堂書目》卷一著錄「周易啟蒙翼傳四
卷」；（清）朱彝尊《經義考》卷四十三、《續通志》卷一五六著錄
「易學啟蒙翼傳四卷」；《江南通志》卷一九〇著錄「易本義啟蒙翼傳
三篇，外傳一篇」；《續文獻通考》卷一四三《經籍考》著錄「易啟
蒙翼傳四卷」；（清）金門詔《補三史藝文志》著錄「周易啟蒙翼傳
三卷，外篇一卷」；（清）錢大昕《補元史藝文志》著錄「易學啟蒙
翼傳三篇，外篇一篇」。《元史・胡一桂傳》作「本義啟蒙翼傳」，中
華書局一九七六年標點本校勘記云：「按此書今存，題《易學啟蒙翼
傳》。《千頃堂書目》作《周易啟蒙翼傳》。〈自序〉稱其父胡方平嘗
作《啟蒙通釋》以釋《易》，胡一桂『復為《本義附錄纂疏》』，『又
成《翼傳》四篇』。此處『本義』嘗涉前方衍誤，實應作『周易』。」
又據潘國允、趙坤娟《蒙元版刻綜錄》，胡一桂《易學啟蒙翼傳》有
「元時婺源胡思紹校刻本」（內蒙古大學出版社1996年版，頁107）。

　　又《四庫全書總目》作「易學啟蒙翼傳四卷」，然《四庫全書》
庫書具名「周易啟蒙翼傳四卷」，所撰提要云：「一桂之父方平，嘗
作《易學啟蒙通釋》，一桂更推闡而辨明之，故曰《翼傳》。〈自序〉
稱去朱子才百餘年，而承學漸失。如圖書已釐正矣，復仍劉牧之謬
者有之。卜筮之數灼如丹青矣，復祖尚玄旨者又有之。因於《本義
附錄纂疏》外，復輯為是書。凡為〈內篇〉者三：一曰〈舉要〉，以
發辭變象占之義。二曰〈明筮〉，以考史傳卜筮卦占之法。三曰〈辨

疑〉，以辨《河圖》、《洛書》之同異，皆發明朱子之說者也。為〈外篇〉者一，則《易緯候》諸書以及京房《飛候》、焦贛《易林》、揚雄《太玄》、司馬光《潛虛》以至邵子《皇極經世》諸法，亦附錄其概。以其皆《易》之支流，故別之曰『外』。大致與其父之書互相出入，而方平主於明本旨，一桂主於辨異學，故體例各殊焉。」

仁宗延祐三年 丙辰（1316）

○春，胡炳文《周易本義通釋》十二卷成

【文獻】胡炳文《雲峰集》卷三〈周易本義通釋序〉：「宇宙間皆自然之《易》，《易》皆自然之天。天不能畫，假伏羲以畫；天不能言，假文王、周、孔以言。然則羲、文、周、孔之畫之言，皆天也。《易》言於象數而天者具焉，《易》作於卜筮而天者寓焉。善乎！子朱子之言曰：『伏羲《易》自是伏羲《易》，文王、周公《易》自是文王、周公《易》，孔子《易》自是孔子《易》。』嗚呼！此其所以為羲、文、周、孔之天也，必欲比而同之非天也。《易》解凡幾百家，支離文義者無足道，附會取象者尤失之，蓋凡可見者皆謂之象，其或巧或拙，或密或疏，皆天也。《易》之取象，壹是巧且密焉，非天矣。惟邵子於《先天》而明其畫，程子於《後天》而演其辭，朱子《本義》又合邵、程而一之，是於羲、文、周、孔之《易》會其天者也。學必有統，道必有傳，溯其傳，羲、文、周、孔之《易》，非朱子不能明；要其統，凡諸家解《易》非本義，不能一。然其統其傳非人之所能為也，亦天也。予此書融諸家之格言，釋《本義》之奧旨。後之學者或由是而有得於《本義》，則亦將有得於羲、文、周、孔之天矣。延祐丙辰春，新安後學胡炳文仲虎父序。」

【考釋】「延祐丙辰」，即元仁宗延祐三年（1316），《周易本義通釋》

當成書於是年或之前。胡炳文《宋元學案・介軒學案》列為「孝善家學」，《元儒考略》卷二述其事跡云：「胡炳文，字仲虎，婺源人。元初為信州書院山長，再調蘭溪州學正。炳文以《易》名家，作《易本義通釋》，而於朱子所注《四書》用力尤深。餘干饒魯之學本出於朱子，而其為說多與朱抵牾。炳文深正其非，作《四書通》。凡辭異而理同者合而一之，辭同而旨異者析而辨之，往往發其未盡之蘊。其所著又有《易春秋集解》、《禮書纂述》、《大學指掌圖》、《四書辨疑》、《五經會義》、《爾雅韻語》、《雲峰筆記》等書。東南學者因其所自號，稱雲峰先生，卒諡文通。《元史》入《儒學傳》。」《周易本義通釋》卷數不一，《續通志・藝文略》、（清）朱彝尊《經義考》、（清）錢大昕《補元史藝文志》等著錄為「十二卷」，（明）朱睦㮮（左木右挈）《授經圖義例》卷四、（清）黃虞稷《千頃堂書目》卷一、（清）倪燦、盧文弨《補遼金元藝文志》等著錄為「十卷」，《續文獻通考・經籍考》著錄為「二卷」。《周易本義通釋》十二卷，今有《通志堂經解》本、文淵閣《四庫全書》本等。

又，《四庫全書總目・易類四》所撰是書提要云：「元胡炳文撰。炳文字仲虎，號雲峰，婺源人。嘗為信州道一書院山長，再調蘭溪州學正，不赴。《元史・儒學傳》附載其父一桂傳中。程敏政《新安文獻志》所謂『篤志朱子之學』者也。是書據朱子《本義》、折衷是正，復採諸家《易》解，互相發明。〈序〉題延祐丙辰，蓋仁宗之三年。初名《精義》，後病其繁冗，刪而約之，改名《通釋》。所著《雲峰集》中有《與吳澄書》曰『《本義通釋》，郭文卿守浮梁時為刊其半，出之太早，今悔之無及也。刊本今以呈似，中有謬戾，閣下削之繩之，幸甚』云云。考炳文生於宋理宗淳祐十年，其與澄書時稱年七十，則當在延祐七年庚申，在作〈序〉之後三年。其所悔者改正與否，則不可考矣。王懋竑《白田雜著》曰：『今刻雲峰《本義通

釋》上下經解極詳，以《大全》本考之，增多者十之三四。〈彖傳〉
以後，語皆與《大全》同，無增多者。疑《通釋》自〈彖傳〉後已
失去，後人鈔集《大全》所載以續之耳。」又《大全序例》，謂『胡
氏《通釋》既輒變古《易》，又於今《易》不免離析先後。考今刻乃
一依古《易》，此不可曉，或者今刻非原本歟』云云。案此本前有明
潘旦《序》，稱書經兵燹，多至亡佚。其九世孫琪及弟玠募遺書，
得《上下經》而闕《十翼》，乃復匯搜諸集中以補之。然則今本十翼
乃琪、玠所裒錄，非炳文之舊。懋竑蓋未見旦〈序〉，故有此疑。惟
《大全》稱炳文輒變古《易》，又離析今文之先後，則〈彖傳〉、〈象
傳〉必附經文之中，何以解傳者佚而解經者不佚，又何以琪、玠所得
舊本《上下經》文釐然完具而不參以〈彖傳〉、〈象傳〉，此則誠不可
曉。然《大全》為胡廣等龐雜割裂之書，所言亦不盡可據也。」

○長至日，田澤續刊王申子《大易緝說》十卷

【文獻】文淵閣《四庫全書》本《大易緝說》書後附田澤《續刊大易
緝說始末》：「澤昨於大德十年任澧州路推官，咨呈本路節文云：竊
謂天地以道托諸聖賢，聖賢以道載諸經書，所以紹天明，扶世教，立
民命，開太平。故自孔聖刪定繫作之後，在上者常以表章自任，在
下者多以訓注名家。於是聖經旨義愈闡愈明，聖經功用愈久愈著。
今觀世所謂『九經』者，《詩》、《書》、二《禮》、《孝經》、《語》、
《孟》，猶是聖賢雜著之書，獨《易》與《春秋》純乎聖人之筆。而
《易》又出於天地之文，故《易》最精微，難得明白。自子夏以來，
說之見於世者，何啻數百家，不為不多，然《河圖》、《洛書》之象
數，《易》所本也，而未免錯亂；先天、後天之卦象，《易》所祖
也，而未免缺疑。學者迷惑，終未釋然。至如《春秋》一經，按〈藝
文志〉皆謂左氏受經於仲尼，公、穀受經於子夏，既已訛矣，後儒

之說但祖《三傳》，如《釋例》、《長歷》、《集解》、《調人》、《繁露》、《義函》之類。聞於世者，亦不啻百餘家，不為不多，然「元年春王正月」之義，終無確論。雖胡氏有「夏時冠周月」之說，陽氏有「改歲不改正」之論，而學者質以古今之正義，終不能無疑。是皆守《三傳》之失，昧作經之旨故也。卑職誤叨，恩命來此，推刑訪得蜀儒王申子所解《大易緝說》、《春秋類傳》二書。公退之暇，詳玩紬繹，其《大易緝說》分緯河圖，以溯伏羲畫卦之由；錯綜河洛，以定文王位卦之次。又參上繫、下繫，以覆聖人設卦繫辭之旨；又主成卦之爻，以發聖人立象取義之因。如貫通爻義，如章分象傳，如訂晦庵十圖、九書之旨，辨濂溪無極、太極之說，無一毫之穿鑿，有理致之自然。其《春秋類傳》則曰：有貶無褒乃夫子一部法書，出乎周公之禮，則入乎夫子之法，撥亂反正，無罪不書。其志封疆者，所以著侵奪之罪也；其志世次者，所以著篡弒之罪也；志禮樂、志正朔者，著僭竊無王之罪也；志官職、志兵刑者，著違制害民之罪也。謂侯國不合自稱元年，故書元年；謂魯不合以子月為春，故書春；謂舉世不知有王，故書王；謂子月非正月，故書正。發此義例，類成一書，自我作古，字字精當，皆發先賢之未發，深得聖人之本旨，可謂窮到極處而不苟同者也。詢之學校，諸儒皆曰：王申子，前邛州兩請進士，寓居慈利州天門山，隱處幽深，無心求仕，垂三十年始成此書。觀其覃思之精，用力之勤，誠可嘉尚。古先有云：六經氣數，常與世運相為盛衰，一治則經一明。洪惟聖朝，混一區宇，偃武修文，上駕唐虞，下轢漢晉。如此，二經明於今日，此迨聖朝氣運有以扶之，使聖經復日月於混一之世也。卑職再三思之，與其使王申子私授門人，曷若進呈朝省，廣布天下。為此，將《緝說》、《類傳》妝褙，吝去如蒙繳申省臺，送翰林、集賢二院，考正而表章之，於以決萬世經傳之疑，於以昭聖代文明之治。聖經幸甚，世教幸甚！本路轉申

湖廣等處，行中書省並牒呈江南湖北道肅政廉訪司，照詳去後。當年十一月回準廉訪司牒，該未經儒學提舉司考校，是否相應本路移準湖廣等處儒學提舉司牒行。據南陽書院王山長申，嘗觀前賢解釋經書最難，而解釋《易》與《春秋》之經為尤難，何者？《詩》、《書》、《禮》、《樂》，吾夫子刪之、序之、定之而已，至於《易》，則明體用一源、顯微無間之理；《春秋》則著王道權衡、制治模範之經。前輩謂二書為夫子之文章，此非精於學識者不能發明，故自昔以來，注釋者何止數百家，而猶未能盡。今觀王申子所注《易》、《書》，如先、後天二圖，真得《圖》、《書》經緯之要；卦象爻辭，真能折衷諸儒之說，簡易明白。所注《春秋》，如「元年春王正月」等處，出乎周公之禮，則入乎夫子之法，有貶無襃、無罪不書等議論，誠有功於聖治，有補於後學，而非苟然作者比。若蒙轉申，庶不負皓首窮經之志，使後輩亦可聞風而興起矣。備此牒呈，去後承準廉訪司牒，未經儒學提舉正官考校行，據儒學提舉司狀申提舉許承事考較，得王申子所著《大易緝說》，得千百載經緯圖書之秘要，發四聖人設卦繫爻之本旨。其著《春秋類傳》，破諸儒褒貶之泛說，探聖人筆削之本心，用力良勤，考索有據，誠有功於聖經，有補於世教，有益於後學，與其他別箋數語經營入仕者不同。得此移準常澧分司牒該考校，得即與儒學提舉許承事較勘相同。本路於至大元年三月備申湖廣行省，移咨都省判送禮部，行移翰林國史院送。據修撰鄧從任呈議，得王申子所著二經，如《易》之十圖九書，《春秋》之有貶無襃，皆推本先儒之說，紬繹錯綜，附以己見，言辭條達，旨意詳明，誠皓首窮經之士，非末學剿切以干仕進者比。使廣其傳後學，不為無補。本院議得，本人所著二書，考據精確，著述詳明，傳之於世，誠為有益。備此，回關禮部議得，若令本處儒學印造，庶廣其傳。王申子皓首窮經，不求聞達，其志可尚，如蒙移咨本省，於山長學正內委用，不負勤勞，激

勸其餘。本部於至大四年三月具呈都省照詳，移咨湖廣行省於山長學
正內類選。皇慶二年四月，蒙行省箚付，擬王申子充武昌路南陽書院
山長，王申子守志不出，隱處山林，反覆沉潛二書，愈見明白。澤向
已刊《類傳》於澧城，見者稱善。茲念《緝說》尤不可無，爰醵同志
續鋟諸梓，以與學者共。時延祐丙辰日長至，承直郎前常德路總管府
推官居延田澤拜首謹書。」

【考釋】延祐丙辰，即延祐三年（1316）。「日長至」，有二說：一指
夏至日，一指冬至日，此處蓋指夏至日。由田澤《續刊大易緝說始
末》可知，澤已刊行王申子《春秋類傳》一書，今又欲刊行其《大易
緝說》也，由此可見《大易緝說》一書之價值。

仁宗延祐七年 庚申（1320）

○夏，黃澤《易學濫觴》一卷成

【文獻】文淵閣《四庫全書》本《易學濫觴》卷尾：「……延祐五
年，東平王子翼始為刊《六經辯釋補注》。既成，重惟《易》、《春
秋》二注未能脫稿，而駸駸老境，事不可緩。若必待完備，亦貧者最
難，倘默而不言，又孰知所到凡象學可以心悟而不可以言傳。今指其
大義，含蓄頗深，比類與象學相邇，且《補注》所未有者為一卷，
名曰《易學濫觴》。雖曰涓流而本原在焉，未可忽也。世傳黃河自崑
崙來，伏流地中數千里，然後有渾灝之勢，今將發明曠絕之學而更隱
其義，蓋事大體重，難以直遂，不得不致慎焉。延祐七年夏，五資中
後學黃澤敬書。」（元）吳澄〈易學濫觴原序〉：「楚望夫子之注經，
其志可謂善矣。《易》欲明象，《春秋》欲明書法，蓋將前無古後無
今，特出其所得之大概示人，而全注未易成也。每以家貧年邁弗果，
速成其注為嗟。世亦有仁義之人，能俾遂其志者乎？予所不能必也，

道之行與，命也，愛莫助之，永歎而已。延祐第七立秋之後四日，臨川吳澄書於《易學濫觴》、《春秋指要》之卷端。」

【考釋】由黃澤文字知，《易學濫觴》一卷成書於「延祐七年夏」，吳澄於同年秋為黃氏《易學濫觴》、《春秋指要》二書作序。《易學濫觴》一卷，《續文獻通考·經籍考》、（清）錢大昕《補元史藝文志》著錄，（清）黃虞稷《千頃堂書目》、（清）朱彝尊《經義考》、（清）金門詔《補三史藝文志》等皆不著卷數。《易學濫觴》一卷，今有《經苑》本、文淵閣《四庫全書》本、《叢書集成補編》本等。

又《四庫全書總目·易類四》所撰是書提要云：「元黃澤撰。澤字楚望，資州人，家於九江。大德中嘗為景星書院山長，又為東湖書院山長，年逾八十乃終。故趙汸生於元末，猶及師事之，其《易》與《春秋》之學皆受之於澤者也。澤垂老之時，欲注《易》、《春秋》二經，恐不能就，故作此書及《春秋指要》發其大凡。卷首有延祐七年吳澄《題辭》。據其所言，二書蓋合為一帙。今《春秋指要》亦無傳本，惟此書僅存。朱彝尊《經義考》載此書，注曰『已佚』，則彝尊亦未及見，知為稀遘之本矣。其說《易》以明象為本，其明象則以《序卦》為本，其占法則以《左傳》為主。大旨謂王弼之廢象數，遁於玄虛；漢儒之用象數，亦失於繁碎，故折中以酌其平。其中歷陳《易》學不能復古者，一曰《易》之名義，一曰重卦之義，一曰逆順之義，一曰卦名之義，一曰卦變之義，一曰卦名，一曰《易》數之原，一曰《易》之辭義，一曰《易》之占辭，一曰蓍法，一曰占法，一曰序卦，一曰脫誤疑字，凡十三事，持論皆有根據。雖未能勒為全書，而發明古義，體例分明，已括全書之宗要。因其說而推演之，亦足為說《易》之圭臬矣。」

英宗至治元年　辛酉（1321）

龍仁夫《周易集傳》十八卷成

【文獻】（清）朱彝尊《經義考》卷四十二著錄「龍仁夫《周易集傳》十八卷」，注曰「闕」，云：「董真卿曰：仁夫字觀復，廬陵人，湖廣儒學提舉。《周易集傳》（闕）書。經文用朱子《本義》。至治辛酉自序。」

【考釋】至治辛酉，即元英宗至治元年（1321）。序文今佚。龍仁夫，《江西通志》卷七十六述其事跡云：「龍仁夫，字觀復，永新人。博學好古，探濂洛之旨，經傳子史，陰陽曆律，無不精究。所著有《讀書臺集》、《周易集傳》十八卷。學者稱麟洲先生。」《元史》入《儒學傳》，附於《劉詵傳》後，云：「同郡龍仁夫，字觀復。劉嶽申，字高仲。其文學皆與詵齊名，有集行世。而仁夫之文，尤奇逸流麗，所著《周易》多發前儒之所未發。嶽申用薦者為遼陽儒學副提舉，仁夫江浙儒學副提舉，皆不就。」《周易集傳》十八卷，（清）黃虞稷《千頃堂書目》卷一、（清）金門詔《補三史藝文志》、（清）倪燦、盧文弨《補遼金元藝文志》、（清）錢大昕《補元史藝文志》等著錄，錢氏注曰：「今存八卷。」《續通志‧藝文略》、《續文獻通考‧經籍考》等皆著錄為「八卷」。《周易集傳》八卷，今有文淵閣《四庫全書》本、《別下齋叢書》本、《叢書集成初編》本等。

又，朱彝尊《曝書亭集》卷四十二〈龍氏易集傳跋〉云：「《周易集傳》十八卷，元湖廣儒學提舉龍仁夫撰。仁夫字觀復，廬陵人，學者稱麟洲先生。經文主朱子《本義》，每卦爻下各分變象辭占。謂雜卦為古筮辭，《春秋傳》所引『〈屯〉固〈比〉入』、『〈坤〉安〈震〉動』，皆以一字斷卦義，此類是也。孔子錄之以羽翼經，初非創解。今書止存八卷爾。《通志堂集經解》以闕書未開雕，寫以藏諸

笥。」

又，《四庫全書總目‧易類四》所撰是書提要云：「元龍仁夫撰。仁夫字觀復，廬陵人，《吉安府志》作永新人。官湖廣儒學提舉。事跡附載《元史‧儒學傳‧劉詵傳》內。是書成於至治辛酉。董真卿《周易會通》稱其有〈自序〉一篇，此本無之。朱彝尊《經義考》於舊序例皆全錄，而亦無是篇，則其佚已久矣。《吉安府志》云：『仁夫《周易集傳》十八卷，立說主《本義》，每卦爻下各分變象辭占。今觀所注，雖根據程朱者多，而意在即象詁義，於卦象爻象互觀析觀，反覆推闡，頗能抒所心得，非如胡炳文等徒墨守舊文者也。』《吉安府志》又稱其謂〈雜卦〉為占筮書，引《春秋傳》『〈屯〉固〈比〉入』、『〈坤〉安〈震〉殺』，皆以一字斷卦義為證。其說似創而有本，亦異乎遊談無根者。《元史》稱仁夫所著《周易》多發前儒之所未發，殆不誣矣。原書十八卷，今僅存者八卷。然〈上下經〉及〈彖象傳〉皆已全具。朱彝尊《曝書亭集》有是書〈跋〉，謂通志堂刻經解時以其殘闕，故未開雕云云。夫傳錄古書，當問其義理之是非，不當論其篇頁之完闕。殘編斷簡，古人尚且蒐輯。仁夫是書，〈上下經〉裒然俱完，而以不全棄之，何其慎也！況傅寅《禹貢說斷》、程大昌《禹貢圖說》、林之奇《三山書傳》，今以《永樂大典》校之，皆非完帙，而徐氏仍登梨棗，是又何說歟？今特錄存之，俾重著於世，庶於經義有所裨焉。」

英宗至治二年 壬戌（1322）

○五月，熊良輔《周易本義集成》十二卷刊成

【文獻】文淵閣《四庫全書》本《周易本義集成》書前熊氏〈自序〉：「六經皆聖人垂訓後世之書，而《易》經四聖人之手，乃成其為書

也。大而天地性命之理無不包，微而事物纖悉之情無不盡。精入於無
形，粗及於有象，人生日用，一動靜語默之間，無非《易》道之流
行，顧由而不知者多耳。伏羲始畫卦，無文字可傳，大概以陽吉陰凶
為義。文王、周公繫之以辭，象占其本旨也。夫子贊《易》，一以義
理為主，吉凶消長之理，進退存亡之道，於是乎大備。蓋象占固義理
之所寓，而以義理為主，象占亦在其中矣。善學者於此先求《易》之
本旨，然後廣而充之，體用一源，顯微無間之旨，將不待卜筮而後
見，此又自然之妙也。自後儒析經附傳之餘，學者支離蔓衍，欲以明
《易》而反以晦《易》，至宋程子作《易傳》而義理之學大明。然程
子亦自謂某解《易》只說得七分，朱子一以卜筮為說，然後作《易》
之本旨益著。朱子嘗曰：『有天地自然之《易》，有伏羲之《易》，
有文王、周公之《易》，有孔子之《易》』，是則程子之《傳》，孔子
之《易》也；朱子之《本義》，文王、周公之《易》也。推本而論，
孔子之《易》即文王、周公之《易》，文王、周公之《易》即伏羲之
《易》，伏羲之《易》即天地自然之《易》也。雖其旨意微有不同，
而其理則未嘗有二，要在善觀之耳。良輔曩執經於遙溪熊先生，已知
好《易》。乃大德壬寅，先生之友泉峰龔先生授徒泉山之麓，良輔分
教《小學》，山深日長，因得肆意於《易》。取諸說而涵泳之，顧以
篇帙繁大，眾說紛錯，時有得失，乃以己意采輯成編。以朱子《本
義》為主，如《語錄》，如程《傳》以及諸家之說與本義意合者，亦
有與本義不合而似得其旨者，備錄以相發，名曰《集疏》，泉峰先生
親為校正。復云云其後，間有鄙見一二，亦蒙不削囑，遂成編。至大
辛亥，良輔以所得復求是正，而二先生病不起矣。自是遺編獨抱，不
敢廢墜，重念義理無窮，學無止法，期有所得，以卒初志，且欲使二
先生之學萬一可傳於後也。於是繕寫成編，凡一十三卷，藏之以俟。
會丁巳以《易》貢，而同志益信其僻說，閔其久勤，間出工費，勉錄

諸梓，而竺溪劉直方實主張，是不能辭也，因僭書其端云。時至治壬戌五月辛卯，南昌後學鄉貢進士熊良輔任重謹序。」

【考釋】至治壬戌，即元英宗至治二年（1322）。良輔所云是書卷數為「一十三卷」，與後世傳本不一。《周易本義集成》十二卷，《續通志・藝文略》、《續文獻通考・經籍考》、（清）朱彝尊《經義考》、（清）錢大昕《補元史藝文志》等著錄。（明）朱睦㮮《授經圖義例》卷四、（清）黃虞稷《千頃堂書目》卷一則著錄為「二卷」。《周易本義集成》十二卷，今有《通志堂經解》本、文淵閣《四庫全書》本等。

又，《四庫全書總・易類四》所撰是書提要云：「元熊良輔撰。良輔字任重，號梅邊，南昌人。延祐四年嘗領鄉薦，其仕履未詳，是書前有良輔〈自序〉，稱『丁巳以《易》貢，同志信其僭說，閔其久勤，出工費鋟梓。』丁巳即延祐四年。元舉鄉試始於延祐甲寅，是科其第二舉也。考《元史・選舉志》，是時條制，漢人、南人試經疑二道、經義一道，《易》用程氏、朱氏，而亦兼用古注疏。不似明代之制，惟限以程朱，後並祧程而專尊朱。故其書大旨雖主於羽翼《本義》，而與《本義》異者亦頗多也。黃虞稷《千頃堂書目》稱良輔是書外有《易傳集疏》，不傳。考《易傳集疏》，元熊凱撰。《江西通志》載：『凱字舜夫，南昌人，以明經開塾四十年，時稱遙溪先生，同邑熊良輔受業焉。』良輔〈序〉中亦稱受《易》於遙溪熊氏，與《通志》合。截然兩人、兩書，虞稷以同姓、同里、同時，遂誤合為一耳。」

○十月，吳澄《易纂言》成

【文獻】（元）危素《臨川吳文正公年譜》：「至治元年辛酉二年壬戌，如建康。十月，還家，《易纂言》成。」（元）虞集《道園學古

錄》卷四十四《臨川先生吳公行狀》：「延祐三年，先生深入宜黃山中五峰僧舍以居。六越月，修《易纂言》。……至治二年，《易纂言》成。」（日）今關壽麿《宋元明清儒學年表》：「吳澄《易纂言》成。」

【考釋】（明）朱睦㮮《授經圖義例》卷四著錄「《周易纂言》十二卷」，（清）黃虞稷《千頃堂書目》卷一及（清）倪燦、盧文弨《補遼金元藝文志》皆著錄「《易纂言》十二卷」，（清）朱彝尊《經義考》卷四十二、《續文獻通考．經籍考》及（清）錢大昕《補元史藝文志》作「十卷」，（清）金門詔《補三史藝文志》作「十三卷」。

又，《四庫全書總目．易類四》所撰是書提要云：「元吳澄撰。澄字幼清，號草廬，崇仁人。宋咸淳末舉進士不第。入元以薦擢翰林應奉文字，官至翰林學士。卒諡文正。事跡具《元史》本傳。是書用呂祖謙古《易》本經文，每卦先列卦變主爻，每爻先列變爻，次列象占。《十翼》亦各分章數。其訓解各附句下，音釋考證則《經》附每卦之末，《傳》附每章之末。間有文義相因即附辨於句下者，偶一二見，非通例也。澄於諸經，好臆為點竄，惟此書所改則有根據者為多。如〈師卦〉『丈人吉』改『大人吉』，據崔憬所引《子夏傳》。〈比卦〉『比之匪人』下增『凶』字，據王肅本。〈小畜卦〉，『輿說輻』改『輿說輹』，據許慎《說文》。『尚德載』，改『尚得載』，據京房、虞翻、子夏本。〈泰卦〉『包荒』改『包巟』，據《說文》及虞翻本。〈大畜卦〉『曰閑輿衛』改『日閑輿衛』，從鄭玄、虞翻、陸希聲本。〈萃卦〉『萃亨』，刪『亨』字，從馬融、鄭玄、虞翻、陸績本。〈困卦〉『劓刖』改『臲卼』，據荀爽、王肅、陸績本。〈鼎卦〉『其形渥』改『其刑剭』，據鄭玄本。〈比彖〉『比吉也』，刪『也』字，據王昭素本。〈賁彖〉補『剛柔交錯』四字，據王弼注。〈震彖〉『驚遠而懼邇也』下補『不喪匕鬯』四字，據王昭素所引徐氏本。〈漸彖〉『女歸吉也』改『女歸吉，利貞』，據王肅本。〈坤象〉『履霜

堅冰』，改『初六履霜』，據《魏志》。〈坎象〉『樽酒簋貳』刪『貳』
字，據陸德明《釋文》。（案澄注明言舊本有『貳』字，陸氏《釋文》
無之。今世所行張弧、陸希聲本皆同，是傳文已刪去『貳』字。徐氏
通志堂本乃劖補刊板增入『貳』字，是顧湄等校正之時以不誤為誤
也，謹附訂於此。）〈繫辭上傳〉『繫辭焉而明吉凶』下補『悔吝』二
字，據虞翻本。〈繫辭下傳〉『何以守位曰仁』改『何以守位曰人』，
據王肅本。『耒耨之利』改『耒耜之利』，據王昭素本。『以濟不通』
下刪『致遠以利天下』六字，據陸德明《釋文》。〈序卦傳〉『故受之
以履』下補『履者，禮也』四字，據韓康伯本。皆援引古義，具有源
流，不比師心變亂。其餘亦多依傍胡瑗、程子、朱子諸說，澄所自為
改正者，不過數條而已。惟以〈繫辭傳〉中說《上下經》十六卦十
八爻之文定為錯簡，移置於〈文言傳〉中，則悍然臆斷，不可以為
訓矣。然其解釋經義，詞簡理明，融貫舊聞，亦頗賅洽，在元人說
《易》諸家，固終為巨擘焉。」

英宗至治三年　癸亥（1323）

○五月，吳澄《易敍錄》十二篇刊行

【文獻】（清）朱彝尊《經義考》卷四十二：「□觀生跋曰：先生著是
書，幾四十年。其間稿成改易者凡數四。壬戌秋，書成，然未嘗以示
人。明年春，觀生固請鋟諸梓，以示學者。先生慨然許之，猶慮傳寫
之或差，乃命抄寫而自督視，因正其未安，明其句讀，而益加詳密。
寫未及半，適特旨遣使召入翰林，度不可辭，不數日上道。觀生隨
侍，至郡城，集同志分帙畢寫。將及九江，點校才竟。若卦圖象例陸
續刊行，因書之成，遂志年月於右。嘗聞諸先生曰：吾於《易》書用
功至久，下語尤精。其象例皆自得於心，亦庶乎文王、周公〈繫辭〉

之意。又曰：吾於《書》有功於世，視《易》為猶小，吾於《易》有功於世為甚大。則讀是書者，其可不知先生用意深切而泛視之哉？至治癸亥五月。」

【考釋】跋語作者姓氏無考，原文闕文。由跋語可知，《易敘錄》十二篇成書於元英宗至治二年（壬戌，1322），刊刻於至治三年（癸亥，1323）。

泰定帝泰定元年 甲子（1324）

○泰定中，蕭漢中《讀易考原》成

【文獻】（元）朱升為《讀易考原》作序云：「《周易》卦序之義，自韓康伯、孔穎達以來，往往欲求之孔聖〈序卦傳〉之外，程朱諸儒，用意尤篤。至於臨川吳先生《卦統》之序述，亦可謂求之至矣。而其中間精密比次之故，則猶有未當於人心者。愚求之半生，晚乃得豫章蕭氏《讀易考原》之書，以為二篇之卦，必先分而後序，閎奧精粹，貫通神聖，誠古今之絕學也。謹節縮為上、下經二圖於右，而錄其全文於下，以廣其傳於不朽云。漢中字景元，吉之泰和人。其書成於泰定年間。」（（清）朱彝尊《經義考》卷四十六引）（明）馮從吾《元儒考略》卷三：「蕭漢中，字景元，泰和人。泰定中撰《讀易考原》，發文王序卦之旨，為圖分上下經之義躍然。」

【考釋】《讀易考原》，（清）朱彝尊《經義考》注曰「三卷」，（明）朱睦㮮《授經圖義例》及（清）黃虞稷《千頃堂書目》注曰「四卷」，《續文獻通考‧經籍考》注曰「一卷」。《讀易考原》一卷，今有文淵閣《四庫全書》本、《豫章叢書》本。

又，《四庫全書總目‧易類四》所撰是書提要云：「元蕭漢中撰。漢中字景元，泰和人。此書成於泰定中。凡三篇，一論分卦，

一論合卦，一論卦序。不敢顯攻〈序卦傳〉，而亦不用〈序卦〉之說。大旨以圓圖〈乾〉、〈坤〉、〈坎〉、〈離〉居四正為《上經》之主卦，〈兌〉、〈艮〉、〈巽〉、〈震〉居四隅為《下經》之主卦。復按圖列說，申明《上經》三十卦、《下經》三十四卦，多寡分合之不可易。及〈乾〉、〈坤〉之後受以〈屯〉、〈蒙〉，〈屯〉、〈蒙〉之後受以〈需〉、〈訟〉，次序之不可紊。卷後論三十六宮陰陽消長之機，以互明其義。漢中書不甚著，明初朱升作《周易旁注》，始採錄其文，附於末卷。升自記稱：『謹節縮為上、下經二圖於右，而錄其原文於下，以廣其傳。』則是書經升編緝，不盡漢中之舊。今升書殘缺，而漢中書反附以得存，此本即從升書中錄出別行者。朱彝尊《經義考》作三卷，蓋以一篇為一卷，實無別本也。其說雖亦出於邵氏，而推闡卦序，頗具精理。蓋猶依《經》立義，視黑白奇偶蔓衍而不可極者，固有殊焉。」

泰定帝泰定四年　丁卯（1327）

○楊士龍《易說綱要》成

【文獻】（元）吳澄《吳文正集》卷二十〈易說綱要序〉：「清江楊明夫，與予同歲生。自少工進士業，國朝既復貢舉，時年六十餘矣，欣欣然就舉，至八十猶未已，其篤好蓋如是。觀所編《易說綱要》，程朱為之本，而他諸說附焉，將以淑其子孫，年老而志不衰，可尚也。夫有能因其所說，擇其相近者，玩繹而踐行之，則可以立身，可以應世。及其久也，得《易》之用而深於《易》，雖希於聖不難也。然則是編也，豈特為楊氏子孫所習而已哉？明夫名士龍，今年七十九，視強壯無以異。」

【考釋】據吳澄序，《易說綱要》作者楊明夫與其同歲，作是書時

「年七十九」。澄生於海迷失后稱制元年（1249），則明夫年七十九時當在泰定帝泰定四年（1327）。《易說綱要》無卷數，（清）朱彝尊《經義考》卷四十五、（清）錢大昕《補元史藝文志》著錄，皆以作者姓名中間一字闕，「楊□龍」，然據吳澄序文「明夫名士龍」，可知作者為「楊士龍」，中間所闕之字當為「士」。楊士龍生平無考，由吳澄序文可知為江西清江人，曾應科舉，學宗程朱，深於《易》。

文宗天曆二年 己巳（1329）

○七月，吳澄《易纂言外翼》八卷成

【文獻】（元）危素《臨川吳文正公年譜》：「（天曆）二年己巳。七月，江西省請考鄉試（辭疾不起）。《易纂言外翼》成。」（元）虞集《道園學古錄》卷四十四〈臨川先生吳公行狀〉：「天曆元年，《春秋纂言》成。二年，《易纂言外翼》成。」

【考釋】《易纂言外翼》八卷，《續文獻通考·經籍考》、（清）錢大昕《補元史藝文志》皆著錄。今有文淵閣《四庫全書》本、《豫章叢書》本等。

又，《四庫全書總目·易類四》所撰提要云：「元吳澄撰。澄所著《易纂言》義例，散見各卦中，不相統貫。卷首所陳卦畫，亦粗具梗概，未及詳言，因復作此書以暢明之。《纂言》有通志堂刻本，久行於世。此書則傳本漸罕，近遂散佚無存。朱彝尊《經義考》云：『見明昆山葉氏《書目》，載有四冊，而亦未睹其書。』今惟《永樂大典》尚分載各韻之下。考澄所作〈小序〉，原書蓋共十二篇：一曰〈卦統〉，以八經卦之純體合體者為經，六十四卦之雜體者為緯，乃《上下經》篇之所由分。二曰〈卦對〉，以奇偶反易成二卦，成上下篇相對。三曰〈卦變〉，言奇偶復生奇偶，其用無窮。四曰〈卦

主〉，因〈無妄〉傳而推之，以明一經之義。五曰〈變卦〉，言剛柔交相變，而一卦可為六十四卦。六曰〈互卦〉，言中四爻復具二卦，以為一卦。七曰〈象例〉，凡經之取象皆類聚之，以觀其通。八曰〈占例〉，言元亨、利貞、吉凶、無咎，其義皆本於天道。九曰〈辭例〉，乃〈象例〉、〈占例〉所未備，而可以互見者。十曰〈變例〉，言揲蓍四營十八變之法。十一曰〈易原〉，明《河圖》、《洛書》、《先後天圖》。十二曰〈易流〉，備舉揚雄以下擬《易》之書。今缺〈卦變〉、〈變卦〉、〈互卦〉三篇，〈易流〉缺半篇，〈易原〉疑亦不完。然其餘尚首尾整齊，無所遺失。自唐定《正義》，《易》遂以王弼為宗，象數之學，久置不講。澄為《纂言》，一決於象。史謂其能盡破傳注之穿鑿，故言《易》者多宗之。是編類聚區分，以求其理之會通。如〈卦統〉、〈卦對〉二篇，言《經》之所以釐為上下，乃程朱所未及。〈象例〉諸篇，闡明古義，尤非元、明諸儒空談妙悟者可比。雖稍有殘缺，而宏綱巨目，尚可推尋。謹依原目編次，析為八卷，俾與《纂言》相輔而行焉。」

順帝元統二年 甲戌（1334）

○九月，董真卿《周易會通》十四卷刊成

【文獻】文淵閣《四庫全書》本《周易會通》書前董僎序文：「《周易》經傳，自漢諸儒以來，紛紜不一。欲速好徑者則混殽而莫分，嗜古復初者則離析而難讀。家君授受之際，頗欲更定編集，以程子、朱子《易傳》、《本義》合為一書而未能決，乃筮之遇師之坤。於是尊經以統傳，而不失於古；訂傳以附經，而且便於今。合程、朱傳義之全，採諸家著述之要。僎幸供檢閱參校之職，久已成書，不敢私於一已。負笈閩關，謀繡諸梓，庶幾家傳而人誦之。時元統二年歲在甲戌

九月朔旦，男僎百拜專記。」

【考釋】董僎，真卿之子。董真卿，《宋元學案》卷八十九《介軒學案》列為「雙湖門人」，述其事跡云：「董真卿，字季真，鄱陽人，深山先生鼎之子也。學於雙湖勿軒。著有《周易會通》十四卷，明楊士奇稱為集大成之書。子僎。」《周易會通》十四卷，《續文獻通考‧經籍考》、（清）金門詔《補三史藝文志》著錄，（清）黃虞稷《千頃堂書目》卷一、（清）倪燦、盧文弨《補遼金元藝文志》、（清）錢大昕《補元史藝文志》等著錄，書名作「周易纂注會通十四卷」。《周易會通》十四卷，今有文淵閣《四庫全書》本、《摛藻堂四庫全書薈要》本等。

又，《四庫全書總目‧易類四》所撰是書提要云：「元董真卿撰。真卿字季真，鄱陽人。嘗受學於胡一桂。斯編實本一桂之《纂疏》而廣及諸家。初名曰《周易經傳集程朱解附錄纂注》。蓋其例編次伏羲、文王、周公之經而翼以孔子之《傳》，各為標目，使相統而不相雜。其無經可附之《傳》，則總附於六十四卦之後，是為《經傳》。又取程子之《傳》、朱子之《本義》夾注其下，是為《集解》。其程子經說、朱子《語錄》各續於《傳》之後，是為《附錄》。又取一桂纂疏而增以諸說，是為《纂注》。其後定名《會通》者，則以程《傳》用王弼本，《本義》用呂祖謙本，次第既不同，而或主義理，或主象占，本旨復殊。先儒諸說，亦復見智見仁，各明一義，斷斷為門戶之爭。真卿以為諸家之《易》，途雖殊而歸則同，故兼搜博採，不主一說，務持象數、義理二家之平，即蘇軾、朱震、林栗之書為朱子所不取者，亦並錄焉。視胡一桂排斥楊萬里《易傳》，不肯錄其一字者，所見之廣狹，謂之『青出於藍』可也。惟其變易經文，則不免失先儒謹嚴之意，可不必曲為之詞耳。」

順帝至元六年　庚辰（1340）

○梁寅《周易參義》十二卷成

【文獻】（清）朱彝尊《經義考》卷四十九引梁寅〈周易參義自序〉：「漢班固氏言，《六藝》具五常之道，而《易》為之原。夫羲、農以前，《詩》、《書》之文，《禮》、《樂》之具，《春秋》之行事，皆未著也。而八卦之畫，三才備焉；六位之列，人文彰焉。天下之道，盡於《易》矣。文王之彖辭，周公之六爻，孔子之傳贊，辭無不備而吉凶為益明。迨孔子歿，而商瞿以《易》相傳授。漢興，《易》以卜筮存，而田何之學為稱首，為之訓釋者蓋浸多焉。然九師之說無聞，百氏之言雜出，其高也或淪於空虛，其卑也或泥於象數，而《易》之意隱矣。程、朱二夫子出，而大明斯道，於是闡其微，窮其賾，通其拘，啟其窒。象辭之義，變占之法，陰陽之妙，人事之殊，復燦然著矣。夫聖人之書，其所同者道也，其不同者言也。善學者各因其言以求其道，則其要歸一而已，觀於傳注者亦由是也。程子論天人以明《易》之理，朱子推象占以究易之用，非故為異也。其詳略相因，精粗相貫，固待乎學者之自得也。寅讀書山中，竊好是經，懼於荒怠而無以自勵，乃參酌二家，旁採諸說，僭附己意，別為一書，名曰《參義》。俾觀之者由詳而造約，考異而知同，則是書者，亦程朱之義疏也。今天子即位之元年，為至元六年，歲名商橫執徐，月名畢聚，始繕錄成編，總十二卷，將以行於四方，諏之君子，以俟詳訂。」

【考釋】梁寅（1309～1390），元末明初人，《明史》入《儒林列傳》，述其事跡云：「梁寅，字孟敬，新喻人。世業農，家貧，自力於學，淹貫五經、百氏。累舉不第，遂棄去。辟集慶路儒學訓導，居二歲，以親老辭歸。明年，天下兵起，遂隱居教授。太祖定四方，徵天下名儒修述禮樂。寅就徵，年六十餘矣。時以禮、律、制度，分為

三局，寅在禮局中，討論精審，諸儒皆推服。書成，賜金幣。將授官，以老病辭，還。結廬石門山，四方士多從學，稱為『梁五經』，又稱『石門先生』。鄰邑子初入官，詣寅請教。寅曰：『清、慎、勤，居官三字符也。』其人問天德王道之要，寅微笑曰：『言忠信，行篤敬，天德也。不傷財，不害民，王道也。』其人退曰：『梁子所言，平平耳。』後以不檢敗，語人曰：『吾不敢再見石門先生。』寅卒，年八十二。」據寅之生卒年，〈自序〉中所謂「至元六年」，當指順帝後至元六年（1340），而非元世祖至元六年（1269）也。

又，《周易參義》十二卷，（清）黃虞稷《千頃堂書目》卷一、《續通志・藝文略》、《續文獻通考・經籍考》、（清）錢大昕《補元史藝文志》等皆著錄。今有《四庫全書》本、《通志堂經解》本等。

又，《四庫全書總目・易類四》所撰是書提要云：「元梁寅撰。寅字孟敬，新喻人。元末辟集慶路儒學訓導，以親老辭。明年兵起，遂隱居教授。明初徵修禮樂書，將授以官，復以病辭歸，結屋石門山。學者稱曰『梁五經』。著有《禮書演義》、《周禮考注》、《春秋考義》諸書。此乃所作《周易義疏》，成於至元六年，前有寅〈自序〉。其大旨以程《傳》主理，《本義》主象，稍有異同，因融會參酌，合以為一，又旁採諸儒之說以闡發之。其分《上下經》、《十翼》，一依古《易》篇次，即朱子所用呂祖謙本。其詮釋經義，平易近人，言理而不涉虛無，言象而不涉附會。大都本日用常行之事，以示進退得失之機，故簡切詳明，迥異他家之繆輵。雖未能剖析精微，論其醇正，要不愧為儒者之言焉。」

順帝至正六年 丙戌（1346）

○正月，陳應潤《周易爻變義蘊》四卷成

【文獻】文淵閣《四庫全書》本《周易爻變義縕》書前陳氏〈自序〉：

「《大傳》曰：乾坤其《易》之縕耶？夫《易》之縕散在諸卦，豈獨乾坤二卦而已哉？上古羲皇仰觀俯察，首得乾坤之象，而生六子。苟不以爻變之法通乾坤之縕，則乾自乾，坤自坤，何以神變化之妙？故《易》之諸爻，皆以變動取義。乾之用九，坤之用六，爻變之縕也。坤之《象》曰：六二之動，直以方也。《文言》曰：坤至柔，而動也剛。又曰：六爻之動，三極之道也。爻者，言乎變者也。道有變動，故曰爻。至曰成象之謂乾，效法之謂坤，吾夫子繫《易》示人爻變之法，深切著明矣。漢魏以來，諸儒注釋奚啻數百餘家，往往皆於本卦取義，而用九、用六之說不明。好奇過高，傅會舛鑿。談玄妙者，則涉乎莊老；衍虛無者，則流乎異端。《太玄》擬《易》也，而《易》為之破碎；《潛虛》擬《玄》也，而《玄》為之散滅，甚則假老子之學，以創無極、太極之論；變爐火之術，以撰先天、後天之圖。自是以來，談太極者以虛無為高，講大衍者以乘除為法。強指陰陽老少為四象，而四象之說不明；妄引復始逆順為八卦，而八卦之位不定，《易》之縕愈晦矣。由是談玄之士，承訛踵謬，畫圖累百，變卦累千，充棟汗牛，初無一毫有補於《易》。嗚呼！夫子沒二千餘年，邪說蝟集，橫議蜂起，爻變之法，乾坤之縕，晦而不明，《易》道之危，一至此哉！《傳》曰：《易》之興也，當殷之末世、周之盛德耶？至於『明夷』之《象》曰：明入地中，明夷，內文明而外柔順，以蒙大難，文王以之。又曰：箕子之明夷，當時聖人援事比例，發揮爻象之縕，故遇逐爻觀變用事比證，庶幾爻變之縕得以發揮。或曰：子之說誠是矣！方今談玄之士以老、莊為祖，周、邵為師，削刬其

圖，辨明其說，寧不觸其黨之怒耶？愚曰：韓子云，古者楊墨塞路，孟子辭而辟之，廓如也，天下後世不以孟子為非。今之談玄之士，甚於楊墨之謬，理到之論，不讓於師。與其得罪於孟子，寧若得罪於楊墨也？吁！此爻變之 所以不容於不明，邪正之說所以不容於不辨，管窺之圖所以不容於不作也。賢哲之士尚憐其愚，而正教之《易》有光矣。至正丙戌春正月初吉，天臺陳應潤序。」

【考釋】《周易爻變義蘊》四卷，（清）倪燦、盧文弨《補遼金元藝文志》、（清）錢大昕《補元史藝文志》、《續通志・藝文略》等著錄。（清）朱彝尊《經義考》卷四十七書名作「周易爻變易蘊」。是書今有文淵閣《四庫全書》本、《續臺州叢書》本等。

又，《四庫全書總目・易類四》所撰是書提要云：「元陳應潤撰。應潤，天臺人，始末未詳。《黃溍集》有是書〈序〉，稱其字曰『澤云』。又稱其延祐間由黃岩文學起為郡曹掾，數年調明掾，至正乙酉調桐江賓幕。首卷應潤〈自序〉題『至正丙戌』（案《經義考》載此〈序〉，題至治丙戌。至治有壬戌無丙戌，干支不合。且黃溍〈序〉題至正丙戌，〈序〉中稱『延祐間余丞寧海，又數年余為越上鹽運，三年余乞老金華』。溍延祐二年進士，下距至治壬戌僅六年，安有乞老之事？此必《經義考》刊版之訛，非此本傳寫之誤也。謹附訂於此），則是書成於桐江也。其書大旨謂義理玄妙之談，墮於老莊，先天諸圖雜以《參同契》爐火之說，皆非《易》之本旨。故其論八卦，惟據〈說卦傳〉『帝出乎震』一節，為八卦之正位，而以『天地定位』一節，邵氏指為先天方位者，定為八卦相錯之用。謂文王演《易》，必不顛倒伏羲之文，致相矛盾。其論太極、兩儀、四象，以天地為兩儀，以四方為四象，謂未分八卦，不應先有揲蓍之法，分陰、陽、太、少。周子無極、太極、二氣、五行之說，自是一家議論，不可釋《易》。蓋自宋以後，毅然破陳摶之學者，自應潤始。所

注用王弼本，惟有《上下經》六十四卦，據《春秋傳》某卦之某卦例，『〈乾〉之〈姤〉』曰『潛龍勿用』、『〈乾〉之〈坤〉』曰『見群龍無首，吉』之類，故名曰『爻變』。其稱一卦可變六十四卦，六爻可變三百八十四爻，即漢焦贛《易林》之例。蓋亦因古占法而推原其變通之意，非臆說也。每爻多證以史事，雖不必其盡合，而因卦象以示吉凶，以決進退，於聖人作《易》垂訓之旨實有合焉。在宋元人《易》解之中，亦翹然獨秀者矣。」

又，時人黃溍為《周易爻變義蘊》作序亦在「至正丙戌正月」，序文云：「《易》更四聖而成書，秦火之餘，幸因卜筮而僅存。自漢分為三家，有田何、焦贛、費直之《易》，《易》之說爪裂矣。至魏王輔嗣，雜以老、莊之學，《易》之說愈遠矣。繼是，諸儒注釋奚啻數百家，或泥乎天道而不及人事，或專乎義理而不及象數，角立異論，茫無統緒。天臺陳澤云獻蕭公，邦彥先生之後，《易》有家傳。延祐間，余丞寧海，澤云由黃巖文學起家，郡曹掾，議論雄偉，剖決如流，凜凜然有骨鯁風。嘗曰：『余家貧，親老不能遠遊。竊升斗之祿以養親，資尺寸之楮以著述，他無所覬也。』挑燈夜話，出示野趣之什，清新俊逸，翰林承旨子昂趙公嘗序之矣。又數年，余為越上監運，澤云調明幕，把酒論文，出示詠史之什，美善刺惡，一出至論，翰林學士伯長袁公為之序矣。澤云曰：『余欲著《爻變易》，此潔靜精微之學也。』時居簿書叢中，無食息暇，非二三年靜坐工夫不能也。去年春，余丐老金華，澤云以書來曰：『余近調桐江賓幕，時宰急於聚斂，議論落落不合，困守幕下，幸有餘暇，時復登釣臺，坐羊裘軒，臥山高水長閣，汲泉煮茗，洗胸中之不平，若有神助。今幸《爻變易縕》粗完，使二三十年勤苦之志一旦有成，未知果合於爻變之義、《易》之縕否乎？子其為我訂正之。』余曰：『《易》豈易注哉！〈復〉之〈彖辭〉曰：復其見天地之心乎？天地之心，惟羲、

文、周、孔數聖人能見之。」澤云生乎數千年之後，直欲見數聖人之
心，不其難乎？雖然，道無終窮，才有超邁。余嘗焚香靜坐，觀澤云
所注之《易》，乾、坤二卦，已無餘縕。至於變爻三百八十有四，旁
通他卦之義，爻爻有發揮，事事有考證，造理精微，立說洞澈。餘如
刪正〈太極〉、〈八卦〉、〈爻法〉、〈逆順〉等圖，探賾索隱，自非灼
然有見乎聖人之心者不能也。讀之使人聳然，亹亹不倦，倘使程朱
諸子復生，未有不擊節而加歎也。余投老田瑞安，得以澤云所注之
《易》置諸翰苑，與同志者商之，使澤云名垂不朽，是則不負其二三
十年勤苦之志也，澤云勗之哉！至正丙戌正月既望，中順大夫秘書少
監致仕金華黃溍序。」

○四月，錢義方《周易圖說》二卷成

【文獻】文淵閣《四庫全書》本《周易圖說》書前錢氏〈自序〉：「錢
子既作《易圖說》，或問之曰：『《易》之有圖尚矣，今子之作，不盡
合先儒之說，何也？』余應之曰：『求合於聖人之旨，則先儒之合乎
聖人者取之，異乎聖人者，正之以聖人之說，此所以不盡合也。』或
又問曰：『昔之述《河圖》者，必並陳《洛書》，子獨不然，何也？』
余又應之曰：『《河圖》者，伏羲所取而用之。《洛書》之出，則在乎
千有餘年之後。吾聖人兼而取之，不過以龍龜負文以出河、洛者，其
事同；聖人則之以開物成務，其用亦同。而即理推數二者，又可以相
通，故並言之耳，非謂作《易》兼取《洛書》也。』余為明《易》而
本之《河圖》，其不及《洛書》宜矣。嗚呼！六經之道，如日行天，
萬古一日。秦火之變，《易》獨以卜筮得全，傳之者雖眾，知之者蓋
寡。自漢孟喜本《易緯稽覽圖》，推《易》離、坎、震、兌各主一
方，餘六十卦，每卦主六日七分，此《易》有圖之始也。寥寥千載，
《易》學絕響。宋之陳摶，心領神悟，始本吾聖人《易》有太極、兩

儀、四象、八卦，因而重之及天地定位等說，為橫、圓、大、小四圖。傳之穆李以及邵子，而又本帝出乎震之說，為後天圓圖。因大橫圖之卦，為否泰反類方圖，於是《易》之有圖始大明於天下。而朱子尚有圓圖，有造作，不依他元初畫底之說，且欲挈出方圖在圓圖之外，而釋天地定位、帝出乎震者，必曰邵子曰：此伏羲八卦之位，此卦位乃文王所定，似猶有歉然未滿之意。然其釋《河圖》之則，猶未免惑於孔安國之說。此愚所以不揆其陋，而有所述也。揚子云：曰眾言淆亂折諸聖，苟無聖人之書，而臆度為之，顧余何人而敢與先儒立異同哉？且愚伏讀《易》之經傳，而學之三十年矣，苟非反覆潛玩而有所自得，亦豈敢遽為此書？觀者幸恕其僭，而嘉其用心可也。至正六年龍集丙戌夏四月甲子，前進士吳興錢義方子宜父序。」

【考釋】錢義方，生平事跡不詳。《周易圖說》二卷，《續通志·藝文略》、（清）錢大昕《補元史藝文志》等著錄，《續文獻通考·經籍考》云：「義方字子宜，湖州人，嘗舉進士，仕履無考。臣等謹案：葉盛《菉竹堂書目》有《篷溪錢氏圖說》，當即是書。」（清）黃虞稷《千頃堂書目》卷一、（清）朱彝尊《經義考》卷四十七、《浙江通志·經籍考》等皆作「一卷」，《浙江通志》注曰：「《授經圖》：錢義方撰。《經義考》：字子宜，吳興進士。」《周易圖說》二卷，今有文淵閣《四庫全書》本、《四庫全書珍本初集》本等。

又，《四庫全書總目·易類四》所撰是書提要云：「元錢義方撰。義方字子宜，湖州人。嘗舉進士，其仕履則不可考矣。是書成於至正六年。上卷為圖者七，下卷為圖者二十。朱彝尊《經義考》作一卷，疑傳寫誤也。其說謂《河圖》為作《易》之本。〈大傳〉云『河出圖，洛出書，聖人則之』，乃聖人即理推數，二者可以相通，故並言之，非謂作《易》兼取《洛書》。又引朱子之說，謂圓圖有造作，且欲挈出方圖在圓圖之外。又謂『朱子《易本義》於先天、後天卦位

必歸其說於邵子，似歉然有所未足。是以不揆其陋，而有所述」云云。其說較他家為近理，然猶據陳摶以來相傳之圖書言之。其實《河圖》、《洛書》雖見經傳，而今之五十五點、四十五點兩圖，其為古之圖書與否，則經傳絕無顯證。援《左傳》有〈三墳〉，而謂即毛漸之書，援《周禮》有〈連山〉、〈歸藏〉，而謂即劉炫之書，考古者其疑之矣。且〈繫辭〉言《洛書》，不言即《九疇洪範》；言《九疇》，不言即《洛書》。盧辯注《大戴禮記》，始云明堂九室法龜文，其說起於後周。阮逸偽作《關朗易傳》，因而述之。於是《洛書》之文始傳為四十五點，而《九疇》亦遂並於《易》。義方知《九疇》之非《易》，而不知《洛書》本非《九疇》，其辨猶為未審。至其謂自漢以來惟孟喜本《易緯稽覽圖》推《易》，〈離〉、〈坎〉、〈震〉、〈兌〉各主一方，餘六十卦每卦主六日七分為有圖之始，寥寥千載，至陳摶始本《易》有『太極』、『兩儀』、『四象』、『八卦』、『因而重之』及『天地定位』等說，為橫、圓、大、小四圖，傳穆李以及邵子。又本『帝出乎震』之說，為《後天圓圖》，內《大橫圖》之卦為〈否〉、〈泰〉，反類方圖。則於因《易》而作《圖》，非因《圖》而作《易》。本末源流，粲然明白。不似他家務神其說，直以為古聖之制作，可謂獨識其真矣。其所演二十七圖，亦即因舊圖而變易之。奇偶之數，愈推愈有。人自為說，而其理皆通。譬之自古至今，弈無同局，固亦不妨存之以備一家焉。」

順帝至正二十四年 甲辰（1364）

○三月，張理《易象圖說》六卷成

【文獻】文淵閣《四庫全書》本《易象圖說》書前張理〈自序〉：「……八卦相錯相摩相蕩，因而重之，變而通之，推而行之，而六十

四卦圓方變用之圖出矣。圓者以效天，方者以法地，變者以從道，用者以和義，然後著策以綜其數，變占以明其筮，分掛揲歸，交重支變，悉皆為圖以顯其象，為說以敷其趣。雖其言不本於先儒傳注之旨，或者庶幾乎聖人作《易》之大意，改而正之，誃而訂之，是蓋深有望於同志。時至正二十有四年青龍甲辰三月上巳日，清江後學張理書於三山之民所。」

【考釋】《易象圖說》六卷，含〈內篇〉三卷、〈外篇〉三卷。《續通志·藝文略》、《續文獻通考·經籍考》、（清）黃虞稷《千頃堂書目》卷一、（清）朱彝尊《經義考》卷四十五、（清）錢大昕《補元史藝文志》等著錄。是書今有《道藏》本、《通志堂經解》本、文淵閣《四庫全書》本等。張理，《江南通志》卷七十四〈張理傳〉載：「張理字仲純，清江人。舉茂材異等，泰寧儒學教諭，勉齋書院山長，進福建儒學副提舉。有《易象圖說》，貢師泰序其書以傳季子定。洪武間以貢授行人，奉使西蜀，以清謹稱。」

又，《四庫全書總目·子部十八·術數類一》所撰是書提要云：「元張理撰。理有《大易象數鉤深圖》，已著錄。是書內篇凡三，曰本圖書，曰原卦畫，曰明蓍策。外篇亦三，曰象數，曰卦爻，曰度數。其於元會運世之升降，歲時寒暑之進退，日月行度之盈縮，以及治亂之所以倚伏，理欲之所以消長，先王制禮作樂，畫井封疆，一切推本於圖書。蓋與張行成《易通變》相類，皆《皇極經世》之支流也。圖書之學，王湜以為自陳摶以前莫知所自來，而說者則謂為秘於道家，至摶乃顯。此書引《參同契》巽辛見平明十五乾體就云云，以明圓圖，引『朔旦為復，陽氣始通，姤始紀緒，履霜最先』云云，以明方圖，其說頗相吻合。意所謂遭秦焚書，此圖流於方外者，即影附此類歟。黃虞稷謂鄧《大易圖說》與理此書俱為道藏所錄，今以《白雲霽道藏目錄》考之，實在洞真部靈圖類，靈字號中，則其說出道家可知矣。」

元儒吳澄與《中庸》三題

提要

　　元儒吳澄的主要學術成就雖在研治《五經》，受朱熹四書學的影響卻也甚大。就《中庸》而言，吳澄對《中庸》的作者歸屬、成書動因等問題有所考察，在道統觀上對朱熹觀點有所推進；所撰《禮記纂言》，將《中庸》、《大學》二篇排除在《禮記》體系之外，體現了朱熹四書學對於吳澄以及整個元代社會、學術的重要影響，也表明了作為儒家經典系統的「四書系統」對於過去「五經系統」的一次重要勝利；對於朱熹的《中庸章句》，吳澄總體上是推崇的，但到晚期對之有所批評，在《中庸》解說上他更服膺作為其師祖的江西餘干人饒魯。

　　《中庸》原屬《小戴禮記》的第三十一章，舊說為孔子之孫子思所撰，是「思孟學派」的經典著作。《中庸》的單行比《大學》要早[1]，《隋書‧經籍志》載南朝宋戴顒《禮記中庸傳》二卷、梁武帝蕭衍《中庸講疏》一卷、無名氏《私記制旨中庸義》五卷，由此推論，「至遲在南朝宋的時候，《中庸》就被人單獨從《禮記》中抽出而為之作注了」[2]。宋代理學勃興，為《中庸》作注論說者蔚然成風。南宋

---

[1]　（北宋）司馬光撰《大學廣義》一卷，較早為《大學》單獨作注，（清）朱彝尊《經義考》卷一五六曰：「取《大學》於《戴記》講說而專行之，實自溫公始。」

[2]　顧歆藝：《四書章句集注研究》（北京大學，1999年博士論文），頁73。另，《漢

朱熹繼承北宋以來尤其是二程推崇《中庸》的傳統，精心結撰《中庸章句》，將其與《大學》、《論語》、《孟子》結集為《四書》，使之獲得了更加獨立的身分和更為崇高的地位。在學問著述方面「堪稱巨擘」[3]的元代大儒吳澄（1249～1333），治學雖傾力於五經，受朱熹四書學的影響卻也甚大。就《中庸》一篇而言，吳澄對《中庸》的作者歸屬、成書動因等問題有所考察，在四書學道統觀上對朱熹觀點有所推進；所撰《禮記纂言》，因〈中庸〉、〈大學〉二篇已納入《四書》體系，故將其排除在《禮記》體系之外，體現了朱熹四書學對於吳澄以及整個元代社會、學術的重要影響，也表明了作為儒家經典系統的「四書系統」對於過去「五經系統」的一次重要勝利；對於朱熹的《中庸章句》，吳澄在總體上是推崇的，但到晚期對之有所批評，在《中庸》解說上他更服膺的人物是作為其師祖的江西餘干人饒魯。

一 吳澄對《中庸》作者、成書問題的認識及其「道統觀」

關於《中庸》一篇的作者，歷來存在爭議，但在宋元之前，《中庸》為子思所作卻是一個通行的說法。比如西漢司馬遷《史記‧孔子世家》云：「伯魚生伋，字子思，年六十二。嘗困於宋。子思作《中庸》。」這是關於《中庸》作者屬子思的最早提法。唐代孔穎達《禮

書‧藝文志‧六藝略》之「禮類」其實即著錄「〈中庸說〉二篇」，但書之性質卻有異說，（清）姚振宗《漢書藝文志條理》認為「此乃說《中庸》之書也」，近人顧實《漢書藝文志講疏》則認為「以《志》既有《明堂陰陽》，又有《明堂陰陽說》為例，則此非今存《戴記》中之《中庸》也。」見陳國慶：《漢書藝文志注釋彙編》（北京市：中華書局，1983年），頁47。

3 錢穆：〈吳草廬學述〉，《中國學術思想史論叢》（合肥市：安徽教育出版社，2004年），卷六，頁54。

記正義》卷五十二曰：「案鄭《目錄》云：『名曰《中庸》者，以其記中和之為用也。庸，用也。孔子之孫子思伋作之，以昭明聖祖之德。』」這表明他是同意東漢鄭玄之說的。北宋二程沿襲此說，稱：「《中庸》之書，是孔門傳授，成於子思。」[4] 至於朱熹，亦逕稱：「《中庸》之書，子思子之所作也。」[5] 儘管宋代的歐陽修、王十朋等人對《中庸》是否為子思所作提出了質疑，卻不足以推翻傳統結論。對於《中庸》作者屬子思的懷疑，在清代形成了一股風潮，代表人物有袁枚、崔述等人[6]。

吳澄自幼研讀朱熹之《中庸章句》[7]，受朱熹之影響頗深，在《中庸》作者問題上也一遵朱子之說，比如《吳文正集》卷五〈思誠說〉開篇即云：「子思子之《中庸》曰：『誠者，天之道也；誠之者，人之道也。』」又同書卷九〈柴溥伯淵字說〉云：「至聖之德，雖如天如海，然亦有從入之門也。子思子於《中庸》末章，承溥博淵泉之後，反本而言，示人以入聖之門，甚明且切。」皆表明吳澄同樣認定《中庸》為子思所作。

然而更值得我們關注的是，吳澄是如何解釋《中庸》的成書動因的，而這又關涉到吳澄的道統觀問題。《吳文正集》卷十〈解觀伯中字說〉曰：

4　《二程遺書》卷十五，文淵閣《四庫全書》本。
5　《晦庵集》卷七十五《中庸集解序》，文淵閣《四庫全書》本。
6　參姜廣輝：《中國經學思想史》（北京市：中國社會科學出版社，2003年），第一卷第二十一章。
7　元人危素所撰吳澄《年譜》曰：「十歲。始得朱子《大學》等書讀之。讀《大學中庸朱氏章句》。公嘗因學者求讀《中庸》，語之曰：『吾幼時習詩賦，未盡見朱子之書，蓋業進士者不知用力於此也。十歲，偶於故書中得《大學中庸章句》，讀之喜甚。自是，清晨必誦《大學》二十過者千餘日，然後讀《中庸》及諸經，則如破竹之勢，略無凝滯矣。學者於《大學》得分曉，則《中庸》不難讀也。』」見《吳文正集》附錄。

聖之盛莫盛於堯舜，而堯之傳舜，惟「允執厥中」一語，舜復
以是傳禹。湯之去堯舜遠矣，而孟子亦曰「湯執中」，然則堯
舜之中禹見之，湯聞之，四聖所執同一「中」也。及文王、周
公繫《易》之《象》，繫《易》之《爻》，每於卦之二五、爻
之二五若獨貴重，然而含蓄不露也。孔子始發其蘊，曰「得
中」，曰「以中」，而後文王、周公之意粲然可見。文王、
周、孔之中，堯、舜、禹、湯之中也。孔子既沒，其孫惟恐其
傳之泯絕，特著一書，以《中庸》名。孟子而下，知者殆鮮，
千數百年之久。

「惟恐其傳之泯絕」，這是吳澄對子思撰著《中庸》之由作出的解
說。而所謂聖聖相傳的，正是一「中」字。在其他場合，吳澄也多次
提到《中庸》為「傳道之書」的說法[8]。當然，這一論斷並非吳澄的獨
創，其觀點同樣來自朱熹。朱熹〈中庸章句序〉云：

《中庸》何為而作也？子思子憂道學之失其傳而作也。蓋自上
古聖神繼天立極，而道統之傳有自來矣。其見於經，則「允執
厥中」者，堯之所以授舜也；「人心惟危，道心惟微，惟精惟
一，允執厥中」者，舜之所以授禹也。

又云：

子思懼夫愈久而愈失其真也，於是推本堯舜以來相傳之意，質
以平日所聞父師之言，更互演繹，作為此書，以詔後之學者。

8　如《吳文正集》卷二十〈中庸簡明傳序〉曰：「《中庸》，傳道之書也。」同書卷
　　三十五〈都運尚書高昌侯祠堂記〉曰：「況進士所業，在《論語》、《大學》、《中
　　庸》、《孟子》，是皆往聖先賢傳道之書。」又同書卷四十〈中和堂記〉曰：「中和
　　者，子思子傳道之書所云也。」

不難看出，從朱熹到吳澄，《中庸》為子思所撰似乎只是在作為一個常識（也就是一種預設）來接受，他們都在竭力而為的，是試圖對子思何以撰著《中庸》作出較為圓通的解釋。

之所以說對《中庸》成書動因的解釋關涉吳澄的道統觀問題，是因為吳澄是將《中庸》的撰著放置到儒家道統傳承過程中進行討論的，其中子思與孟子的授受關係尤其值得關注。朱熹《中庸章句》云：「此篇乃孔門傳授心法，子思恐其久而差也，故筆之於書，以授孟子。」這是較早地明確稱子思以《中庸》授孟子的提法，其說大概來自二程[9]。受其影響，吳澄亦持子思授孟子以《中庸》之說，如《吳文正集》卷五十三吳澄為錢原道（字率性）所作《率性銘》曰：

> 復性之學，其功有二。知性其先，養性其次。若何而知？格物窮理。若何而養？慎行克己。知則知天，養以事天。孟子之云，子思所傳。天之自然，率而循焉。人之當然，知而養焉。有實造詣，非虛語言。因孟溯思，勉旃勉旃。

又同書卷六十〈題誠悅堂記後〉亦云：「孟子傳子思之學，其言誠身悅親之道，本諸《中庸》。」

需要指出，將《中庸》以及《大學》的作者認定為子思和曾子[10]，並確立他們上與孔子、下與孟子的道統傳承關係，是朱熹創建其四書學體系的重要步驟。因為曾子是孔子弟子，子思是孔子之孫，相傳受業於曾子，孟子則曾受業於子思門人，這樣一來，人從孔子到

---

[9] 《二程遺書》卷十五稱：「《中庸》之書，是孔門傳授，成於子思。」又同書卷十七稱：「傳經為難，如聖人之後才百年，傳之已差。聖人之學，若非子思、孟子，則幾乎息矣。」梁啟超：《要籍解題及其讀法》謂「〈中庸〉篇，朱晦庵謂『子思作之以授孟子』，其言亦無據」，恐不甚確。

[10] 朱熹：《大學章句》曰：「經一章，蓋孔子之言，而曾子述之。其傳十章，則曾子之意而門人記之也。」

曾子到子思到孟子，書從《論語》到《大學》到《中庸》到《孟子》
的學術關聯便自然形成了。朱熹能夠將〈大學〉、〈中庸〉二篇從
《禮記》中單獨抽出並納入其四書學體系，便有了一個堅實的依托。
朱熹「孔、曾、思、孟」道統傳承之說的學術影響在於：

> 人們在提到儒家道統的時候就不再像以前那樣一下子從孔子接
> 到孟子，而不能忽視朱熹所認為的孔孟之間的曾子和子思，也
> 不能不特別重視儒家典籍《大學》和《中庸》，《四書》和道
> 統緊密聯繫而不可分割了。[11]

朱熹的這一道統論在吳澄身上得到了很好的發揚，據元人虞集所撰吳
澄《行狀》載：

> 十九歲著說曰：「道之大原出於天，聖神繼之。堯舜而上，道
> 之元也；堯舜而下，其亨也；洙泗魯鄒，其利也；濂洛關閩，
> 其貞也。分而言之，上古則羲皇其元，堯舜其亨乎？禹湯其
> 利，文武周公其貞乎？中古之統，仲尼其元，顏曾其亨，子思
> 其利，孟子其貞乎？近古之統，周子其元也，程張其亨也，朱
> 子其利也，孰謂今日之貞乎？未之有也。然則可以終無所歸
> 哉？蓋有不可得而辭者矣。」[12]

這裏，吳澄將整個道統傳承分為上古、中古、近古三個歷史時期，
每個時期又依照《周易》「元、亨、利、貞」的順序，分為四個小的
階段。其中「中古之統」，即為「孔、顏、曾、思、孟」，與朱熹之
說正相吻合。不僅如此，吳澄還試圖進一步肯定和維護這種新的道

---

11 顧歆藝：《四書章句集注研究》，前揭，第六章，頁143。

12 《吳文正集》附錄。

統觀，比如他在〈劉尚友文集序〉一文中即稱：「道統之傳稱孔孟，而顏、曾、子思固在其中。」[13] 這不妨說是吳澄對朱熹道統觀的一種推進，由之亦可見吳澄受朱熹學術影響之深。

　　與《中庸》作者相關的一個問題，是吳澄對於《中庸》與《子思》及《子思子》三者關係的考察。《子思》與《子思子》都是曾在歷史上流傳過的書籍，如《漢書・藝文志》即著錄有「《子思》二十三篇」，《隋書・經籍志》和《新唐書・藝文志》皆著錄有「《子思子》七卷」，《舊唐書・經籍志》則著錄為「《子思子》八卷」。吳澄在〈曾子音訓序〉一文中稱：

> 夫子既沒，傳其道者曾子、子思、孟子也。《漢書・藝文志》有《曾子》十八篇、《子思》二十三篇、《孟子》十一篇。《孟子書》即今《孟子》七篇及趙岐所黜《外書》四篇是也，《子思子書》無傳焉，《史記・孔子世家》謂子思作〈中庸〉，〈中庸〉果在二十三篇之內乎？[14]

從這段話中我們至少可以獲得這樣兩點信息：其一，在吳澄的觀念中，《子思》與《子思子》蓋指子思所作的同一書[15]；其二，至於《中庸》，固然認定作者屬於子思，但他對《中庸》一篇是否出自《子思》二十三篇產生了疑問。吳澄雖然沒有進一步考證，但能提出問題便有其一定貢獻。對於吳澄的疑問，今人鍾肇鵬先生曾作出這樣的解

---

[13] 《吳文正集》卷二十二。

[14] 《吳文正集》卷十九。

[15] 《吳文正集》卷十九〈顏子序〉中的話可以作為旁證，澄曰：「考《漢藝文志》孔門諸弟子，惟曾子有書，其十篇今見《大戴禮記》。而《小戴禮記・曾子問》、〈檀弓〉、〈祭義〉等篇，亦述曾子之言。宋儒備《論語》諸書所載，合《大戴記》內十篇為《曾子書》，又萃子思所言為《子思子書》。於是有《曾子》，有《子思子》，而顏子無書也。」

說：

> 〈中庸〉大概是《子思子》的首篇，古書有舉首篇代替全書之
> 例，如屈原有許多作品，但〈離騷〉為《屈原賦》的首篇，所
> 以古書上就有說「乃作〈離騷〉之賦」。這並不是說屈原只作
> 一篇〈離騷〉，而是舉首篇以概括全書。[16]

對於《中庸》、《子思》、《子思子》三書的關係，郭沂〈《中庸》、
《子思》、《子思子》——子思書源流考》〉一文，則根據郭店楚簡材
料提出新說，認為三者實屬子思所撰同一部書，只不過經歷了三個
階段的演變：先秦至西漢劉向校書前為第一階段，稱《中庸》，有四
十九篇或四十七篇；第二階段為《漢書‧藝文志》著錄的「《子思》
二十三篇」，屬新編本，書名由劉向改《中庸》為《子思》，篇數編
為二十三篇；第三階段為《隋書‧經籍志》和《唐書‧藝文（經籍）
志》所著錄的《子思子》七卷（八卷），屬重輯本。

二 吳澄《禮記纂言》對《中庸》篇目的處置及其「四書觀」

吳澄晚年，著力撰著《五經纂言》，「實其畢生精力所萃」[17]，黃百
家贊之曰：

> 考朱子門人多習成說，深通經術者甚少，草廬《五經纂言》，

---

16 鍾肇鵬：〈子思學派的中庸思想〉，載《儒學國際學術討論會論文集》（濟南市：齊
  魯書社，1989 年）

17 錢穆：〈吳草廬學述〉《中國學術思想史論叢》前揭，卷六，頁 66。

有功經術，接武建陽，非北溪（陳淳）諸人可及也。[18]

《禮記纂言》三十六卷，屬《五經纂言》之最晚成者[19]。吳澄感於《禮記》傳世本的四十九篇「精粗雜記，靡所不有……第其諸篇，出於先儒著作之全書者無幾，多是記者旁搜博採，剟取殘篇斷簡，薈萃成書，無復銓次。讀者每病其雜亂而無章」[20]，於是對原有篇目作了新的處置，並按照諸篇內容重新加以分類排列。其中原先屬於《禮記》的〈投壺〉、〈奔喪〉二篇作為《逸經》篇章附於《儀禮》之後；〈冠義〉、〈昏義〉、〈鄉飲酒義〉、〈射義〉、〈燕義〉、〈聘義〉六篇別輯為《儀禮傳》附於《逸經》之後；《中庸》、《大學》二篇因朱熹已將之納入《四書》，故不再廁於《禮記》。同時，原來各自分為上、下二篇的〈曲禮〉、〈檀弓〉、〈雜記〉三篇不再分割。這樣一來，《禮記纂言》中保留的篇目就只有三十六篇，包含四大類十一小類，其中「通禮」九篇、「喪禮」十一篇、「祭禮」四篇、「通論」十二篇。對於《禮記》篇目的這種改編分類，吳澄本人頗為自負，稱：

> 用敢竊取其意，修而成之，篇章文句秩然有倫，先後始終頗為精審。將來學禮之君子於此考信，或者其有取乎？非但戴氏之忠臣而已也。[21]

門人虞集更推之曰：

> 所謂《禮記纂言》者，既取諸義附於經，又別《大學》、《中

---

[18] 〈草廬學案〉，《宋元學案》（北京市：中華書局，1986），卷九十二，頁3037。

[19] 危素所撰澄之《年譜》稱是書成於至順三年（1332），澄時年84歲；虞集所撰澄之《行狀》則稱成於至順四年（1333），澄於時年去世，85歲。

[20] 吳澄：〈禮記纂言原序〉。

[21] 吳澄：〈禮記纂言原序〉。

庸》別為一書，其存者凡三十六篇，通禮九、喪禮十一、祭禮四、通論十二。篇次先後，稍變於舊。就篇之中，科分櫛別，以類相從，俾其上下文意聯屬。章之大旨標識於左，其篇章文句秩然有倫，先後始終至為精密。先王之遺制，聖賢之格言，千有餘年，其亡闕僅存而可考者，既表而出之，各有所附，而其糾紛固泥於專門名家之手者，一旦各有條理，無復餘蘊矣。[22]

這裏我們關注的是《禮記纂言》對於《中庸》、《大學》篇目的處置，這牽涉到吳澄的《四書》觀問題。且看吳澄將這兩篇排除在《禮記》之外的理由：「若其篇第，則《大學》、《中庸》程子、朱子既表章之，《論語》、《孟子》並而為《四書》，固不容復廁之《禮》篇。」[23]這段話可以引發我們對如下三個問題的討論：

第一，吳澄是將《中庸》、《大學》與《論語》、《孟子》四部書作為一個學術整體來認識的，他頭腦中有明確的《四書》整體觀念。正因為此，吳澄才會如此堅定地將〈中庸〉、〈大學〉二篇歸入《四書》，而不再歸入《禮記》，一個「固」字就表明了這種態度。之所以形成這樣的局面，大概有兩個方面的原因：一方面，與吳澄自幼對朱熹《四書章句集注》的習學直接相關。虞集所撰吳澄《行狀》載：

七歲，《論語》、《孟子》、《五經》皆成誦。……十歲，始得朱子《大學》等書而讀之，恍然知為學之要。日誦《大學》二十過，如是者三年。次第讀《論語》、《孟子》、《中庸》，專勤亦如之，晝誦夜惟，弗達弗措。[24]

22　虞集撰吳澄《行狀》，見《吳文正集》附錄。
23　吳澄：〈禮記纂言原序〉。
24　《吳文正集》附錄。

這說明，吳澄從小就打下了堅實的四書學基礎，「為學之要」正是由朱熹《大學章句》而悟得的，就連他習學《四書》的順序也是按照朱熹規定的次第來的。對於《四書》，他在許多時候都是作為一個整體來看待的，比如稱：「《四書》，進學之本要也。知務本要，趨向正矣。」[25] 又稱：「讀聖經者先《四書》，讀《四書》者先《大學》。」[26] 另一方面，與《四書》在元代中期的傳播狀況及其學術地位密切相關。就《四書》傳播而言，朱熹時代非但沒有進入官學領域，反而在「慶元黨禁」中遭遇厄運，飽受打擊。南宋理宗以來，《四書》的傳播逐漸從民間走向官方。而元仁宗皇慶、延祐年間恢復科舉，在考試科目中正式規定第一場即從《四書》內出題，且只能依據朱熹的《四書章句集注》[27]，這是四書學史上的一個標誌性事件。其意義在於首次在國家制度層面確立了《四書》的官學地位，《四書》也因此在元代社會得到了更大程度的普及與傳播。這種普及與傳播取得的一個直接效果，就是《四書》地位的空前提高，《四庫全書總目》所謂「元丘葵《周禮補亡序》稱『聖朝以六經取士』，則當時固以《四書》為一經」[28] 即為明證。在這一學術背景下，吳澄於《禮記纂言》中刪削《中庸》、《大學》而歸入「如日中天」的《四書》，便是情理之中的事了。

第二，吳澄《禮記纂言》以為《中庸》、《大學》已入《四書》，「固不容復廁之《禮》篇」，這實際表明了作為儒家經典系統的「四書系統」對於過去「五經系統」的一次重要勝利。一般而言，從支撐

---

[25] 〈贈學錄陳華瑞序〉《吳文正集》卷二十五。

[26] 〈何自明仲德字說〉《吳文正集》卷九。

[27] 參《元史‧選舉志一‧科目》。

[28] 〈四書類小序〉《四庫全書總目》（北京市：中華書局，1965年），卷三十五，頁289。

某一學術階段的經典文獻角度劃分，中國學術史可以分為先秦的「六藝時代」、漢唐的「五經時代」和宋元以來的「四書時代」三個歷史階段。朱熹在前代理學家的基礎上，匯集《中庸》、《大學》、《論語》、《孟子》而為《四書》，撰著《四書章句集注》，集儒家心性學和以義理解經之大成，標誌著四書學的確立。從五經到《四書》，中國封建社會完成了「由前期到後期統治思想的戰略性調整」，「完成了儒學經典的定型化」[29]。這一儒學經典定型化過程在學術上造成的一個方面的重要影響，就是使〈中庸〉、〈大學〉二篇獨立於屬於「五經系統」的《禮記》體系之外，而進入了《四書》體系當中。也就是說，「四書學」對「禮記學」的發展產生了重要的影響。吳澄《禮記纂言》對於〈中庸〉、〈大學〉篇目的處置，便是這一學術背景下的自然產物[30]。其後，較為通行的《禮記》注本中，如明永樂年間的《禮記大全》、（清）孫希旦的《禮記集解》中，〈中庸〉、〈大學〉兩篇僅保留篇名，具體內容均提示參見朱熹的《中庸章句》和《大學章句》。而吳澄與諸家的不同在於，諸家於《禮記》篇目仍採通行之說，對〈中庸〉、〈大學〉篇名有所保留，吳澄則對《禮記》篇目進行了重新排定刪削，將〈中庸〉、〈大學〉排除在《禮記》體系之外，連篇名都不予保留，四書學的觀念貫徹地更為徹底一些。

---

29 劉澤亮：〈從五經到《四書》：儒學典據嬗變及其意義〉，《東南學術》，2002 年 6 月。

30 吳澄《禮記纂言》對於〈中庸〉、〈大學〉二篇的處置，可能受到了同時代陳澔《禮記集說》的影響，陳氏《禮記集說序》作於元英宗「至治壬戌（1322）」，早於吳澄《禮記纂言》成書約十年。民國柯劭忞《新元史・儒林三・陳澔傳》載吳澄曾對陳書表示讚揚：「澔承其家學，薈萃演繹，而附以己見，著《禮記集說》三十卷。隱居不仕，郡守延為白鹿洞山長，卒。金溪危素嘗以《集說》與陳櫟《禮記集解》質於吳澄，澄覆書曰：『二陳君可謂善讀書者，其說禮無可疵矣。』」而《禮記集說》卷九在《中庸》第三十一下注曰：「朱子《章句》，《大學》、《中庸》已列《四書》，故不具載。」

　　第三，對於吳澄刪〈中庸〉、〈大學〉於《禮記》之外這一行為該如何認識？關於這一問題，姜廣輝先生曾經作過一個假設：

> 至於《四書》，並不在吳澄的禮學體系中，他以《大學》、《中庸》入《四書》，雖說是將二書升格為聖賢之書，而與《論語》、《孟子》合編在一起，但無論是單從《禮記》的角度看，還是從其整個禮學體系的角度看，都應視為一種刪削。這無疑是受了朱子的影響。假若吳澄當時能將《大學》、《中庸》還歸於《禮記》中，那在《禮記》學史上將構成一個了不起的事件，也就不會有清代陳確「還〈學〉、〈庸〉於戴《記》」吶喊了。[31]

應當說，姜先生這段話只說對了前一半，客觀描述了吳澄受朱熹四書學影響於《禮記》體系中刪削〈大學〉、〈中庸〉的事實。至於後面的假設，則在很大程度上忽視了當時的學術發展實際。一方面，吳澄當時幾乎不可能作出「將〈大學〉、〈中庸〉還歸於《禮記》中」的選擇。如前所述，吳澄自幼受朱熹四書學影響甚深，在〈中庸〉、〈大學〉二篇歸屬於「四書系統」還是「禮記系統」的問題上，他自然會選擇前者。何況在他之前，還有個陳澔的《禮記集說》已經作出了榜樣。另一方面，即便吳澄真的將〈大學〉、〈中庸〉還歸了《禮記》當中，在《禮記》學史上也不會「構成一個了不起的事件」。因為從四書學發展史的角度考察，吳澄撰成《禮記纂言》距《四書》被「懸為令甲」[32]的「延祐科舉」，不過二十來年時間，《四書》的官學地位由於獲得了國家科舉制度的保證而日益穩固，《四書》對於社會、

---

[31] 姜廣輝：〈評元代吳澄對《禮記》的改編〉，載《元代經學國際研討會論文集》（臺北市：中國文哲研究所籌備處，2000年），頁574～575。

[32] 〈四書類小序〉《四庫全書總目》卷三十五，前揭，頁289。

學術的影響正與日俱增。換句話說，四書學發展在當時正處在拋物線的上升階段。又由於《禮記》中的〈大學〉、〈中庸〉二篇是《四書》的重要組成部分，因此在某種程度上，《禮記》學的發展是受制於四書學的發展的。在此情形下，吳澄將〈大學〉、〈中庸〉排除在《禮記》體系之外是一種合乎邏輯的選擇，而真的「將〈大學〉、〈中庸〉還歸於《禮記》中」，反倒是對四書學發展以及《禮記》學發展實際的漠視，是一種學術上的遲鈍。從某種意義上說，「還〈學〉、〈庸〉於戴《記》」的吶喊，大概只會發生在清代。

三 吳澄對《中庸》的解說及其對待朱熹的態度

吳澄解說《中庸》過程中表現出的對待朱熹的態度，是一個饒有興味的學術話題。

應當說，吳澄自幼研習《四書》，對朱熹四書學在總體上是非常推崇的。比如他在〈活人書辯序〉一文中稱：

> 由漢以來，〈大學〉、〈中庸〉混於《戴記》，《孟子》七篇儕於諸子。河南程子始提三書與《論語》並，當時止有漢魏諸儒所注，舛駁非一，而程子竟能上接斯道之統。至《章句》、《集成》（按：蓋為《集注》）、《或問》諸書出，歷一再傳，發揮演繹，愈極詳密，程學宜有嗣也。[33]

這裏所謂「《章句》、《集成》、《或問》」，即指朱熹所撰《大學中庸章句》、《論語孟子集注》、《四書或問》等書，「發揮演繹，愈極詳密」的評價，的確相當崇高。在解說《中庸》過程中，對於朱熹《中

---

33 《吳文正集》卷十九。

庸章句》的核心觀點也多所擷取。比如〈大中堂記〉云:「明明者,
《大學》要旨也。大中者,《中庸》要旨也。」[34]何謂「大中」,吳澄進
一步申發曰:

> 大中者,成德之極功,未易言也。中,一也而有二,有大本之
> 中,有達道之中。子思子曰:喜怒哀樂之未發謂之中,中也
> 者,天下之大本也。此以心之不偏不倚為中也。周子曰:中
> 者,和也,中節也,天下之達道也。此以事之無過無不及為中
> 也。不偏不倚之為大本者,體也;無過無不及之為達道者,用
> 也。體用皆曰大中,何也?其體無不該,其用無不貫,是以均
> 謂之大也。[35]

而其中「不偏不倚」、「無過無不及」之說,恰是朱熹《中庸章句》
對於「中」字的解釋。此外,《中庸綱領》以「理一分殊」之說分析
《中庸》一篇的邏輯關係,儘管開頭未提朱熹,而是稱「程子謂,始
言一理,中散為萬事,末復合為一理」[36],但朱熹把程子這句話原封不
動地寫進了《中庸章句》的開篇,這同樣可以認為是朱熹的觀點。

　　然而,就《中庸章句》而言,吳澄卻未表達如同泛言朱熹《四
書》時的那種尊崇態度。比如,他曾為盧陵人劉惟思《中庸簡明傳》
作序曰:

> 《中庸》,傳道之書也。漢儒雜之於記《禮》之篇,得存於今
> 者幸爾。程子表章其書,以與《論語》、《孟子》並,然蘊奧
> 難見,讀者其可易觀哉!程子數數為學者言,所言微妙深切,

---

34 《吳文正集》卷四十二。

35 〈大中堂記〉《吳文正集》卷四十二。

36 《吳文正集》卷一。

> 蓋真得其傳於千載之下者，非推尋測度於文字間也。至其門
> 人呂、游、楊、侯，始各有注。朱子因之，著《章句》、《或
> 問》，擇之精，語之詳矣。唯精也，精之又精鄰於巧；唯詳
> 也，詳之又詳流於多。其渾然者巧則裂，其粲然者多則惑。[37]

雖然吳澄緊接著稱「此其疵之小也，不害其為大醇」，但「鄰於
巧」、「流於多」的批評，還是十分嚴厲的。這就充分表明，在對
〈中庸〉一篇的理解上，吳澄其實並不十分認同朱熹的解說。吳澄
也絲毫不避諱他的這一立場，〈中庸簡明傳序〉又稱：「澄少讀〈中
庸〉，不無一二與朱子異，後觀饒氏伯輿父，所見亦然，恨生晚，不
獲就質正。」[38]由此可見，吳澄對待朱熹《中庸章句》的態度前後經歷
了一個變化的過程。他所服膺的「饒氏伯輿父」即餘干人饒魯，曾撰
《學庸纂述》、《庸學十二圖》等，吳澄為其再傳弟子。

　　通常認為，吳澄之學傾向於「尊德性」而排抑「道問學」，由此
認為澄之學屬於陸學而非朱學。不過我們從吳澄對《中庸》「尊德性
而道問學」的解說中，絲毫看不出他對朱熹的批判態度。「尊德性而
道問學」出自《中庸》的第二十七章，經文曰：「故君子尊德性而道
問學，致廣大而盡精微，極高明而道中庸，溫故而知新，敦厚以崇
禮。」朱熹《章句》云：

> 尊德性，所以存心而極乎道體之大也。道問學，所以致知而盡
> 乎道體之細也。二者修德凝道之大端也。不以一毫私意自蔽，
> 不以一毫私欲自累，涵泳乎其所已知，敦篤乎其所已能，此皆
> 存心之屬也。析理則不使有毫釐之差，處事則不使有過不及之

---

37 《吳文正集》卷二十。
38 《吳文正集》卷二十。

謬，理義則日知其所未知，節文則日謹其所未謹，此皆致知之
屬也。蓋非存心無以致知，而存心者又不可以不致知。故此五
句，大小相資，首尾相應，聖賢所示入德之方莫詳於此，學者
宜盡心焉。

吳澄認為：「尊德性以極衡平之體，道問學以括權變之用，此《中
庸》要領。」[39]並在〈凝道山房記〉一文中對這一「要領」作了詳細解
說：

嗚呼！子思子言道也，以有貴於能凝者。凝之之方，尊德性而
道問學也。德性者，我得此道以為性，尊之如父母，尊之如神
明，則存而不失，養而不害。然又有進修之方焉，蓋此德性之
內無所不備，而理之固然不可不知也，事之當然不可不行也。
欲知所固然，欲行所當然，舍問學奚可？德性一而問學之目
八，子思子言之詳也，不待予言也。廣大精微，高明中庸，故
也、新也、厚也、禮也，皆德性之固然當然者；盡之、極之、
問之、知之，問學以進吾所知也；致之、道之、敦之、崇之，
問學以修吾行也。尊德性一乎敬，而道問學兼夫知與行。一者
立其本，兼者互相發也。問學之力到功深，則德性之體全用
博，道之所以凝也夫。[40]

兩相對照，不難發現，吳澄觀點與朱熹並無二致，皆以「尊德性」與
「道問學」為「修德凝道之大端」，認為二者不可偏廢，從中的確看
不出他對朱熹有何微辭。

問題是，當吳澄用「尊德性」和「道問學」來區分朱熹與陸九淵

---

39 〈淩德庸字說〉《吳文正集》卷七。

40 《吳文正集》卷四十三。

兩家的治學傾向時，就有學者認為吳澄是「尊陸貶朱」的了。虞集所撰《行狀》載：

> 先生嘗為學者言：「朱子道問學工夫多，陸子靜卻以尊德性為主。問學不本於德性，則其弊偏於語言訓釋之末，果如陸子靜所言矣，今學者當以尊德性為本，庶幾得之。」議者遂以先生為陸學，非許氏（衡）尊信朱子之義。[41]

這裏涉及吳澄的治學傾向問題，與當時朱門末學的流弊和「和會朱陸」的學術風潮有關[42]。不過，這與吳澄對《中庸》「尊德性而道問學」的解說已經是兩個性質不同的問題了。

---

[41] 《吳文正集》附錄。

[42] 參侯外廬等：《宋明理學史》（北京市：人民出版社，1997年），第三編第二十七章。

簡朝亮與《孝經集注述疏》

一

　　《孝經集注述疏》一卷，晚清順德名儒簡朝亮（1852～1933，字季紀，號竹居）著。該書是簡氏繼《尚書集注述疏》三十五卷、《論語集注補正述疏》十卷後，撰成的又一部經學著述。

　　或許是跟自己考運不佳、曾經鄉試五次不第的經歷有關，簡氏很早就絕意仕進，建讀書草堂，以教學著述為業。光緒十九年（1893），他開始著筆撰著《尚書集注述疏》，歷時十一年完成初稿（1903），刻成於光緒三十三年（1907）。一九〇八年仲秋至一九一七年季冬，撰成《論語集注補正述疏》，歷時十載。旋而撰著《孝經集注述疏》，於一九一八年季秋完成。在這之後，簡氏還完成了《禮記子思子言鄭注補正》四卷。

　　簡氏生活的晚清時代，以「經世致用」為主要特點的今文經學的風氣，依舊盛行。一個有力的證明是，幾乎就在簡氏於草堂之中孜孜矻矻、心無旁騖地撰著《尚書集注述疏》的同時，井研廖平完成了他主張「平分今古」的名作《今古學考》（1886）和《續今古學考》（1887）；而簡氏的同門師弟南海康有為，則撰成了他的兩部驚世之作《新學偽經考》（1891）和《孔子改制考》（1892～1896），為變法張本，並且都在當時學界乃至整個社會產生了強烈的回響。尤其是康南海，曾與簡氏共同問學於粵中大儒朱九江。此時的他，正在以高漲

的熱情向慕西學，鼓吹變法，且一度成為當時「今文學運動的中心」
（梁啟超：《清代學術概論》）和政壇的「風雲人物」。

　　這不免讓我們頓生疑竇：簡氏該不會是那種迂腐膠柱、不諳世事
的老學究吧？他們的老師朱九江，可是主張「敦行孝悌，崇尚名節，
變化氣質，檢攝威儀」、「以經世救民為歸」的。

二

　　在〈尚書集注述疏序〉中，簡朝亮道出了他的心聲：

> 自維固陋，少之日手寫《尚書》，綴而讀之。迨遊九江朱先生
> 之門，時講習之。若有寤者，既不自休，博稽《尚書》家言，
> 樸學可觀，其義猶將待發也。久而鄉居草堂，與諸學子辯難，
> 而令鈔所屬草者。八年，旋以時義旅陽山之將軍山，與諸學子
> 居山堂，夙夜從事，如鄉居時者。又三年，百為皆廢，終食不
> 忘，胥勉勉乎《尚書述草》。蓋自草創以來，既十有一年矣。
> 所以艱屯無悔，必薪草畢者，自以讀書報國，愧非其才，惟素
> 所習孔子之書，或猶竭力於斯，以無忝君父之教云爾。

「艱屯無悔」、「讀書報國」，足以證明簡氏絕非不關世事。恰恰相
反，字裏行間，我們感受得到簡氏心繫蒼生的那種眷眷情懷。關於這
點，在〈孝經集注述疏序〉中體現得更為明顯：

> 《孝經》者，導善而救亂之書也……朝亮幼讀《孝經》，長而
> 聞九江朱先生講學，以孝為先，則於此經不敢荒矣……丁巳歲
> 季冬，《論語述草》既畢，乃思《孝經》為諸經之導也，當有
> 集而述之。由是考於古義，酌於今時，多徹宵起草。越歲季

秋，草有《孝經集注述疏》壹卷，因附《答問》於後。

導善者，導人性之善；救亂者，救世風之亂，簡氏「通經致用」的學術立場與思想情懷昭然可見。只不過，他走的是與康南海殊途同歸的另外一條道路。後人評價云：康有為「思藉治術使孔道昌明」，簡朝亮「思藉著述使孔道燦著」，斯話誠然！

三

簡朝亮的弟子黃節，曾經這樣評價他的老師：

> 簡岸先生講學鄉居，發明九江之教，體力用行，不分漢宋，本九江修身讀書之教而光大之，則嶺學之崛起者也。

「九江之教，不分漢宋」，的確如此，朱九江即稱：「學孔子之學，無漢學，無宋學也。修身讀書，此其實也。」（簡朝亮：《九江學譜》）這在漢宋門戶之見壁壘森嚴的清代學術中，顯得風標獨高，近人錢穆即譽之云：「又曰治孔子之學無漢學無宋學，尤為大見解。非深識儒學大統者，不易語此也。」（錢穆：〈朱九江學述〉《中國學術思想史論叢》卷八）

簡氏謹遵教誨，在其師基礎上又有所發明：

> 昔聞之九江朱先生曰：「古之言異學者，畔之於道外，而孔子之道隱；今之言漢宋學者是，咻之於道中，而孔子之道歧，何天下之不幸也！」……或平之曰：漢學長訓詁，宋學長義理，斯不爭矣，是未知叶於經者之為長，其長不以漢宋分也。明經之志，君子無所爭也，義理莫大於綱常。經言殷周所因而知其

繼也，馬氏以綱常釋之。曾子稱昔者吾友而不名，如知其友何人也，必於義理知其友從事也，馬氏以顏淵釋之。此漢注非訓詁者，朱子採其說，此其義理之長也。鄭氏釋「雅言」為正言，則言《易》、《春秋》亦皆正，非惟《詩》、《書》執禮有然矣。朱子以常言釋之，然後見《易》、《春秋》不常言也。《史記》稱孔子教弟子者足徵也，博約之教，乃開後學。鄭氏釋此經者，不釋約焉。朱子以約要釋之，由知而行，皆要也。孟子之學曰說約，曰守約，其自斯發歟！此宋注明義理者，以訓詁而明，此其訓詁之長也，蓋叶於經者之為長也。[1]

「其長不以漢宋分也」、「叶於經者之為長也」，這一通達見地不必說在清末民初，即便是在將近百年後的今天，依然有著深刻的啟發和指導意義。惜乎因簡氏名氣沒有那麼響亮，而使其學鮮為人知。不過僅憑這一點，我們就可以說簡氏是得到了九江之學真傳的，而錢穆先生所謂「然稚圭（朱九江）論學，在當時要為孤掌之鳴，從學有簡朝亮最著，然似未能承其學，仍是乾嘉經學餘緒耳」（錢穆：〈朱九江學述〉），倒是值得商榷。

四

從《尚書集注述疏》到《論語集注補正述疏》，從《孝經集注述疏》到《禮記子思子言鄭注補正》，簡氏始終不渝地踐行著他的經學觀。

《孝經集注述疏》一卷，從體例上講，與之前完成的兩部《述疏》

1　簡朝亮：〈論語集注補正述疏序〉。

之作一樣，依然是搜集前代《孝經》舊注，然後對其進行疏解，並提出己見。所附《讀書堂答問》一卷，是簡氏平日講學語錄，由弟子記載而成，在內容上與《述疏》正文雖偶有重複，但相得益彰，可堪補足。《孝經集注述疏》及《答問》，篇幅不大，卻同樣很好地體現了簡氏治學的特點。概括說來：

其一，漢宋兼採，訓詁義理並重。在書中，簡氏對經文、對注文，都花了相當的篇幅訓釋字詞，兼音兼義。其中，以《爾雅》之〈釋詁〉、〈釋言〉、〈釋訓〉諸篇以及許慎《說文》、陸德明《釋文》等小學著作佐證最多。又援引《三禮》之說，考索典制，這些都很好地體現了有清一代的樸學之風。同時，他廣徵博引二程、朱熹等理學家之說，申發意旨，體現出其破除漢宋門戶之見的見識與氣度。正因為此，當弟子尤潤慶問他：「凡讀書通大義者，非區區訓詁為也，其然歟」時，簡氏的回答是：「然矣，而不皆然也。」

其二，以是否「叶於經」作為衡量注說當否的唯一標準，不懼權威。譬如〈庶人章〉「故自天子至於庶人，孝無終始，而患不及者，未之有也」一節，唐玄宗、司馬光、范祖禹等各家皆有注說。弟子伍蘭清問其優劣，簡氏答云：

> 凡釋經者，必求經之本義焉。其義，叶於經本文及上下文者，則本義也。不然，謂是自為其義，可矣；謂是經之本義，不可也。今三者皆未悉叶焉。唐《御注》釋終始者非也，而釋其餘，則叶經本文矣。司馬說，即《孝經指解》說也，內府藏本合范說編之。其二說釋終始者，酌於經上下文矣，而猶待再酌也。

當「求經之本義」，「叶於經本文及上下文」，而不可「自為其義」，這是簡氏一切立說的出發點。

其三，傾向今文《孝經》，批判古文《孝經》。這在所附《讀書

堂答問》中有多處表現，比如關於朱熹的《孝經刊誤》，弟子梁應揚
與其有如下問答：

> 梁應揚問曰：「朱子著《孝經刊誤》，採今文、古文而自成本
> 焉。分為經一章，傳十四章，刪舊文二百二十三字。或章刪其
> 句，或句刪其字，何也？或謂《刊誤》乃朱子未定之書，然
> 乎？」
> 答曰：「然矣，此朱子未察古文之偽爾。此於偽古文《閨門
> 章》之淆禮制也，猶未及刊之矣。其於《孝經》分經傳，非
> 也。自〈庶人章〉而下，疊有曾子問辭，與首章為相應也，皆
> 經之自申其義也，安見其下之為傳乎？元吳澄《孝經定本》從
> 朱子例，分經傳，而傳之次序不同，亦非也。」

五

　　簡氏在〈孝經集注述疏序〉中曾言，與陸德明《經典釋文》於
《孝經》「以童蒙始學摘全句，蓋欲其易知也」的發願一樣，他之述
疏《孝經》，也是「將備始學者」。全書語言較為通俗，加之有《讀
書堂答問》相輔，的確可以作為一個非常適合的《孝經》讀本。

　　當然，簡朝亮傾數十年之力述疏《孝經》等儒家經典，還有著更
深遠的用意，那就是「正人心，挽世風」，這在晚清時局動蕩的情勢
下頗易理解。殊不知，百年後的今天，人心躁動，物欲擾攘。世人擁
有淡泊寧靜之心態，由《孝經集注述疏》等著述重溫古代經典，以修
身立行，又是一件多麼必要和值得期待的事情呢？

《漢志》「出、入、省」與班固的學術觀

提要

　　《漢書‧藝文志》既是一部重要的目錄學著作，又可視為反映先秦兩漢學術變遷的學術史著作。班固撰成《漢志》，對劉歆之《七略》作了一系列的改造工作，主要有「出、入、省」三種形式。班固對書籍的這種調整，反映出了他在史學、經學以及子學等方面的學術觀。

　　東漢史學家班固所撰《漢書‧藝文志》，不僅是重要的目錄學名著，還可以當作學術史著作來對待。清人姚振宗即稱：

> 班氏之志藝文也，在當日不過節《七略》之要，為史家立其門戶，初不自以為詳且盡也。今欲求周秦學術之源流，古昔典籍之綱紀，舍是〈志〉，無由津逮焉。[1]

然而需要指出，班氏儘管是「節《七略》之要」，卻絕非完全抄襲，而是對《七略》作了一系列的改造工作，概括說來，主要有「出、入、省」三種形式。班固在《漢志》中，對於這些更動均作了小注，由之可以從一個側面窺測班氏的學術觀。

---

[1] （清）姚振宗：《漢書藝文志條理‧敘例》。

一

《漢志》中注明「出、入、省」的地方共計十五處，茲列表如下：

略名	類名	《漢志》正文	班固小注	注文今按
六藝略	書	凡《書》九家，四百一十二篇	入劉向〈稽疑〉一篇	（清）王先謙《漢書補注》云：「〈稽疑〉：《書》目無名，蓋入《五行傳記》中。」
	禮	凡《禮》十三家，五百五十五篇	入《司馬法》一家，百五十五篇	《司馬法》百五十五篇，原在《兵書略》中
	樂	凡《樂》六家，百六十五篇	出淮南、劉向等《琴頌》七篇	（清）周壽昌《漢書注校補》云：「蓋以止頌琴而無與於樂，故出之也。」
	春秋	凡《春秋》二十三家，九百四十八篇	省《太史公》四篇	（清）姚振宗云：漢人馮商曾續《太史公》十一篇，班氏省去四篇，而保留七篇
	小學	凡小學十家，四十五篇	入揚雄、杜林二家二篇	當作「三篇」，即揚雄〈蒼頡訓纂〉一篇，杜林〈蒼頡訓纂〉一篇、〈蒼頡故〉一篇
	六藝略總	凡六藝一百三家，三千一百二十三篇	入三家，一百五十九篇；出重十一篇	顧實《漢志講疏》云：「《書》入劉向〈稽疑〉一篇，並入《五行傳記》，則不計家。故《禮》入《司馬法》一家，百五十五篇，小學入揚雄、杜林二家三篇……又《樂》出

略名	類名	《漢志》正文	班固小注	注文今按
				淮南、劉向等《琴頌》七篇、《春秋》省《太史公》四篇，此即並目曰出重十一篇者與？」
諸子略	儒家	右儒五十三家，八百三十六篇	入揚雄一家三十八篇	即《漢志》正文著錄「揚雄所序三十八篇」，包括《太玄》十九、《法言》十三、《樂》四、《箴》二
	雜家	右雜二十家，四百三篇	入《兵法》	上脫「出《蹴鞠》」三字。出「雜家」，入「兵技巧」
	諸子略總	凡諸子百八十九家，四千三百二十四篇	出《蹴鞠》一家，二十五篇	
詩賦略	陸賈賦之屬	右賦二十一家，二百七十四篇	入揚雄八篇	據顧實《漢志講疏》，所入八篇為：〈反離騷〉、〈廣騷〉、〈畔牢愁〉、〈蜀都賦〉、〈太玄賦〉、〈逐貧賦〉、〈核靈賦〉各一、〈都酒賦〉二篇
	詩賦略總	凡詩賦百六家，千三百一十八篇	入揚雄八篇	
兵書略	兵權謀	右兵權謀十三家，二百五十九篇	省伊尹、太公、管子、孫卿子、鶡冠子、蘇子、蒯通、陸賈、淮南王二百五十九種，出《司馬法》入《禮》也	姚明煇《漢志注解》云：「伊尹、太公、管子、鶡冠子，見道家；孫卿子、陸賈，見儒家；蘇子、蒯通，見從橫家；淮南王，見雜家。《七略》蓋互見，《志》省此仍彼。」

略名	類名	《漢志》正文	班固小注	注文今按
	兵技巧	右兵技巧十三家，百九十九篇	省《墨子》重，入《蹴鞠》也	陳國慶《漢志注釋彙編》云：「《墨子》末十二篇言技巧攻守，《七略》所重，當即此書。」
	兵書略總	凡兵書五十三家，七百九十篇，圖四十三卷	省十家二百七十一篇重，入《蹴鞠》一家二十五篇，出《司馬法》百五十五篇，入《禮》也	省十家者，權謀九家，技巧一家
《漢志》總		大凡書，六略三十八種，五百九十六家，萬三千二百六十九卷	入三家，五十篇，省兵十家	（清）王先謙《漢書補注》引陶憲曾云：「三家者，劉向、揚雄、杜林三家也。五十篇者，《書》入劉向〈稽疑〉一篇，《小學》入揚雄、杜林二家三篇，儒家入揚雄三十八篇，賦入揚雄八篇，皆班氏所新入也。若《禮》入《司馬法》，技巧入《蹴鞠》，本在《七略》之內，互相出入，故於此不數也」

何謂「出、入、省」？唐人顏師古於《六藝略‧書類》小注「入劉向〈稽疑〉一篇」下注曰：「此凡言入者，謂《七略》之外班氏新入之也。其云出者與此同。」[2]就《漢志》整體而言，顏氏所言，其實未然。比如〈兵書略〉小注所言「出《司馬法》百五十五篇，入《禮》」

---

[2]　《漢書》（北京市：中華書局，1962年），卷三十，頁1706。

也」，便是《七略》中原本即有，班氏僅調整其位置而已。至於
「省」，清人章學誠云：「注省者，劉氏本有而班省去也。」[3]比如〈六
藝略・春秋類〉中所云「省《太史公》四篇」，張舜徽先生即認為：
「其所省者，乃馮商所續《太史公》之四篇。」[4]

　　班氏在改造《七略》入《漢書》的過程中，清楚地標明「出、
入、省」，一方面表明班氏對《七略》某些書籍的歸置有不同意見；
另一方面，也體現了班氏作為一名史學家的嚴謹學術態度，所做更動
均加注明。正由於此，我們今天才得以由《漢志》推考《七略》這部
亡佚名著的大體面貌。

　　與此相關，班氏對《七略》的改造其實遠不止「出、入、省」三
種形式。據考證，《七略》所著錄每書下原本是有「解題」的[5]，這對
於一部專門的目錄著作來講彌足珍貴。但班固拿來「刪其要，以備篇
籍」[6]，首先要考慮的卻不是要完成一部單純的「目錄書」，而是要使之
成為紀傳體史書《漢書》的一個有機組成部分。或者說，即便是要完
成一部目錄書，也是在史書體例要求下的所謂「史志目錄」，而不同
於《七略》所屬之「官修目錄」。班氏對《七略》的改造，也正是緊
緊圍繞此一「學術目標」展開，將《七略》中原有的眾多「解題」悉
數刪除（不便於出注），僅保留其書目，並採納其〈六藝略〉、〈諸子

3　章學誠著、王重民通解：《校讎通義通解》（上海市：上海古籍出版社，1987年），
　　卷二，頁58。

4　張舜徽：《漢書藝文志通釋》《張舜徽集》（武漢市：華中師範大學出版社，2004
　　年），第一輯，頁235。

5　張舜徽：《漢書藝文志釋例・書名下不錄解題例》云：「且班《志》著錄之書已增
　　多於《七略》，而為書只一卷，《隋志》載《七略》單本為書七卷，豈非書目下附
　　有解題之明證乎？（觀昔人援引《七略》，每多考論學術之言，蓋其原本如此）惟
　　班氏深明於修史志之不同乎官簿，故毅然刪去之，著述各有體要，不能以強同
　　也。」見《張舜徽集》，前揭，第一輯，頁114～115。

6　《漢書藝文志・總序》。

略〉、〈詩賦略〉、〈兵書略〉、〈數術略〉、〈方技略〉的分類方式，
使全書更加凝練，以合於史書體制。包括《七略》原本所有之《輯
略》，一般認為，班固將其文字散入《漢志》每略諸小序中，實未刪
除，並非如有學者所說的那樣：

> 可見《輯略》是把六略的書，從學術角度，分為若干流派。對
> 每一流派，說明它的來源、演變、流弊，是從學術原流演變角
> 度來分論各種書籍的，實際上是結合書籍來講學術流變史的。
> 這樣重要的《輯略》，班固把它刪了，使它失傳，說明班固
> 沒有認識《輯略》的重要，所以說「班固承劉歆之學而未精」
> 了。[7]

如此說來，班固的這「因襲」工作，實際包含著他一種深刻的學術判
斷，體現了他一種高遠的史學見識，應當算作一種寶貴的學術創新。
後世學者正是奉《漢志》為圭臬，在正史中多設〈藝文志〉或〈經籍
志〉[8]，中國文獻學史上，從此便有了「史志目錄」這一重要品類。

　　從這一意義上講，唐代史學家劉知幾斷言：「但自史之立
《志》，非復一門，其理有不安，多從沿革。唯《藝文》一體，古今
是同，詳求厥義，未見其可。愚謂凡撰《志》者，宜除此篇。必不能
去，當變其體。」[9]則顯得有失公允了。

7　周振甫：〈論史家部次條別之法〉，載張岱年等《國學今論》（瀋陽市：遼寧教育出
　　版社，1991年），頁137。

8　《二十四史》中，原存〈藝文志〉或〈經籍志〉的有六家：《漢書·藝文志》、《隋
　　書·經籍志》、《舊唐書·經籍志》、《新唐書·藝文志》、《宋史·藝文志》、《明
　　史·藝文志》，其中以前二者價值為最高。清代以來，興起補正史《藝文志》之
　　風，湧現出相關著作數十種，使歷代正史《藝文志》趨於齊備。

9　《史通·內篇·書志第八》。

二

讓我們再對上表做進一步分析：

屬於《七略》本無、班氏新入者之「三家」，緣由皆易探明。顧實云：

> 至於師古所云新入者，《書》家之劉向〈稽疑〉一篇，小學家之揚雄、杜林三篇，儒家之揚雄所序三十八篇，賦家之揚雄八篇，皆班氏所新入也。蓋據西京中秘所藏者而入之，其所不藏者不入也。[10]

屬於「省兵十家」者，則《七略》乃因《伊尹》、《太公》諸書本有「兵」之內容，而作「互見」處置，《漢志》則「省此仍彼」，使名實更加相稱，亦為更加符合《漢書》之「史書」體制。

特別值得注意的是，《七略》本有而《漢志》調其位次的幾種書，從這一調整過程可以在一定程度上看出班氏的學術傾向。首先是〈六藝略‧樂類〉之「出淮南、劉向等〈琴頌〉七篇」。先讓我們考察一下〈琴頌〉七篇的去向。姚振宗於〈詩賦略〉「〈淮南王賦〉八十二篇」下注云：「《七略‧六藝‧樂家》有淮南王〈琴頌〉，班氏出之，或在此八十二篇中。」[11]又於「《劉向賦》三十三篇」下注云：「《七略‧樂家》有淮南、劉向等〈琴頌〉七篇，班氏出之，或在此三十三篇中。」[12]清人沈欽韓在《漢書疏證》中亦云：「《樂》家

---

10 顧實：《漢書藝文志講疏》（上海市：上海古籍出版社，1987年），頁30。

11 轉引自施之勉，《漢書集釋‧志十》（臺北市：三民書局，2003年），頁4498。

12 轉引自施之勉，《漢書集釋‧志十》，前揭，頁4505。

出〈琴頌〉，應入此。」也就是說，在《漢志》中，班固極有可能將原屬〈六藝略〉的〈琴頌〉七篇，悉數放入了〈詩賦略〉中，將〈琴頌〉諸篇當作了「文學性」的詩文來看待。

接下來，需要探討一下〈琴頌〉七篇如此調整的學術緣由。清人周壽昌《漢書注校補》云：「蓋以止頌琴而無與於樂，故出之也。」周氏的說法合乎班氏本意嗎？這還需要從《漢志》文本出發進行分析。

《漢志·六藝略》共著錄「樂類」圖書六家一百六十五篇，包括：「《樂記》二十三篇。《王禹記》二十四篇。《雅歌詩》四篇。《雅琴趙氏》七篇。《雅琴師氏》八篇。《雅琴龍氏》九十九篇。」其中「《樂記》二十三篇」，與今日所見《小戴禮記》中《樂記》屬同一系統，只不過篇數多寡有異。「《王禹記》二十四篇」今已亡佚，亦名「樂記」，但與「二十三篇」系統絕不相蒙。餘下四家，書名皆冠以「雅」字，別有深意。張舜徽先生於「《雅歌詩》四篇」下按曰：

> 劉向《別錄》、劉歆《七略》。均言「漢興以來，善雅歌者，魯人虞公，發聲清哀，遠動梁塵」（見諸家輯本）。可知擅長雅樂，實有其人。云雅歌者，蓋以別於鄭、衛之音耳。[13]

又於「《雅琴趙氏》七篇」等三書下按曰：「此三家之書皆以『雅琴』為名者，蓋亦以別於流俗之琴聲也。」[14]

張舜徽先生的這一闡釋深得班氏三昧，《漢志·樂類》小序云：

> 《易》曰：「先王作樂崇德，殷薦之上帝，以享祖考。」故自黃帝下至三代，樂各有名。孔子曰：「安上治民，莫善於禮；移風易俗，莫善於樂。」二者相與並行。周衰俱壞，樂尤微眇，

---

13 張舜徽：《漢書藝文志通釋》，前揭，頁218。
14 張舜徽：《漢書藝文志通釋》，前揭，頁219。

以音律為節。又為鄭、衛所亂，故無遺法。漢興，制氏以雅樂聲律，世在樂官。

可見，在班氏眼中，「雅樂」與「鄭衛之音」的區別十分明顯，這也正是《漢志》於「樂類」獨載「雅樂」，而非凡「樂」皆收的原因所在。而班氏之所以將「雅樂」與「鄭衛之音」判然分別，則緣於他對孔子所云「安上治民，莫善於禮；移風易俗，莫善於樂」觀念的推崇。孔子在這裏道出的是實際是「禮樂」與「政治」的密切關係，用《禮記・樂記》的話說，便是：「治世之音安以樂，其政和；亂世之音怨以怒，其政乖；亡國之音哀以思，其民困。聲音之道，與政通矣。」顯然，班固在部次相當於後世「經部」的〈六藝略〉之「樂類」圖書時，去取嚴格，立意高遠，大不同於後世目錄書多將凡是與「音樂」乃至「樂器」相關書籍一併收錄的叢雜標準[15]。

　　按照班固的這一學術理念，淮南、劉向等「止頌琴而無與於樂」的〈琴頌〉七篇，理所當然不會被納入〈六藝略・樂類〉，而只能據其內容性質放入更為恰當的〈詩賦略〉中。

三

　　屬於《七略》本有而《漢志》調其位次的書籍，值得推原的還有《司馬法》和《蹴鞠》二書。由前表可知，《司馬法》乃由〈兵書略・兵權謀〉出而入〈六藝略・禮類〉，《蹴鞠》乃由〈諸子略・雜家〉出而入〈兵書略・兵技巧〉。這兩部書的出入調整，一定程度上

15　比如《隋書・經籍志》「樂類」收錄《琴操》、《琴譜》、《琴說》、《鐘磬志》、《黃鐘律》諸書；又如《宋史・藝文志》「樂類」收錄《彈琴手勢譜》、《彈琴右手法》、《金風樂弄》、《九弦琴譜》諸書。

反映出班固的子學觀，也有助於我們理解先秦兵家與諸子的關係。

　　《司馬法》，又稱《司馬兵法》、《司馬穰苴兵法》等，是古代著名的兵書。劉歆當年編撰《七略》時，將其置於〈兵書略〉中，班固覺其不妥，遂調至〈禮類〉，並且於書名上增添「軍禮」二字，《司馬法》也就從「兵書」變成了「經書」。我們不禁要問：班固為什麼要做如此調整？他的學術根據是什麼？讓我們來看班氏在〈兵書略〉小序中是怎樣說的：

> 兵家者，蓋出古司馬之職，王官之武備也。〈洪範〉八政，八曰師。孔子曰，為國者「足食足兵」，「以不教民戰，是謂棄之」，明兵之重也。《易》曰：「古者弦木為弧，剡木為矢，弧矢之利，以威天下。」其用上矣。後世燿金為刃，割革為甲，器械甚備。下及湯、武受命，以師克亂而濟百姓，動之以仁義，行之以禮讓，《司馬法》是其遺事也。自春秋至於戰國，出奇設伏、變詐之兵並作。漢興，張良、韓信序次兵法，凡百八十二家，刪取要用，定著三十五家。諸呂用事而盜取之。武帝時，軍政楊僕捃摭遺逸，紀奏《兵錄》，猶未能備。至於孝成，命任宏論次兵書為四種。

顯然，班固這裏所謂「《司馬法》是其遺事也」，乃是順承「動之以仁義，行之以禮讓」而言。由此不難推知，班氏看重的是《司馬法》一書的「軍禮」性質[16]。而這一性質，與〈兵書略〉所保留的多

16　據李桂生先生考證，《司馬法》一書在流傳過程中形成了內容有差異的本子，「《漢志》把《司馬法》歸入禮部，主要是班固從《司馬法》的軍禮性質著眼的。因為未散佚的《司馬法》不是與今本《司馬法》一樣，它的主要內容就是古代的軍禮、軍制，而今本《司馬法》多保留政略、戰略、戰術的文字」。見氏著：《諸子文化與先秦兵家》第三章（長沙市：岳麓書社，2009年），頁161～162。

講作戰方法與技巧的眾多書籍，迥乎不類，所以班氏才將其「出」而「入」於「禮類」。四庫館臣所云：

> 獨以此書入《禮》類，豈非以其說多與《周官》相出入，為古來「五禮」之一歟？胡應麟《筆叢》惜其以穰苴所言參伍於仁義禮樂之中，不免懸疣附贅。然要其大旨，終為近正，與一切權謀術數迥然別矣。[17]

說的正是這個道理。

　　與之可為互證的是《蹴鞠》一書的調整。顏師古在〈兵技巧〉「《蹴鞠》二十五篇」下注云：「鞠以韋為之，實以物，蹴蹋之以為戲也。蹴鞠，陳力之事，故附於兵法焉。」[18]顏氏所言不差，班氏的確應該即以《蹴鞠》乃「習戰練兵之一端」[19]，屬於「習手足，便器械，積機關，以立攻守之勝」[20]一類，遂從〈諸子略〉中出之而入〈兵技巧〉。

　　經過班固這樣一番「出入」調整，《漢志》一種新的圖書著錄格局便悄然出現了：〈兵書略〉所收之書，皆與「出奇設伏、變詐之兵」直接相關，書籍內容皆在作戰方法技巧這一「技藝」層面。《蹴鞠》調入，名副其實；《司馬法》調出，「兵書」一略書籍性質更加純正，「兵書」作為《漢志》當中的一個類別更有了單獨立類的理由。而這，自然又引起了一個與之密切相關的學術話題，那就是：先秦時期，兵家與諸子到底是一種什麼關係？兵家本屬諸子之一家？還是獨立於諸子之外？這要從《漢志・諸子略》小序入手進行分析，班

---

17 《四庫總目・子部・兵家類》小序。
18 《漢書》卷三十，前揭，頁1762。
19 張舜徽：《漢書藝文志通釋》，前揭，頁388。
20 《漢書藝文志・兵書略・兵技巧》小序。

氏云：

> 諸子十家，其可觀者九家而已。皆起於王道既微，諸侯力政，
> 時君世主，好惡殊方是以九家之術，蜂出並作，各引一端，崇
> 其所善，以此馳說，取合諸侯。其言雖殊，辟猶水火，相滅亦
> 相生也。仁之與義，敬之與和，相反而皆相成也。《易》曰：
> 「天下同歸而殊途，一致而百慮。」今異家者各推所長，窮知究
> 慮，以明其指。雖有蔽短，合其要歸，亦六》之支與流裔。

這中間，「雖有蔽短，合其要歸，亦六經之支與流裔」的理解最為關
鍵。在班固看來，諸子之「九流十家」，絕非可以隨意增損。凡納
入《諸子略》者，必須符合一個標準，那就是當為「六經之支與流
裔」。關於這點，姚明輝曾有分析：

> 九家雖殊途而同歸於六經，雖百慮而一致於六經，故其會歸皆
> 合於六經。儒無論已。道合於堯之克攘、《易》之嗛嗛，是六
> 經之支與流裔也。陰陽出於羲和。法，同《易·噬嗑》之象
> 辭。名，孔子亦欲正名，是皆六經之支與流裔也。墨之六長，
> 悉本於六經。孔子歎使乎使乎，為縱橫家所長。雜，能一貫王
> 治。農，知所重民食。又皆六經之支與流裔之證也。[21]

可是，《漢志》中諸「兵書」是否「殊途而同歸於六經」呢？是否
「百慮而一致於六經」呢？是否屬於「六經之支與流裔」呢？按照班
固在〈兵書略〉小序中的說法，「兵書」多與「出奇設伏、變詐之
兵」相關，多講作戰技巧方法，顯然與「六經之支與流裔」相去甚
遠。也正緣於此，班固才將與六經關聯密切的《司馬法》從〈兵書

---

[21] 轉引自施之勉：《漢書集釋·志十》，前揭，頁4488～4499。

略〉中調出而置於〈六藝略〉，才將與六經不相倫類的《蹴鞠》從
〈諸子略〉中調出而置於〈兵書略〉。這一出一入充分表明，在班固
的學術理念裏，「兵家」與「諸子」絕非一類。班固有自己明確的
「子學觀」，「兵家」於「諸子」之外之單獨立類，絕非僅僅因為此一
部類起初乃由專人負責整理[22]，更重要的是二者在書籍性質上相去甚
遠。

　　至於後世目錄書多將「兵書」等歸入「子部」，那是學術發展的
自然結果，不代表班固當時的學術理念。班固在《漢志》中所反映
的，恰恰是先秦兩漢時期中國學術面貌的實際情狀。

四

　　梁啟超在〈漢書藝文志諸子略考釋〉一文中稱：

> 分諸子為九家十家，不過目錄學一種便利。後之學者，推挹太
> 過，或以為中壘洞悉學術淵源，其所分類，悉含妙諦而衷於倫
> 脊，此目論也。反動者又或譏其鹵莽滅裂，全不識流別，則又
> 未免太苛……故讀《漢志》者但以中國最古之圖書館目錄視
> 之，信之不太過，而責之不太嚴，庶能得其真價值也。[23]

誠然，對待任何事物皆不可「信之太過」或「責之太嚴」，但終究要
首先探究出某種現象背後的所以然。而且，從《漢志》之「出、入、

22　《漢書藝文志‧總序》云：「至成帝時，以書頗散亡，使謁者陳農求遺書於天下。
　　詔光祿大夫劉向校經傳、諸子、詩賦，步兵校尉任宏校兵書，太史令尹咸校數術，
　　侍醫李柱國校方技。」
23　梁啟超：《飲冰室合集》《飲冰室專集之八十四》（北京市：中華書局，1988年）第
　　七冊，頁3。

省」而推原班固之學術觀，已不僅是「目錄學」範圍內的事情了。

讀《四庫總目》小箚

　　筆者近年來究心四書學和中國學術史研究，於《四庫全書總目》（中華書局，1965 年）「四書類」和「史部傳記類」多有翻檢，並隨手作箚記若干。今錄數則，以求教於方家。諸書之排列，以在《四庫總目》中之先後為序。

一　「四書類」小箚

（一）《論語集說》十卷，（宋）蔡節撰

「其餘則皆詮釋簡明，詞約理該，終非胡文炳等所可及焉。」

　　案：「胡文炳」，誤，當為「胡炳文」。炳文字仲虎，號雲峰，徽州婺源人，作《四書通》。程敏政《新安文獻志》稱其為「篤志朱子之學者也」。《元史·儒林傳》附載胡一桂傳後，稱其「以《易》名家，作《易本義通釋》，而於朱熹所著《四書》，用力尤深。餘干饒魯之學，本出於朱熹，而其為說，多與熹牴牾，炳文深正其非，作《四書通》。凡辭異而理同者，合而一之；辭同而指異者，析而辨之，往往發其未盡之蘊」。四庫館臣則不以為然，稱其為「拘墟迴護，知有注而不知有經者」（《四庫總目》金履祥《論孟集注考證》提要）、「堅持門戶者」（《四庫總目》景星《大學中庸集說啟蒙》提要）。

（二）《論孟集注考證》十七卷，（宋）金履祥撰

1.「其書於朱子未定之說，但折衷歸一；於事跡典故，考訂尤多。」

案：文淵閣《四庫全書》書前所附提要[1]作「辨訂」，紀昀總成《四庫總目》時改為「考訂」，蓋「辨訂」不若「考訂」更合書意。

2.「其中如辨《論語注》『公孫枝』云：『案《左傳》，當作『公叔發』，《集注》或傳寫之誤。』……皆為確典。」

案：清人錢大昕《十駕齋養新錄》卷三「公孫拔」條云：「公叔文子，朱注作『公孫枝』，王伯厚以為傳寫之誤。予嘗見倪士毅《四書輯釋》，載朱文公《論語注》：『公叔文子，衛大夫公孫拔也。』又引吳氏程曰：『拔，皮八反，俗本作「枝」，誤，即公叔發』，乃知今世所行《集注》本，非考亭之舊。王厚齋所見，亦是誤本。明人修《大全》，多襲用倪氏《輯釋》之文，獨此條轉取流俗本以改倪氏，可謂不學之甚也。」又，文淵閣本「公叔發」作「公孫發」，更誤，《左傳》無「公孫發」其人。

（三）《四書辨疑》十五卷，（元）陳天祥撰

「其曰偃師者，《元史》稱天祥因兄祐仕河南，自寧晉家洛陽，嘗居偃師南山故也。」

案：文淵閣本「祐」作「祜」。《元史》有〈陳祜傳〉，云：「陳祜，一名天祐，字慶甫，趙州寧晉人，世業農。」《元史》中華書局

---

[1] 以下簡稱「文淵閣本」。每書前所附提要，不同於所有提要結集別行的《四庫全書總目提要》。

標點本（1976年版）改「祐」作「祐」，《校勘記》云：「據《秋澗集》卷五三〈陳祐去思碑銘〉、卷五四〈陳祐神道碑〉、〈張文忠集〉卷一八〈陳天祥神道碑銘〉改。下同。按本書卷一〇〈世祖紀〉至元十六年六月壬午條、卷一六二《高興傳》作『陳祐』。」

（四）《四書經疑貫通》八卷，（元）王充耘撰

1.「其書以《四書》同異參互比較，各設問答以明之。蓋延祐科舉『經義』之外有『經疑』，此與袁俊翁書皆程試之式也。」

案：文淵閣本「袁俊翁」作「袁復翁」，蓋四庫館臣謄抄之誤也。袁俊翁，字敏齋，袁州人，著有《四書疑節》十二卷。

2.「明洪武三年初行科舉，……至十七年改定格式，而經疑之法遂廢。」

案：文淵閣本「十七年」作「五十七年」，誤。明太祖朱元璋在位僅三十一年，洪武十七年為公元一三八四年。《明史紀事本末・科舉開設》載：「洪武十七年（甲子，1384）三月戊戌朔，命禮部頒行科舉成式。凡三年大比，子、午、卯、酉年鄉試，辰、戌、丑、未年會試。場期經義與前詔同。其考試官、同考試官，官出金幣，先期敦聘。監試、彌封、對讀、受卷，皆擇居官清慎者充之。試卷正草各用紙十二幅。試日黎明，舉人入場，每人用軍一人守之。至晚給燭三枝。文字迴避御名廟諱，及不許自敘門地。彌封編號作三合字。謄錄官用朱，考試官用墨。」

（五）《四書纂箋》二十八卷，（元）詹道傳撰

「是書略仿古經箋疏之體，取朱子《四書章句集注》、《或問》，正其

音讀，考其名物度數，各注於本句之下，亦間釋朱子所引之成語。」

　　案：文淵閣本作「是書略仿陸德明《經典釋文》之例」，誤。唐陸德明撰《經典釋文》三十卷，詳考漢魏六朝以來諸家關於眾多經典之讀音詁訓及文字異同，所謂經典，包括《易》、《書》、《詩》、《三禮》、《三傳》、《孝經》、《論語》、《老》、《莊》、《爾雅》十四家。全書之體例，以字、詞為單位列出，《四書纂箋》則以句或段為單位，與《經典釋文》相去甚遠。

（六）《大學中庸集說啟蒙》二卷，（元）景星撰

「據卷末宣德九年錢時跋，稱得禮部侍郎蔣驥寫本。驥跋題庚辰歲，當為建文元年。驥為景之門人，則星元末人也。」

　　案：「錢時」，誤，當為「夏時」。《四庫全書》本《大學中庸集說啟蒙》一書，《大學集說啟蒙》前有景星〈學庸集說啟蒙序〉，《中庸集說啟蒙》卷下前有蔣驥〈跋〉和夏時〈跋〉。蔣、夏二人皆錢塘人，夏時跋語落款為「宣德九年春正月望日錢唐後學夏時謹跋」。夏時，字以正，明成祖永樂十六年（1418）進士，授戶科給事中。《明史》有傳。錢時，字子是，南宋淳安人。學宗楊簡，著有《周易釋傳》、《尚書演義》、《融堂四書管見》[2]等書。景星為元末人，宋人錢時必不可能為其書作跋。《總目》稱「錢時」而不稱「夏時」，蓋四庫館臣誤以「錢唐」之「錢」為姓也。

2　此「四書」指《論語》、《孝經》、《大學》、《中庸》，非彼「四書」《論語》、《孟子》、《大學》、《中庸》也。《中國叢書綜錄》及劉琳、沈治宏《現存宋人著述總錄》皆將此書誤視為「四書類」著作，蓋僅就其書名，而未睹其內容。

二 「史部傳記類」小箚

（一）《伊洛淵源錄》十四卷，（宋）朱熹撰

「儒以詩禮發塚，非詩禮之罪也。」

　　案：文淵閣本「發塚」作「發蒙」，蓋四庫館臣謄抄之誤也。「發塚」為一成語，意為發掘墳墓，語出《莊子・外物》：「儒以詩禮發塚，大儒臚傳曰：『東方作矣，事之若何？』小儒曰：『未解裙襦，口中有珠。』」

（二）《元儒考略》四卷，（明）馮從吾撰

「宋儒好附門牆，於淵源最悉；明儒喜爭同異，於宋派尤詳。語錄、學案，動輒災梨，不啻汗牛充棟。惟元儒篤實，不甚近名，故講學之書，傳世者絕少，亦無匯合諸家，勒為一帙，以著相傳之繫者。」

　　案：文淵閣本「宋派」作「宗派」，當以「宗派」為是。

（三）《儒林宗派》十六卷，（清）萬斯同撰

1.「凡漢後唐前傳經之儒，一一具列。」

　　案：文淵閣本「唐前」作「書前」，誤，蓋因「唐」、「書」二字形似所致。

2.「唐啖助之學傳之趙匡、陸淳，宋孫復之學傳於石介，皆卓然自立一家。」

案：文淵閣本「陸淳」作「陸質」，二者其實一人。陸淳（？～805），字伯沖，吳郡（今江蘇蘇州）人。著《春秋集傳纂例》十卷、《春秋微旨》三卷、《春秋集傳辨疑》十卷，闡發啖助春秋之學。唐順宗時，為避皇太子名諱，改「淳」為「質」。

（四）《閩中理學淵源考》九十二卷，（清）李清馥撰

1.「是編本曰《閩中師友淵源考》，故〈序文〉、〈凡例〉尚稱舊名。此本題《理學淵源考》，蓋後來所改。〈序〉作於草創之時，成編以後，復有增入也。」

案：該書於乾隆六年（1741）屬筆，歷八年至乾隆十四年（1749）完成初稿。書名本題《閩中師友淵源考》，改現名時間不可考。清人戴震曾為本書作序，亦稱《閩中師友淵源考》，云：「蓋閩中之學，自三君子為之倡，數傳而得朱子，浸以益大，門人交友，翕然至盛，此《閩中師友淵源考》所為有作也。」

又，文淵閣本：「〈序〉稱乾隆己巳，而每篇小序所題年月多在己巳之後，蓋〈序〉作於草創之時，成編以後復有所增入也。」誠然，如卷十小序所作時間為「乾隆庚午（1750）九月十四日」，卷十五小序所作時間為「乾隆壬申（1752）三月上巳日」，皆晚於乾隆己巳（1749）。

2.「其例於敗名隳節、貽玷門牆者，則削除不載；間有純駁互見者，則棄短錄長，如〈廖剛傳〉中刪其初附和議一事，〈胡寅傳〉中但敘不持生母服，為右正言章廈所劾，而不詳載其由，是則門戶之見猶未盡融，白璧微瑕，分別觀之可也。」

案：文淵閣本「胡寅」作「胡宏」，誤。胡宏、胡寅二人也，皆

宋代福建崇安人，為堂兄弟。宏字仁仲，胡安國之子，幼師楊時、侯仲良，傳其父學，著《知言》、《皇王大紀》等，學者稱五峰先生。寅字明仲，胡安國弟胡淳之子，受學於楊時，著《讀史管見》、《斐然集》等，學者稱致堂先生。「不持生母服，為右正言章廈所劾」為胡寅事，非屬胡宏。

又，文淵閣本：「清馥父鐘倫早夭，清馥幼侍其祖光地，多聞緒論，故作是編一稟家訓，尚有典型，雖意崇桑梓，而無講學家門戶異同之見云。」紀昀等總成《四庫總目》時改為「門戶之見猶未盡融」，蓋學術識見不同也。

（五）《道命錄》十卷，（宋）李心傳編

「《宋史》心傳《本傳》作五卷，此本十卷，與本傳不合。考卷首元至順癸酉新安程榮秀〈序〉，稱『宋秀巖先生李公《道命錄》五卷，刻梓在江州，毀於兵。榮秀嘗得而讀之，疑其為初稿，尚欲刪定而未成者。齋居之暇，僭因原本，略加釐定，匯次為十卷如左』云云。然則此為榮秀所編，非心傳之舊稿矣。」

案：李心傳〈道命錄序〉云：「嘉定十有七年月正元日，皇帝御大慶殿，朝百官，詔尚書都省曰：『朕惟伊川先生紹明道學，為宋儒宗。雖屢被褒榮，而世祿弗及，未稱崇獎儒先之意。可訪求其後，特與錄用。』德音傳播，天下誦之，蓋自伊川之被薦而入經筵，逮今百四十年矣……今參取百四十年之間道學廢興之故，萃為一書，謂之《道命錄》。」十卷本卷一錄宋元豐八年（1085）所上《司馬溫公薦伊川先生箚子》，即「伊川之被薦而入經筵」之時，而卷末止於元至正二十二年（1362）晦庵朱子改封齊國公，跨越近三百年，不合〈序〉意，且此時距心傳去世（1243）已逾百年，必不可能為心傳所作，而

當為榮秀所增。

（六）《伊洛淵源續錄》六卷，（明）謝鐸撰

「是書所錄，凡二十一人。」

　　案：《四庫全書存目叢書》收錄此書，所據版本為首都圖書館藏明嘉靖八年高賁亨刻《伊洛淵源錄》附。該本全書所錄二十二人，卷一羅從彥，卷二李侗，卷三朱熹，卷四張栻、呂祖謙，卷五蔡元定（附子蔡沉）、黃榦、李燔、張洽、陳淳、李方子、黃灝、廖德明、葉味道、石子重、輔廣、杜燁、杜知仁、趙師淵，卷六真德秀、何基、王柏。若計蔡沉，則為二十三人。

（七）《台學源流》七卷，（明）金賁亨撰

「賁亨字汝白，臨海人。初冒高姓，正德甲戌進士，題名碑之高賁亨，即其人也。」

　　案：文淵閣《四庫全書》前列《欽定四庫全書總目》：「初冒高姓，宏治甲戌進士，題名碑之高賁彥，即其人也。」「宏治」為誤，「正德」為是。「弘治」為明孝宗朱祐樘年號，正德為明武宗朱厚照年號。朱祐樘在位十八年，其間無甲戌之年，朱厚照在位十六年，甲戌為正德九年，即西元一五一四年。又，據朱保炯、謝沛霖編《明清進士題名碑錄索引》（上海市：上海古籍出版社，1980年），當作「高賁亨」，「高賁彥」為誤。

（八）《毗陵正學編》一卷，（明）毛憲撰

「是編所載凡十二人，首楊時，次鄒浩、周孚先、周恭先、唐彥思、

鄒柄、喻樗、胡珵、尤袤、李祥、蔣重祥、謝應芳。」

案：「蔣重祥」，誤，當為「蔣重珍」。蔣重珍，字良貴，江蘇無錫人。嘉定十六年（1223）進士第一，簽判建康軍，官至刑部侍郎。諡忠文。《宋史》有傳。《四庫存目叢書》收錄是編，所據版本為山東大學圖書館藏明嘉靖四十一年刻《古庵毛先生文集》附，正文即作「蔣重珍」。

（九）《閩學源流》十六卷，（明）楊應詔撰

「是書歷載楊時以後諸儒，終於蔡清。各志其言行，詳其傳授，凡百九十五人。」

案：《四庫存目叢書》收錄楊應詔撰《閩南道學源流》十六卷，所據版本為北京圖書館藏明嘉靖四十三年建安楊氏華陽書院刻本。該本〈序〉、〈凡例〉及各卷卷首稱閩南道學源流」，而版心題作「閩學源流」。該本所載諸儒亦起於楊時，終於蔡清，凡一百九十五人，《閩南道學源流》與《閩學源流》當為一書。

（十）《道南源委錄》十二卷，（明）朱衡撰

「此書乃其視學閩中時，錄道南源委以示諸生。托始於楊時，附以游酢、王蘋，凡閩士之治波而起者則載焉。明代惟錄陳真晟、周瑛、黃仲昭、蔡清四人，蓋時代既近，其餘尚未論定云。」

案：清初儀封學者張伯行因念原書「版久湮沒」，據《道南源委錄》舊本重加考訂，「涉於異端者去之，昔所未備者補之」，而成《道南源委》六卷。重訂的原則，「名固仍舊，義亦有合」。舊本托始於楊時，重訂本則以二程夫子冠於首，其意在於「南學出於二程，不忘所自也」。舊本於明代惟錄陳、周、黃、蔡四人，重訂本則增補明

代朱學學者八十一人。

（十一）《聖學知統錄》二卷，（清）魏裔介撰

「是錄凡載伏羲、神農……二十六人，博徵經史，各為紀傳，復引諸儒之說附於各條之下，而衷以己說。其自序謂『見知聞知之統』，具載於此。」

案：《四庫存目叢書》收錄此書，所據版本為復旦大學圖書館藏清康熙龍江書院刻本，該本撰者〈自序〉稱：「《聖學知統錄》者，述見知聞知之統也。自孟軻氏既沒，聖學晦蝕。火於秦，雜霸於漢，佛老於六朝，詩賦於唐，至宋乃有濂溪、程、朱繼起，伊洛淵源粲然可觀。其後為虛無幻妄之說，家天竺而人柱下，知統遂不可問矣。余因子輿氏之意而發明之，由堯舜而前，始自伏羲，以明知學之本於天；由孔子而後，終於許、薛，以明知學之不絕於人。」

（十二）《聖學知統翼錄》二卷，（清）魏裔介撰

「其去取之故，亦莫得而詳焉。」

案：去取之故，非莫得而詳，撰者在〈序〉中實有交代：置伯夷、柳下惠於卷首，乃因二人「雖道遜孔子，亦亞聖之儔」；而自董仲舒至高攀龍，「或材力有厚薄，學問有淺深，時命有隆替，師友有淵源，德業不同，要皆篤志進修，挺然自立，不惑異端，潛心希古，豈非所謂豪傑之士雖無文王猶興者耶？使得聖人而為之師，其所造詣又寧止於是而已乎？以之羽翼聖道，鼓吹六經，亦猶淮泗之歸於江海、龜蒙之儕於岱宗也。余因捃摭遺傳，詳為論述，俾後世學者知所景行焉」。

（十三）《中州道學編》二卷，（清）耿介輯

「是編專載中州道學，自宋二程子至國朝陳愹等五十七人。」

案：《四庫存目叢書》收錄此書，所據版本為中國科學院圖書館藏清康熙三十年嵩陽書院刻補修本。該本卷一載宋儒十六、元儒六，卷二載明儒三十、清儒七，全書實載中州學人五十九。

（十四）《洛閩源流錄》十九卷，（清）張夏撰

「十八、十九二卷謂之『補編』，所列僅儒林五十八人，並『羽翼』之名亦不予之矣。」

案：清人黃聲諧為本書作〈序〉，稱撰者「網羅一代，研討十年，著《洛閩源流錄》十七卷」，兩卷之差，或為黃氏作序時尚無「補編」二卷。

（十五）《學統》五十六卷，（清）熊賜履撰

「是書以孔子、顏子、曾子、子思、孟子、周子、二程子、朱子九人為正統，以閔子以下至明羅欽順二十三人為翼統，以冉伯牛以下至明高攀龍一百七十八人為附統，以荀卿以下至王守仁七人為雜統，以老、莊、楊、墨、告子及二氏之流為異統。」

案：《叢書集成初編》收錄是書，所採為《湖北叢書》本，凡五十三卷，前有熊賜履〈學統序〉，後有施璜〈後序〉、李贊元〈後序〉及劉然〈跋〉。《湖北叢書》本稱「雜統」為「雜學」、「異統」為「異學」，且「雜學」僅含荀卿、揚雄二人。清經義齋刻本卷數與《四庫》本合。

（十六）《道學淵源錄》一卷，（清）王植撰

案：漢陽黃嗣東（1846～1910）曾作《道學淵源錄》一百卷，成書於光緒三十四年（1908）。嗣東〈自序〉稱，其書之作乃本於光緒十四年（1888）所見其師善化楊文貞手抄同里李文炤所輯之《道學淵源全錄》。王植為嘉慶進士，所作《道學淵源錄》早嗣東之書約百年。

張舜徽先生《四庫提要》批評條辨
—— 《四庫提要敘講疏》讀劄

提要

　　《四庫提要敘講疏》是張舜徽先生早年在大學教授「國學概論」一課時的教本，其中有多處對〈四庫提要敘〉提出了批評：或是史實有誤，或是部次不當，或是觀點偏頗。這些文字，既可以作為研究張先生「清代學術觀」的重要材料，又可以作為認識張先生「文獻學理論」的有益補充。今將張先生之批評文字專門提出，計三十五條，各冠以標題，並加案語，贊同者申之，異議者商之。諸條排列，以在《四庫提要敘》中之先後為序。

　　《四庫提要敘講疏》（以下簡稱《講疏》）是張舜徽先生早年在大學任教時的講義，成稿於一九四七年八月（時執教於蘭州大學）。初收錄於《舊學輯存》（齊魯書社，1988年初版，華中師範大學出版社，2008年再版），二〇〇二年，臺灣學生書局出版單行本，二〇〇五年，雲南人民出版社重又單行出版，且列為「二十世紀學術要籍重刊」之一種。

　　張先生在《講疏・自序》中對是書之撰著緣起、撰著體例等有所交代，云：

> 往余為大學文科講授「國學概論」，即取《四庫全書總目提要敘》四十八篇為教本。昔張之洞《輶軒語》教學者曰：「將《四庫全書總目提要》讀一遍，即略知學問門徑矣。」余則以為

此四十八篇者，又門徑中之門徑也。苟能熟習而詳繹之，則於
群經傳注之流別，諸史體例之異同，子集之支分流衍，釋道之
演變原委，悉瞭然於心，於是博治載籍，自不迷於趣向矣。因
與及門講論而疏通證明之。首取《提要》本書以相申發，次采
史傳及前人舊說藉資說明，末乃附以愚慮所及而討論之。當時
諸生各有所記，詳略不同。迨講畢，始自錄所言，述為《講
疏》。哀然成帙，不忍棄捐，亦聊以存吾一時心力之所聚云爾。

張先生幼承庭訓，十分重視《輶軒語》、《書目答問》等目錄書[1]，又
從其姑夫、目錄學家余嘉錫先生遊，服膺其《四庫提要辨證》稿[2]。余
先生曾有「目錄者，學術之史也」[3]的著名論斷，張先生稱〈四庫提要
敍〉（以下簡稱〈提要敍〉）為「門徑中之門徑」，「博治載籍，自不
迷於趣向」，一語中的，可謂一脈而相承[4]。

　　《講疏》之體例，首錄〈提要敍〉原文，其下分節作出疏釋。疏
釋內容包含三個層次：「首取《提要》本書以相申發」，「次采史傳及
前人舊說藉資說明」，「末乃附以愚慮所及而討論之」。由此說來，
張先生的工作實已不僅限於〈提要敍〉，而是擴展到整個《四庫提
要》。疏釋所涉，既包括疑難字詞、典章名物、論說典出，又包括觀

---

[1]　參張舜徽：《自傳》，《張舜徽學術論著選》（武漢市：華中師範大學出版社，1997
　　年），頁641。

[2]　參張舜徽：〈誠摯的仰慕，深切的懷念：紀念余嘉錫先生誕生一百周年〉，載《訒
　　庵學術講論集》（武漢市：華中師範大學出版社，2008年），頁357。

[3]　余嘉錫：〈目錄學發微〉《余嘉錫說文獻學》（上海市：上海古籍出版社，2001
　　年），卷二，頁30。

[4]　據周祖謨：《目錄學發微·前言》，余嘉錫《目錄學發微》一稿，「作者於一九三
　　零年至一九四八年間在北京各大學講授目錄學時，即以此印為講義教授諸生」。其
　　時，張先生正「被四姑夫余嘉錫招往北京，住於其家」（張君和：〈張舜徽先生小
　　傳〉《張舜徽學術論著選》，前揭，頁645）。

念申發、源流釐析、學術評判等。經過張先生細密的疏解，不僅文意
豁然貫通，而且許多要害關節得以揭櫫，〈提要敘〉亦得以更好地發
揮其作為「別樣之學術史」的重要功用！

當然，〈提要敘〉之所以能夠作為「國學概論」一課的教本，乃
因〈提要敘〉所論遍涉四部，是真正意義上的「國學」；而能夠駕輕
就熟地對〈提要敘〉作出深入準確的疏釋，則非如張先生這樣的學貫
四部之碩學通才，實難勝任。

從內容傾向上講，《講疏》主要目的固然在於疏申〈提要敘〉文
意，但也有多處對〈提要敘〉提出了批評。或是史實有誤，或是部次
不當，或是觀點偏頗，張先生均細緻剖析，破舊立新，體現出湛深的
國學功底。因屬批評清人《四庫提要》，故《講疏》文字既可以作為
研究張先生「清代學術觀」的重要材料，又可以作為認識張先生「文
獻學理論」的一個有益補充。

晚學近年承乏中山大學哲學系講席，為研究生開設「古典語文」
課程，即以張先生之《講疏》為教本，並隨手作批注若干。今特將張
先生批評〈提要敘〉之文字（據雲南人民出版社本）專門提出，總計
三十五條，各冠以標題，並加案語，贊同者申之，異議者商之，以就
教於諸賢。諸條排列，以在〈提要敘〉中之先後為序。

一　經部

（一）主張消融門戶而難脫門戶之見

〈經部總敘〉：「消融門戶之見，而各取所長，則私心祛而公理
出，公理出而經義明矣。蓋經者非他，即天下之公理而已。」

　　《講疏》：「此論是矣。然通觀《提要》全書，於評定學術高下、審斷著述精粗之際，仍多揚漢抑宋之辭。蓋習尚移人，賢者不免。讀是書者，宜知其論列古今，自不無偏祖之見也。良以紀昀學術根柢，仍在考證。江氏《漢學師承記》，取與江永、金榜、戴震諸家並列，以其治學趨向同耳。其撰述《提要》有所軒輊，不足怪也。」

　　今案：《講疏》所言極是，《提要》倡言「消融門戶之見，而各取所長」，殊為可貴。然因清代考據學大背景所限，評判學術時仍不免有「揚漢抑宋之辭」。如〈春秋類敘〉批判宋人孫復、劉敞之云「孫復、劉敞之流，名為棄《傳》從《經》，所棄者特《左氏》事跡，《公羊》、《穀梁》月日例耳。……夫刪除事跡，何由知其是非？無案而斷，是《春秋》為射覆矣。……沿波不返，此類宏多。雖舊說流傳，不能盡廢，要以切實有徵、平易近理者為本。其瑕瑜互見者，則別白而存之。遊談臆說，以私意亂聖經者，則僅存其目。」很明顯，在古文今文中，《提要》推崇「切實有徵、平易近理」的《左氏》學；在漢學宋學中，《提要》貶抑「無案而斷、遊談臆說」的宋明學。

（二）《孝經》作者不可質言為孔子

　　〈孝經類敘〉：「今觀其文，去二戴所錄為近，要為七十子徒之遺書。使河間獻王採入一百三十一篇中，則亦《禮記》之一篇，與〈儒行〉、〈緇衣〉轉從其類。惟其各出別行，稱孔子所作，傳錄者又分章標目，自名一經。後儒遂以不類〈繫辭〉、《論語》繩之，亦有由矣。」

　　《講疏》：「〈四庫總目敘〉謂其體與二戴所錄為近，則亦《禮記》之一篇，是矣。徒以文辭短簡，旨意淺明，故古人使之單篇別行，以教讀書不多之人，如後漢令期門羽林之士通《孝經》單句是也。尊其

書者，謂為孔子所作，意固有在，殆未可以質言也。」

　　今案：「質言」，義為「直言」，即以「孔子作《孝經》」為定論，然關於《孝經》作者，歷代聚訟甚多。據胡平生先生考察，《孝經》作者主要有八種說法：「孔子說」、「曾子說」、「曾子門人說」、「子思說」、「孔子門人說」、「齊魯間儒者說」、「孟子門人說」、「漢儒說」[5]，故《講疏》批判〈提要敘〉之說「意固有在，殆未可以質言也」。

（三）「五經總義類」立名之失

　　〈五經總義類敘〉：「朱彝尊作《經義考》，別目曰『群經』。蓋覺其未安，而採劉勰《正緯》之語以改之，又不見為訓詁之文。徐乾學刻《九經解》，顧湄兼採總集經解之義，名曰『總經解』，何焯復斥其不通，蓋正名若是之難也。考《隋志》於統說諸經者，雖不別為部分，然《論語》類末稱《孔叢》、《家語》、《爾雅》諸書，並五經總義附於此篇，則固稱『五經總義』矣。今准以立名，庶猶近古，《論語》、《孝經》、《孟子》雖自為書，實均五經之流別，亦足以統該之矣。其校正文字及傳經諸圖，並約略附焉，從其類也。」

　　《講疏》：「徐時棟《煙嶼樓讀書志》卷十一曰：『古人總解群經之書，寥寥數部，不能創立專門，故或置《孝經》中，或附《論語》後。至乎後來著作既夥，自不能不別立一類。而此類中所載各書，往往論解多經，斷「非五經」二字可該。即由諸書命名觀之，如劉敞《七經小傳》、毛居正《六經正誤》、岳珂《刊正九經三傳沿革例》、錢時《融堂四書管見》、何異孫《十一經問對》之屬，各自明標數目，此豈能以「五經」二字統之者乎？若謂《孝經》、《論》、《孟》

5　胡平生：〈《孝經》是怎樣的一本書〉，《孝經譯注》（北京市：中華書局，1996年）。

均五經之流別，則史家本之《尚書》、《春秋》，子家本之《論語》、《孟子》，集家本之《詩》、《書》二經，儒者著書，苟非二氏，何一書非五經之流別乎？況功令明以《論》、《孟》、《孝經》為專經，三《禮》皆禮，三傳皆《春秋》，尚各謂之經，總「十三經」，又豈可以「五經」二字統該之乎？然則宜立何名？曰：語求其近古，義求其安妥，與其準唐人之《隋書·經籍志》，不妨採梁人之《文心雕龍》而以「群經」為號也，乃《提要》謂其不見為訓詁之文，此語頗可駭怪。夫《提要》經部中如曰易類、書類、詩類，其所錄之書，何一部非訓詁之書？其所名之類，何一類見訓詁之文？而獨於群經必確鑿以訓詁之文為正名乎？」徐氏所言，足以匡《四庫總目》立名之失。況以『群經』二字名其著述者，明人周洪謨有《群經辨疑錄》，清初江永有《群經補義》，又不第自朱彝尊《經義考》始標斯目也。」

今案：《講疏》贊同徐時棟之說，認為《四庫提要》立「五經總義」之名不當，不若立名「群經總義」。然正如〈提要敘〉所「準以立名，庶猶近古」，後世「十三經」乃至「群經」皆由「五經」分化而來，立名「五經總義」實未嘗不可。「統該」二字，理解不可太拘泥。又，徐時棟(1814～1873)，字定宇，又字同叔，號柳泉，浙江鄞縣（今寧波）人。道光二十六年(1846)舉人，官內閣中書。致力地方文獻，校刻宋元《四明六志》，又輯《四明舊志詩文鈔》，有《煙嶼樓文集》四十卷、《煙嶼樓讀書志》十六卷等。「煙嶼樓」之得名，舜徽先生考證云：「以所居在月湖之煙嶼，因以『煙嶼』名其樓。聚書充之，日坐臥其中。上自經訓，旁及子史百家，靡不究覽。」[6]

6　張舜徽：《清人文集別錄》（武漢市：華中師範大學出版社，2004年），卷十八，頁457。

（四）梁武帝所撰為《五經講疏》而非《論語義疏》

〈四書類敘〉：「朱彝尊《經義考》於《四書》之前，仍立《論語》、《孟子》二類；黃虞稷《千頃堂書目》，凡說《大學》、《中庸》者，皆附於禮類。蓋欲以不去餼羊，略存古義。然朱子書行五百載矣，趙岐、何晏以下，古籍存者寥寥；梁武帝《義疏》以下，且散佚並盡。元明以來之所解，皆自《四書》分出者耳。《明史》並入《四書》，蓋循其實。今亦不復強析其名焉。」

《講疏》：「《隋書・經籍志》著錄梁人之為《論語義疏》者，有褚仲都、皇侃、張沖等數家之書。又著錄梁武帝所採《孔子正言》二十卷，而不見有《論語義疏》之作。考《南史》卷七十一《儒林・孔子祛傳》，稱『梁武帝撰《五經講疏》及《孔子正言》，專使子祛檢閱群書以為義證』，可知梁武帝所撰乃《五經講疏》。〈四庫總目敘〉所云：『梁武帝《義疏》以下，且散佚並盡』，蓋下筆之頃，記憶偶誤也。」

今案：《講疏》所言不誤，梁武帝確未曾撰《論語義疏》。又，《梁書・武帝紀下》舉列武帝著述頗詳：「文思欽明，能事畢究，少而篤學，洞達儒玄。雖萬機多務，猶卷不輟手，燃燭側光常至戊夜。造《制旨孝經義》、《周易講疏》及六十四卦、二繫、文言、序卦等《義》、《樂社義》、《毛詩答問》、《春秋答問》、《尚書大義》、《中庸講疏》、《孔子正言》、《老子講疏》，凡二百餘卷，並正先儒之迷，開古聖之旨。」亦未言武帝曾撰《論語義疏》。

（五）謂前代「樂類」圖書著錄「悖理傷教」乃失之過激

〈樂類敘〉：「顧自漢氏以來，兼陳雅俗，豔歌側調，並隸

《雲》、《韶》。於是諸史所登，雖細至箏琶，亦附於經末。循是以往，將小說稗官，未嘗不記言記事，亦附之《書》與《春秋》乎？悖理傷教，於斯為甚。」

《講疏》：「自《漢書‧藝文志‧六藝略》樂類著錄《雅琴趙氏》七篇、《雅琴師氏》八篇、《雅琴龍氏》九十九篇，所記蓋皆三家鼓琴之藝。其後《隋書‧經籍志》乃兼及《琴操》、《琴譜》、《琴經》、《琴說》之類，至為繁夥。旁逮《鐘磬志》、《黃鐘律》之屬，亦著其目。此外名品甚多，不煩悉數。故《隋志‧經部》樂類著錄之書，凡四十二部，一百四十二卷。自是歷代史志，續有增益。《舊唐書‧經籍志》「樂類」，著錄二十九部，凡一百九十五卷；《新唐書‧藝文志》著錄三十八部，二百五十七卷；《宋史‧藝文志》著錄一百十一部，一千七卷；《明史‧藝文志》但錄一代之書，亦有五十四部，四百八十七卷。苟非兼陳雅俗，斷不至繁雜至此，故《四庫總目敘》痛斥之。而必謂為悖理傷教，失之過激矣。」

今案：二家立論角度實有區別，不可混淆：《講疏》謂〈提要敘〉「必謂為悖理傷教，失之過激」，乃從書籍部次角度立論；而〈提要敘〉所言，則從有意辨別樂之雅俗、維護經義角度立論。又，通過〈提要敘〉文字，可以明顯看出清人意在承續《漢志》「樂類」圖書著錄之原則。張先生《漢書藝文志通釋》曾在「雅琴」三書下按曰：「此三家之書皆以雅琴為名者，蓋亦以別於流俗之琴聲也。」[7]所言正是這一原則。

（六）目後起之樂悉「鄭聲」乃違於事物進化之理

〈樂類敘〉：「今區別諸書，惟以辨律呂、明雅樂者仍列於經，其

7　張舜徽：《漢書藝文志通釋》（武漢市：華中師範大學出版社，2004年），頁219。

謳歌末技，弦管繁聲，均退列《雜藝》、《詞曲》兩類中。用以見大樂元音，道侔天地，非鄭聲所得而奸也。」

《講疏》：「《四庫總目》區別諸書，取謳歌末技、弦管繁聲，列入《雜藝》、《詞曲》兩類，是已；而皆目為鄭聲，則非也。大抵事物之興，古簡而今繁，古代樸素而後世華靡。萬類皆然，無足怪者。太古之樂，惟土鼓、蕢桴、葦籥而已。後乃益之以鐘磬弦管，亦有來自域外以補國樂之所不足者，於是音樂始臻極盛。如但一意尊古卑今，舉凡今之所有而古之所無者，悉目為不正之聲，概加摒棄，則違於事物進化之理遠矣。此學者辨藝論古，所以貴能觀其通也。」

今案：《講疏》「違於事物進化之理」之說，可見張先生學術觀之「通達」，但仍是從部次群書角度，即純從「目錄學」角度立論，與四庫館臣之「經學」角度並非全同。

二　史部

（一）「正史體尊，義與經配」之說不合情實

〈正史類敘〉：「凡未經宸斷者，則悉不濫登。蓋正史體尊，義與經配，非懸諸令典，莫敢私增。所由與稗官野記異也。」

《講疏》：「『正史』之名，唐以前未有也。自唐設館修史，然後名朝廷詔修之史籍為正史，亦猶唐初詔修五經義疏為《五經正義》耳。《隋書‧經籍志‧史部‧正史類敘》有云：『世有著述，皆擬班、馬以為正史，作者尤廣，一代之史，至數十家。』是其所謂正史，皆紀傳體也。劉知幾《史通》有〈古今正史篇〉，敘列所及，並舉紀傳、編年，初未嘗專宗紀傳。嗣《唐志》列紀傳為正史，而編年

別成一類，宋以後皆因之。顧如晁公武《郡齋讀書志·史部敘》曰：
『編年、紀傳，各有所長，未易以優劣論。而人皆以紀傳便於披閱，
獨行於世，號為正史，不亦異乎！』章學誠《史考釋例》亦曰：『編
年之書，出於《春秋》，本正史也。乃班、馬之學盛，而史志著錄，
皆不以編年為正史。紀傳、編年，古人未有軒輊。自唐以後，皆沿
《唐志》之稱，於義實為未安。』可知自來學者，偶言及此，亦遞有
是非。必如〈四庫總目敘〉所云：『正史體尊，義與經配。』揆諸情
實，夫豈其然？」

　　今案：竊以為，關於「正史」之名及包含範圍，《講疏》言「自
來學者，遞有是非」固是事實，然稱其「偶言及此」，恐非確論。尤
其是對於章學誠而言，他在《史考釋例》[8]中的觀點，非但不是「偶言
及此」，反而應當是刻意為之，「實為箴砭當時經學而發」[9]。從章學誠
的學術行歷及個性考察，他顯然不滿於自己具有「刺蝟」的本性（重
一貫與綜合，指義理學）而生當「狐狸」得勢的時代（尚博雅與分
析，指考據學），因此，他撰著《文史通義》、《校讎通義》等書，倡
導「六經皆史」之說，真正用意乃在於「以『文史校讎』之學——
也就是由釐清古今著作的源流，進而探文史的義例，最後則由文史
以明『道』，來對抗當時經學家所提倡的透過對六經進行文字訓詁以
明『道』之學。其目標則是要奪六經之『道』以歸之於史」[10]。而章氏
所抗衡的對象，恰恰是考據派的學術領袖戴震（儘管戴東原從內心深
處更傾向於義理學），以及戴震所代表的當時學術界的主流去向——

8　據胡適著、姚名達訂補之《章學誠年譜》，《史考釋例》撰成於嘉慶三年（1798
　　年），此時《四庫全書》早已編纂完成，《四庫提要》也已由武英殿正式刊行。

9　錢穆：〈章實齋〉《中國近三百年學術史》（北京市：商務印書館，1997年），第九
　　章，頁420。

10　余英時：〈章學誠文史校讎考論〉，《論戴震與章學誠》（北京市：三聯書店，2000
　　年），頁160。

由紀昀任總纂官的《四庫提要》即是這種主流趣向下的產物。換句話說，章學誠路數是「史學」的，戴震及《四庫提要》的路數是「經學」的。章氏強調「史學」的獨立性，強調一切「經學」歸於「史學」；而「正史體尊，義與經配」之說所透射出來的，則是要將「史學」附於「經學」。《提要》之說儘管表面看提高了「正史」的地位，但在章氏學術體系中斷然不可接受，章氏之學不妨可以概括為「史學體尊，六經皆史」。

（二）考校釐訂之業「經部」諸書早已有之不自「正史」始

〈正史類敘〉：「其他訓釋音義者，如《史記索隱》之類；掇拾遺闕者，如《補後漢書年表》之類；辨正異同者，如《新唐書糾謬》之類；校正字句者，如《兩漢刊誤補遺》之類。若別為編次，尋檢為繁，即各附本書，用資參證。至宋、遼、金、元四《史》譯語，舊皆舛謬，今悉改正，以存其真。其《子部》、《集部》亦均視此。以考校釐訂自《正史》始，謹發其凡於此。」

《講疏》：「唐司馬貞撰《史記索隱》三十卷，宋熊方撰《補後漢書年表》十卷，吳縝撰《新唐書糾謬》二十卷，吳仁傑撰《兩漢刊誤補遺》十卷，此類著述甚多，〈四庫總目敘〉特舉四家之書以示例耳。自漢迄隋，訓釋史籍之書甚多，至唐而臻極盛。今所行三史舊注，皆唐人作也。至於掇拾遺闕、辨正異同、校正字句之業，至宋始有專書，亦宋人為之最勤。〈四庫總目敘〉所列三家，皆宋人也。此類撰述，各附本書，用資參證，其例甚善。顧考校釐訂之業，經部諸書，早已有之，初不自正史始耳。」

今案：或《提要》「考校釐訂，自正史始」，乃僅針對史部中十五小類而言，而非就「史部」與「經、子、集」三部相對而言。如

此，則《提要》所言，其實不誣。

（三）稱《新唐書》起居注類計「二十九部」為誤

〈編年類敘〉：「《隋志·史部》有『起居注』一門，著錄四十四部；《舊唐書》載二十九部，並『實錄』為四十一部；《新唐書》載二十九部。存於今者，《穆天子傳》六卷、溫大雅《大唐創業起居注》三卷而已。」

《講疏》：「（《隋志》）其所著錄之書，凡四十四部，一千一百八十九卷。《舊唐書·經籍志》著錄《起居注》二十九部，九百八十三卷；《實錄》十二部，凡二百七十一卷。《新唐書·藝文志》著錄《起居注》三十八部，一千二百七十二卷。〈四庫總目敘〉乃云《新唐書》載二十九部，蓋沿上句『《舊唐書》載二十九部』而誤耳。」

今案：檢《新唐書》，《講疏》所言為是，《提要》筆誤。

（四）置《實錄》於「別史」屬倫類不侔

〈編年類敘〉：「《穆天子傳》雖編次年月，類小說傳記，不可以為信史。實惟存溫大雅一書，不能自為門目，稽其體例，亦屬編年。今並合為一，猶《舊唐書》以《實錄》附〈起居注〉之意也。」

《講疏》：「自《隋志》於史部闢〈起居注〉一門，而《唐志》因之，《舊唐書》且並《實錄》入〈起居注〉，論者目為一物，而其實非也。考唐初自〈起居注〉外，別有《實錄》，名近而體例不同。……據此，可知〈起居注〉但記人君言行，而《實錄》則由刪錄國史而成。體之弘纖不同，而為用亦異。《舊唐書》以《實錄》附〈起居注〉，非也。惟《實錄》與〈起居注〉俱為編年體，自不得別為門類。《文獻通考·經籍考》從《宋志》之例，而置於編年之末，

其例較安。考《隋志》著錄古史三十四部，內有袁曄撰《獻帝春秋》十卷，殆亦後世《實錄》之類。然則《實錄》、〈起居注〉合於編年，又不自《宋志》始矣。《四庫總目》並〈起居注〉於《編年》，是也；而置《實錄》於《別史》，則倫類不侔矣。」

今案：《四庫總目》於「史部・別史類」，著錄唐許嵩撰《建康實錄》二十卷，《講疏》所言，即指此書。《講疏》謂「置《實錄》於『別史』則倫類不侔」，然《總目》如此措置，實有其充分依據，不可簡單斥為「倫類不侔」。該書提要云：「前有〈自序〉，謂今質正傳，旁採遺文，具君臣行事。事有詳簡，文有機要，不必備舉。若土地山川，城池宮苑，各明處所，用存古跡。其異事別聞，辭不相屬，則皆注記以益見知，使周覽而不煩，約而無失云云。蓋其義例主於類敘興廢大端，編年紀事，而尤加意於古跡。其間如晉以前諸臣事實，皆用實錄之體，附載於薨卒條下。而宋以後復沿本史之例，各為立傳，為例未免不純。又往往一事而重複牴牾，至於名號稱謂，略似《世說新語》，隨意標目，漫無一定，於史法尤乖。……《新唐書・志》載入《雜史類》，蓋以所載非一代之事，又不立紀傳之名，尚為近理。《郡齋讀書志》載入《實錄類》，已不免循名失實。馬端臨〈經籍考〉載入〈起居注類〉，則乖舛彌甚。至鄭樵《藝文略・編年》一類，本案代分編，乃以此書繫諸劉宋之下，與《宋春秋》、《宋紀》並列，尤為紕繆。今考所載，惟吳為僭國，然《三國志》已列《正史》，故隸之於《別史類》焉。」由此，《總目》之所以置《建康實錄》於「別史類」，並非不知「實錄」與「起居注」之區別；而《建康實錄》體例上前後不一，「未免不純」，故不可「循名失實」。考查《建康實錄》所載內容，乃「備記六朝事跡，起吳大帝迄陳後主，凡四百年，而以後梁附之。六朝皆都建康，故以為名」（《建康實錄》提要）；反觀《提要》「別史類」之立名，則「以處上不至於

正史，下不至於雜史者」（《四庫提要・別史類敘》）為「別史」，而「吳為僭國，然《三國志》已列《正史》，故隸之於《別史類》」。如此說來，《總目》之置《建康實錄》於《別史》，非但不是「倫類不倅」，反而是名實相當。

（五）區分「正史」、「別史」未以本書之體例為進退

〈別史類敘〉：「蓋編年不列於正史，故凡屬編年，皆得類附。《史記》、《漢書》以下，已列為正史矣。其歧出旁分者，《東觀漢記》、《東都事略》、《大金國志》、《契丹國志》之類，則先資草創；《逸周書》、《路史》之類，則互取證明；《古史》、《續後漢書》之類，則檢校異同。其書皆足相輔，而其名則不可以並列，命曰『別史』，猶大宗之有別子云爾。」

《講疏》：「《四庫總目・正史類跋》有云：『若茅國縉、蔣之翹之《晉書》，刪改原文。《宋史新編》之屬，非其本書。《五代史補》、《五代史闕文》，亦增益於本書之外。如斯之類，則均入《別史》焉。』〈別史類跋〉云：『《東觀漢記》、《後漢書補逸》之類，本皆正史也；然書已不完，今又不列於正史，故概入此門。』《別史類存目跋》云：『晉、宋及明，皆帝王之正傳。其郭倫《晉記》，柯維騏《宋史新編》，鄧元錫、傅維鱗《明書》，亦均一代之紀傳。今並存目於《別史》者，或私撰之本，或斥汰不用之書也。』據此諸語，可知《四庫總目》區別正史、別史，乃以完全闕殘、官修私撰、崇尚斥汰等為標準，而未以本書之體例為進退也。揆諸其實，殆非公允。考別名一目，舊志所無，其類例處於正史、雜史之間，然與正史之辨易，與雜史之別難。《千頃堂書目》曰：『非編年，非紀傳，雜記歷代或一代之事實者，曰別史。』《書目答問・別史類》自注曰：『別史、雜

史，頗難分析。今以官撰及原本正史重為整齊，關係一朝大政者入別史，私家記錄中多碎事者入雜史。』此所論列，視〈四庫總目敘〉為勝。」

今案：《四庫總目》區別「正史」、「別史」之標準，其實可與「正史體尊，義與經配」之說合觀。《總目》之所以將「刪改原文」、「非其本書」、「增益於本書之外」、「書已不完」及「私撰之本」排除於「正史」之外而歸於「別史」，正是要保持「正史」之「義與經配」的尊崇地位。

（六）以「詔令奏議」標目猶嫌局隘

〈詔令奏議類敘〉：「《文獻通考》始以『奏議』自為一門，亦居集末。考《漢志》載《奏事》十八篇，列《戰國策》、《史記》之間，附《春秋》末。則論事之文，當歸〈史部〉，其證昭然。今亦並改隸，俾易與紀傳互考焉。」

《講疏》：「大抵古代詔令、奏議，修辭立誠，故其文多歸醇雅，為人所重，用為揣摩之資。《千頃堂書目》移『制誥』於集部，《文獻通考》以『奏議』居集末，非無故也。上觀蕭統所纂《文選》，已收詔、冊、令、教、表、奏、上書之文；下覽姚鼐《古文辭類纂》、曾國藩《經史百家雜鈔》，皆以詔令、奏議分立門類，採錄尤廣。可知昔人重其文辭，由來舊矣。惟為書目者，以『詔令奏議』標目，猶嫌局隘，未足以統括有關之書。故《四庫總目》錄《名臣經濟錄》入此類，《書目答問》乃並《經世文編》亦收進矣。良以此類書無類可歸，不得不以附於詔令奏議耳。竊意簿錄群籍，宜有『政制』、『政論』二類，列於史部之內。《四庫總目》及《書目答問》所立『政書』一目，可以『政制』代之，《通典》、《通考》、歷代《會要》之

屬，皆入此類；『詔令奏議』一目，可以『政論』代之，詔令、奏議、《經世文編》之屬，皆入此類。依書之內容以歸門類，則各得其所矣。」

今案：《講疏》以「詔令奏議」標目猶嫌局隘，主張於「史部」中創設「政制」、「政論」二目，以「政制」代「政書」，以「政論」代「詔令奏議」，此為舜徽先生之創見！傳統目錄學中，未嘗見此等處置方式。張先生於〈政書類敘〉下疏云：「不如創立『制度』一目以代之」，與此正相呼應。

（七）「傳記」開創之功應推司馬遷之書為最早

〈傳記類敘〉：「紀事始者，稱傳記始黃帝，此道家野言也。究厥本源，則《晏子春秋》，是即家傳；《孔子三朝記》，其記之權輿乎！裴松之注《三國志》、劉孝標注《世說新語》，所引至繁。蓋魏晉以來，作者彌夥，諸家著錄，體例相同。其參錯混淆，亦如一軌。」

《講疏》：「《四庫總目》卷五十八〈傳記類二〉跋尾云：『傳記者，總名也。類而別之，則敘一人之始末者為傳之屬；敘一事之始末者為記之屬。』是『傳』之與『記』，析言有別矣。《晏子春秋》本為周秦諸子之一，故《漢志》列之〈諸子略・儒家類〉。諸子之書，不必出己手，多為門生賓客裒集其言論行事而成，甚或及乎身後之事，無足怪者。如但見其敘事為多，而遽謂『家傳』之始，而《管子》一書，亦復類此，豈可盡目為『傳』乎？《漢志・六藝略・論語類》有《孔子三朝》七篇，乃孔子對魯哀公語。三朝見公，故云三朝。今《大戴禮記》中〈千乘〉、〈四代〉、〈虞戴德〉、〈誥志〉、〈小辨〉、〈用兵〉、〈少閑〉諸篇是也。所謂『記』者，記一時所語也，自與敘一事之始末者有不同矣。〈四庫總目敘〉乃謂此為『記』之權輿，非

也。博徵載籍，則『傳記』開創之功，應推司馬遷之書為最早。彼以〈本紀〉記人主之事，〈世家〉記諸侯之政，〈列傳〉記公卿賢者之所為以及邊裔地區之事物，由是『傳記』之體始備。」

今案：《提要》分「傳」、「記」而言，溯「傳」之源頭為《晏子春秋》，「記」之源頭為《孔子三朝》，《講疏》則以「傳記」開創之功當推《史記》。究其因，於「傳記」，《提要》乃析言之，《講疏》乃渾言之，二義實有區別。據〈傳記類〉跋尾之語，則《提要》亦明「傳記」析言之義，而本類圖書之著錄部次，則側重於「傳記」渾言之義（即作為目錄書中之一獨立類別的意義）。

（八）孔子刪《書》之說荒遠無稽殊不足信

〈史抄類敘〉：「帝魁以後，《書》凡三千二百四十篇，孔子刪取百篇，此史抄之祖也。」

《講疏》：「鄭玄作《書論》，依《尚書緯》云：『孔子求書，得黃帝玄孫帝魁之書，迄於秦穆公，凡三千二百四十篇。斷遠取近，定可以為世法者，百二十篇。以百二十篇為《尚書》，十八篇為《中候》。』此說出緯書《璿璣鈐》，以為刪去之書，達三千一百二十篇。荒遠無稽，殊不足信。豈三千一百二十篇之書，皆不足取乎？鄭君作《書論》，採用其說，非也。」

今案：孔子刪《書》之說，《提要》深信，《講疏》以為無稽。《漢書·藝文志》也主孔子刪《書》說，云：「《易》曰：『河出圖，洛出書，聖人則之。』故《書》之所起遠矣。至孔子篹焉，上斷於堯，下訖於秦，凡百篇，而為之序，言其作意。」今人劉起釪先生亦指其為妄說：「經過孔子刪去幾千篇，定下一百篇，這一說長期為儒者所尊信，但這實際完全是妄說。因孔子嘗慨歎『文獻不足』，正搜

求之不暇，那裏還會去刪掉！」[11]

（九）《三史略》「二十卷」蓋抄寫偶誤

〈史抄類敘〉：「《宋志》始自立門。然《隋志・雜史類》中有《史要》十卷，注：「漢桂陽太守衛颯撰，約《史記》要言，以類相從。又有《三史略》二十卷，吳太子太傅張溫撰。」

《講疏》：「《三史略》，《隋志》作二十九卷。《唐書・藝文志》作《三史要略》三十卷，未有作二十卷者，〈四庫總目敘〉蓋抄寫偶誤。」

今案：《講疏》所言為是。吳溫所撰是書，《隋書・經籍志》、《冊府元龜・學校部》等皆稱「《三史略》二十九卷」；《玉海・藝文》稱「《三史要略》二十九卷」；《舊唐書・經籍志》、《新唐書・藝文志》、《通志・藝文略》、《續通志・藝文略》等皆稱「《三史要略》三十卷」，均未見稱「二十卷」者。

（十）宜立「書抄」一門附於「類書」之末不必別立「史抄」

〈史抄類敘〉：「沿及宋代，又增四例。《通鑒總類》之類，則離析而編纂之。《十七史詳節》之類，則簡汰而刊削之。《史漢精語》之類，則採摭文句而存之。《兩漢博聞》之類，則割裂詞藻而次之。迨乎明季，彌衍餘風。趨簡易，利剽竊，史學荒矣。要其含咀英華，刪除冗贅，即韓愈所稱記事提要之義，不以末流蕪濫責及本始也。博取約存，亦資循覽。若倪思《班馬異同》惟品文字，婁機《班馬字類》惟明音訓，及《三國志文類》總匯文章者，則各從本類，不列此

---

11 劉起釪：《尚書學史》（北京市：中華書局，1989年），第二章，頁12。

門。」

　　《講疏》：「自《宋志》創立『史抄』一門，後之編書目者因之。章學誠則謂撮抄之功，仍世益盛，或儒或墨，初不限於史部。宜別立『書抄』一目，附『史抄』後以統攝之。論者服其卓識！余則以為別立『書抄』是也，謂宜附『史抄』之後，則非也。蓋昔人治學縝密，於群書莫不提要鉤玄，從事撮抄，而以宋人為最勤。若魏了翁撮抄群經注疏以成《九經要義》，洪邁於群書皆有節本，自經、子至前漢皆曰『法語』，自後漢至唐皆曰『精語』，此其犖犖大者。其他小書短冊，更不可勝數。雖著錄之家，各歸本類，而門目遙隔，不相關涉，非所以辨章學術，考正得失也。竊意宜立『書抄』一門，附於『類書』之末，以統錄古今撮抄之編。俾學者可由此考見儒先治學之規，裨益於後世至大。且史之為體，原以撰集舊事，與經、子立言垂訓者異趣，論者徒知荀悅《漢紀》、袁樞《紀事本末》撮抄《漢書》、《通鑑》而成，不知班氏《漢書》本於司馬遷、劉歆諸家之書為多，司馬《通鑑》亦采輯《十七史》以及雜記小書而無所遺，亦何往而非抄錄？以其錯綜排比，整鍊而有剪裁，故能自成一家言耳。爰據斯義以尚論古史，則非特《漢書》為抄、《史記》亦抄，《春秋》、《尚書》亦抄。下觀宋世諸儒所為書，則非特《通鑑》為抄，即《通志》亦抄，《文獻通考》亦抄。他若歷朝正史，無不根據《實錄》整齊綴輯而後成書，亦猶之抄錄也。然則總史部之書，撮抄者居其強半，將安用別立『史抄』一目乎？」

　　今案：《講疏》以章學誠別立「書抄」一門為是，以附於「史抄」之後為非；主張「宜立『書抄』一門，附於『類書』之末，以統錄古今撮抄之編。俾學者可由此考見儒先治學之規」。竊以為如此處置，雖然避免了形式上的「門目遙隔」，但在「辨章學術，考正得失」方面，反倒不若原先的「各歸本類」更相關涉。又，《講疏》以

「總史部之書，撮抄者居其強半」而以為不當別立「史抄」一目，然而實際上，「此撮抄」非「彼撮抄」也。《提要》所謂「史抄」，大不同於《史記》、《漢書》等對前代史料的「剪裁」。前者多為「物理性」地摘取前代史料，或「離析編纂」，或「簡汰刊削」，或「采擷文句」，或「割裂詞藻」；後者則是在前代史料的基礎上進行了「化學性」的加工，與取材對象相比發生了一些質的變化。即如《漢書·藝文志》，雖屬在劉歆《七略》基礎上「刪其要」而成，但由於班固一方面增添了一些反映學術最新演遞的信息，一方面對《七略》進行了「出、入、省」等形式的調整，因此呈現出來的便是班固嶄新的「學術觀」[12]，並且創制了嶄新的目錄體式──史志目錄，這與通常所謂「史抄類」書籍不可同日而語。再觀《提要·史抄類》正目所著錄圖書三種，分別為《兩漢博聞》、《通鑑總類》及《南北史識小錄》。《兩漢博聞》提要云：「是編摘錄前後《漢書》，不依篇第，不分門類。惟簡擇其字句故事列為標目，而節取顏師古及章懷太子《注》列於其下。」《通鑑總類》提要云：「取司馬光《資治通鑑》事跡，仿《冊府元龜》之例，分為二百七十一門。每門各以事標題，略依時代前後為次，亦兼採司馬光《議論》附之。所分門目，頗有繁碎。」《南北史識小錄》提要云：「是書仿《兩漢博聞》之例，取南北二《史》，摘其字句之鮮華，事跡之新異者，摘錄成編。不分門目，惟以原書次第臚列，而各著其篇名。亦不加訓釋，惟摘取數字標目，以原文載於其下，著是語之緣起而已。」由此更可明曉《提要》所收「史抄類」書籍與《史》、《漢》等書之差別，不可等而視之。

12　參周春健：〈《漢志》「出、入、省」與班固的學術觀〉，載《古典研究》（2010 年冬季卷）。

（十一）《越史略》諸書入「載記類」乃拘墟隘陋之見

〈載記類敘〉：「今採錄《吳越春秋》以下，述偏方僭亂遺跡者，準《東觀漢記》、《晉書》之例，總題曰《載記》，於義為允。惟《越史略》一書為其國所自作，僭號紀年，真為偽史。然外方私記，不過附存，以聲罪示誅，足昭名分，固無庸為此數卷別區門目焉。」

《講疏》：「此拘墟隘陋之見也。自昔閉關自守，不與鄰邦往來，但目中土為華夏，卑視外方為夷狄，隘陋甚矣。卒致聞見短淺，風氣閉塞，而其害遂中於國家。觀《四庫總目》列〈安南志略〉、〈越史略〉、〈朝鮮史略〉、〈高麗史〉之類悉入《載記》，而可知矣。今之治史者，宜泯夷夏之見，不設中外之防，貴能知己知彼以博求之。小則增廣見聞，大則裨益治理。對昔人拘墟之見，可一掃而空之。」

今案：《提要》歸〈越史略〉、〈朝鮮史略〉諸書入「載記類」，確乎包含貶抑態度。今日雖倡世界「大同」，然「宜泯夷夏之見」不錯，「不設中外之防」則似可商。

（十二）前史並「時令類」書籍入「子部農家類」未可厚非

〈時令類敘〉：「後世承流，遞有撰述，大抵農家日用、閭閻風俗為多，與《禮經》所載小異。然民事即王政也，淺識者歧視之耳。至於選詞章，隸故實，誇多鬥靡，寖失厥初，則踵事增華，其來有漸，不獨時令一家為然。汰除鄙倍，採摘典要，亦未始非〈豳風〉、〈月令〉之遺矣。」

《講疏》：「時令之目，宋以前未有也。《直齋書錄解題》曰：『前史時令之書，皆入子部農家類。今考諸書上自國家典禮，下至里閭風俗悉載之，不專農事也。故《中興館閣書目》別為一類，是矣。今從

之。」按古者推天道以明人事，察懸象以測吉凶，施於有政，由來尚矣。而闡明論次之功，則固禮家所有事也。……蓋所以貫天人之奧，明政教之原，推詳治道，百家所同，又未可專以禮家限之矣。顧其說率附載於群經諸子，而單自為帙者絕少，著錄之家不能別立門類，亦其勢然也。《四庫總目》沿宋人舊例，仍立『時令』一目，意固允矣。然所錄亦止《歲時廣記》、《月令輯要》二書；存目雖增至十一部，要皆明清人之書，詳究氣候節序以適農時者，初無與於布政宣化之大。平心論之，則前史並之『子部農家類』，又焉可厚非耶？」

今案：《講疏》以單立「時令」一目於意為允，而《總目》收錄之書僅「詳究氣候節序以適農時者，初無與於布政宣化之大」，故稱前史並「時令類」圖書入「子部農家類」未可厚非。然《總目》別白「時令類」與「農家類」之異卻也顯明，「子部農家類」正目著錄圖書十部：《齊民要術》、《農書》、《蠶書》、《農桑輯要》、《農桑衣食撮要》、《救荒本草》、《農政全書》、《泰西水法》、《野菜博錄》、《欽定授時通考》；存目著錄圖書九部：《耒耜經》、《耕織圖詩》、《經世民事錄》、《野菜譜》、《農說》、《別本農政全書》、《沈氏農書》、《梭山農譜》、《豳風廣義》，十九部書的擇取標準是：「惟存本業，用以見重農貴粟，其道至大，其義至深，庶幾不失〈豳風〉、《無逸》之初旨。」（〈農家類敘〉）而「史部時令類」除正目《歲時廣記》、《月令輯要》二書外，存目著錄圖書十一種：《四時宜忌》、《四時氣候集解》、《月令通考》、《月令廣義》、《節宣輯》、《養餘月令》、《日涉編》、《廣月令》（附《後集》）、《古今類傳歲時部》、《節序同風錄》、《時令彙紀》（附《餘日事文》）。二類書籍內容相去較遠，則在《四庫總目》體系中，並不適宜「時令類」圖書併入「農家類」。

（十三）《元和郡縣志》、《太平寰宇記》二書不得謂為州縣志書之濫觴

〈地理類敍〉：「古之地志，載方域、山川、風俗、物產而已，其書今不可見。然《禹貢》、《周禮‧職方氏》，其大較矣。《元和郡縣志》頗涉古跡，蓋用《山海經》例。《太平寰宇記》增以人物，又偶及藝文，於是為州縣志書之濫觴。」

《講疏》：「方志之起源甚早。遠在周代，百國分立，大者如後世之府郡，小者僅同州縣耳。《孟子》所謂『晉之《乘》，楚之《檮杌》，魯之《春秋》，其實一也』。以今視之，即最古之方志耳。……《隋志‧史部‧地理類敍》稱：『隋大業中，普詔天下諸郡，條其風俗物產地圖，上於尚書。故隋代有《諸郡物產土俗記》一百三十一卷、《區宇圖志》一百二十九卷、《諸州圖經記》一百卷。』此乃歷代帝王下詔編纂全國性方志圖經之始。其後如唐代李吉甫所修《元和郡縣志》，宋代樂史所修《太平寰宇記》，皆沿用其體，不得謂二書為州縣志之濫觴也。下逮元、明、清三朝所修《一統志》，亦循斯例矣。」

今案：《講疏》稱《元和郡縣志》、《太平寰宇記》二書不得謂為州縣志書之濫觴，而當歸於隋代之《諸郡物產土俗記》、《區宇圖志》、《諸州圖經記》諸書，此言甚是！然稱「晉之《乘》，楚之《檮杌》，魯之《春秋》」為「最古之方志」，似有可商。周代百國，雖在區域範圍上相當於後世之府郡州縣，但當時各侯國史書在內容上主要記述軍政大事，當屬「國史」，與以記載「方域、山川、風俗、物產」為主的「地志」有很大不同。故「方志」溯源於《禹貢》、《職方氏》尚可，溯源於《乘》、《檮杌》、《春秋》則實不確當。

（十四）王士禎稱木牛流馬、織錦璿璣為「文士愛博之談」不可 為訓

〈地理類敘〉：「王士禎稱《漢中府志》載木牛流馬法，《武功縣志》載織錦璿璣圖，此文士愛博之談，非古法也。」

《講疏》：「斯論甚陋，不可為訓。大抵方志取材，以社會為中心，與正史但詳一姓成敗興替者不同。舉凡風俗習慣、民生利病、物產土宜、奇技異能，一切不載於正史中者，方志皆詳著之。其足裨益國史，亦即在此。《漢中府志》載木牛流馬法，《武功縣志》載織錦璿璣圖，實有其物，足資考證，筆之於書，有何不可！以『文士愛博之談』斥之，非也。王士禎說，見《居易錄》卷十九。」

今案：《講疏》之說甚是。此又涉及「方志」的地位和作用，舜徽先生曾言：「我們還要進一步肯定那大量的方志，其地位和作用卻比《廿四史》、《九通》之類的書籍重要得多。因為《廿四史》、《九通》之類，是以封建王朝為中心，只是記載有利於維護統治與服從秩序的事實和言論，而絲毫沒注意到平民的生活與活動；它們完全是為統治階級服務的，裏面自然找不到有關廣大人民的材料。至於方志，便以社會為中心，舉凡風俗習慣、民生利病，一切不詳載於『正史』內的，都藉方志保存下來了。其中如賦役、戶口、物產、物價，記載最為可貴。」[13]可與《講疏》之論互相補足。張先生撰著《中華人民通史》，乃「以人民為歷史主人」，「以事物為記載中心」，與此處之「方志學」思想正相貫通。

13　張舜徽：〈方志學〉《中華人民通史》（武漢市：華中師範大學出版社，2008 年），
　　第五部分，頁 1032～1033。

（十五）史部中宜別立「方志」一門以與「地理」並列

〈地理類敘〉：「然踵事增華，勢難遽返。今惟去泰去甚，擇尤雅者錄之。凡蕪濫之編，皆斥而存目。其編類，首宮殿疏，尊宸居也。次總志，大一統也。次都會郡縣，辨方域也。次河防，次邊防，崇實用也。次山川，次古跡，次雜記，次遊記，備考核也。次外紀，廣見聞也。若夫《山海經》、《十洲記》之屬，體雜小說，則各從其本類，茲不錄焉。」

《講疏》：「《四庫總目》綜錄古今地理之書，區分門目，以類相從，可謂剖析有條理矣。顧吾以十類之中，『總志』及『都會郡縣』，宜合為一而擴充之，在史部中別立『方志』一門，以與『地理』並列。自來簿錄之家，不立『方志』獨為一類，乃書目中缺陷也。亦由前人不重視方志之探研，僅目為地理書之附庸耳。」

今案：此條當與上條合觀。別立「方志」一門以與「地理」並列，此為舜徽先生目錄學之新觀點。張先生服膺章學誠之方志學，重視方志，故有此論。如《中華人民通史》即稱：「章學誠說過：『夫家有譜，州縣有志，國有史，其義一也。』（〈大名府志序〉）這說明了方志的價值，與國史相等。」[14]——然「方志的價值與國史相等」，並不意味著「方志」在體例與記載內容上與「國史」一致。

（十六）宜創「制度」一目代替「政書」

〈政書類敘〉：「今總核遺文，惟以國政朝章、六官所職者入於斯類，以符《周官》故府之遺。至儀注、條格，舊皆別出，然均為成

---

[14] 張舜徽：〈方志學〉《中華人民通史》前揭，第五部分，頁1032。

憲，義可同歸。惟我皇上制作日新，垂謨冊府，業已恭登新笈，未可仍襲舊名。考錢溥《秘閣書目》有《政書》一類，謹據以標目，見綜括古今之意焉。」

《講疏》：「《四庫總目》著錄此類之書，惟以有關朝章國政者為主，是也。……顧遵用明人錢溥《秘閣書目》例總題『政書』，意猶未顯。吾則以為不如創立『制度』一目以代之，較為允當。且『政書』二字，所該至廣，如誠循名求實，則《資治通鑑》、《經世文編》之類，何一不可納之『政書』乎？況史部『職官類』之後，即繼之以『制度類』，依事相承，密近無間。禮以義起，不必全襲前人也。」

今案：《提要》「政書」一目雖有所據，但確如《講疏》所言，「政書」二字宜生誤解，不若「制度」名實相稱。

（十七）鄭樵作《通志》刪《崇文總目》「序釋」其識已卓不可譏詆

〈目錄類敘〉：「鄭玄有《三禮目錄》一卷，此名所昉也。其有解題，胡應麟《經義會通》謂始於唐之李肇。……應麟誤也。今所傳者，以《崇文總目》為古，晁公武、趙希弁、陳振孫並準為撰述之式。惟鄭樵作《通志·藝文略》，始無所詮釋，並建議廢《崇文總目》之解題，而尤袤《遂初堂書目》因之。自是以後，遂兩體並行。今亦兼收，以資考核。金石之文，隋唐《志》附《小學》，《宋志》乃附《目錄》。今用《宋志》之例，並列此門。而別為子目，不使與經籍相淆焉。」

《講疏》：「簿錄群書，必賴有『解題』而後可考鏡得失，夫人而知之矣。論者咸以《崇文總目》之刪去『序釋』出於鄭樵，相與譏短而嫉恨之，此則不明乎簿錄體例之過也。無論《崇文總目》之無

『序釋』，與鄭氏不相涉，即書目下不錄解題，其例實創於班固。蓋史志之不同於朝廷官簿與私家書目，亦即在此，尤不可不明辨也。《隋書・經籍志》既舉劉向《別錄》、劉歆《七略》以別於後世但記書名一派，從知不獨《別錄》每書皆有敘錄，即《七略》亦必刪繁存簡，各為解題，如《四庫簡明目錄》之於《提要》無疑耳。觀後人援引《七略》，每多考論學術之言，蓋其原本如此也。且《漢志》所錄之書，每增多於《七略》，而為書只一卷，《隋志》著錄《七略》單本，為書七卷，此非有『解題』而何？班氏撰〈藝文志〉時，所以毅然刪去《七略》解題而不顧者，誠以史之為書，包羅甚廣，〈藝文〉特其一篇，勢不得不芟汰煩辭、但記書名而已。若夫朝廷官簿與私家書目，意在條別源流，考正得失。其所營為，既為專門之事；其所論述，則成專門之書。考釋務致其詳，亦勢所能為。劉、班二家編目之職志既有不同，則體例亦無由強合。鄭氏《通志・藝文略》之於《崇文總目》，亦猶班氏〈藝文志〉之於《七略》耳。惟鄭氏深明修史之不同於他書，故獨遵班例，不為『序釋』，其識已卓，豈特不可譏詆已哉！」

今案：此條最可見舜徽先生目錄學乃至史學之深邃與通達！先生明曉「史志目錄」與「朝廷官簿」、「私家目錄」在功用上有所區別，各自成書之體例形式也就不同，切不可一概而論，不能以「解題」或「序釋」之有無判別目錄書價值之高下。又將班固《漢志》之刪《七略》「解題」與鄭樵《通志》之刪《崇文總目》「序釋」類比，指出包括《四庫總目》在內的諸家「不明乎簿錄體例」之弊，推揚鄭樵「其識已卓」。而洞悉並彰著此點，恰也體現出舜徽先生在史學、目錄學上的「卓識」！又，關於〈漢志〉對《七略》的改造，《書名下不錄解題例》一篇稱：「簿錄群書，其途有三：自向、歆《錄》、《略》，下逮荀勗、王堯臣等，皆因校書而敘目錄，此朝廷官

簿也；班氏刪《七略》以入《漢書》，為〈藝文志〉，歷代史志率沿其體，此史家著錄也；若晁、陳之總錄家藏，各歸部類，則私家之目錄耳。惟朝廷官簿與私家目錄，意在條別原流，考正得失，其所營為既為專門之事，其所論述則成專門之書，考釋不厭其詳，亦勢所能為也。若夫史之為書，包羅已廣，〈藝文〉特其一篇，使每書名下而為解題，則一志之成，卷帙過繁，勢不得不芟汰煩辭，但存書目，史之體例然矣。」[15]

（十八）倪思《班馬異同》與劉知幾《史通》不可相提並論

〈史評類敘〉：「《春秋》筆削，議而不辨，其後《三傳》異詞。《史記》自為序贊，以著本旨。而先黃老，後六經，退處士，進奸雄，班固復異議焉。此史論所以繁也。其中考辨史體，如劉知幾、倪思諸書，非博覽精思，不能成帙，故作者差稀。」

《講疏》：「唐劉知幾撰《史通》二十卷，揚榷古今史傳，掎摭諸家利弊，持論甚高，在史學中為創體。非有弘識卓見，不能成此一書。《四庫提要》稱其『縷析條分，如別黑白，一經抉摘，雖馬遷、班固，幾無詞以自解免。亦可云載筆之法家，著書之監史』，非溢美也。若宋倪思所為《班馬異同》三十五卷，乃在考校《史記》、《漢書》字句異同，以定得失。其例以《史記》本文大書，凡《史記》所無而《漢書》所加者，則以細字書之；《史記》有而《漢書》所刪者，則以墨筆勒字旁；或《漢書》移其先後者，則注曰《漢書》上連某文，下連某文；或《漢書》移入別篇者，則注曰《漢書》見某傳。二書互勘，長短自見。但有校對輯錄之勞，無深思自得之理。鈍學

---

[15] 張舜徽：《廣校讎略》附錄〈漢書藝文志釋例〉（武漢市：華中師範大學出版社，2004年），頁114。

累功，自易成編。上衡劉氏《史通》，則淺深高下，固不可同日語。《四庫總目》乃取二書並論，非也。」

　　今案：《講疏》之論頗為公允。《史通》堪稱我國唐代以前史學理論之集成，地位崇高，倪氏《班馬異同》確不能望其項背。《新唐書‧劉子玄傳》載：「始，子玄（名知幾，因避玄宗諱，以字行）修《武后實錄》，有所改正，而武三思等不聽。自以為見用於時而志不遂，乃著《史通》內外四十九篇，譏評今古。徐堅讀之，歎曰：『為史氏者宜置此坐右也！』」

（十九）標舉《評鑒闡要》及《全韻詩》乃四庫館臣頌揚主上之辭

　　〈史評類敘〉：「我皇上綜括古今，折衷眾論。欽定《評鑒闡要》及《全韻詩》，昭示來茲。日月著明，爝火可息，百家譸語，原可無存。以古來著錄，舊有此門，擇其篤實近理者，酌錄數家，用備體裁云爾。」

　　《講疏》：「此四庫館臣頌揚主上之辭也。清高宗乾隆三十六年，由大學士劉統勳等編次《通鑒輯覽》中御批之語，凡七百九十八則，成書十二卷，名曰《評鑒闡要》。高宗又嘗依一百有六之全韻，按次排詠。上下平聲，書有清發祥東土及祖先創業垂統、繼志述事之宏規；上去入三聲，則舉唐虞以迄有明歷代帝王之得失法戒，與《通鑒輯覽》相表裏，而簡約過之。書凡五卷，《四庫》未著錄。」

　　今案：雖為頌揚主上之辭，而其時難免如此為之。

三　子部

（一）譏詆刑名之學近功小利刻薄寡恩乃儒家正統之見未為定論

〈法家類敘〉：「刑名之學，起於周季，其術為聖世所不取。然流覽遺篇，兼資法戒。觀於管仲諸家，可以知近功小利之隘；觀於商鞅、韓非諸家，可以知刻薄寡恩之非。鑒彼前車，即所以克端治本。曾鞏所謂不滅其籍，乃善於放絕者歟！」

《講疏》：「此儒家正統之見，未足以為定論也。諸子之言，皆主經世。各有所偏，亦有所長。苟能取其長而不溺其偏，自能相輔為用，有益治理。曠觀歷代興亡，亦何嘗專任儒術足以致治者乎？……宋人曾鞏，於所撰〈戰國策目錄序〉中所云：『君子之禁邪說也，固將明其說於天下，使當世之人皆知其說之不可從，然後以禁則齊；使後世之人皆知其說之不可為，然後以戒則明；豈必滅其藉哉！放而絕之，莫善於是。』此乃憤世嫉邪，有為而發，又不可持此以上論周秦法家之書。〈四庫總目敘〉竟比傅其說以擬議之，非也。」

今案：《講疏》所言「諸子之言，皆主經世。各有所偏，亦有所長」，頗為公允。即如法家之所謂「近功小利」、「刻薄寡恩」，於治國亦不可缺。舜徽先生又曾言：「以法治國，有利有弊。司馬談〈論六家要指〉乃云：『法家嚴而少恩，然其正君臣上下之分，不可改矣。』又云：『法家不別親疏，不殊貴賤，一斷於法，則親親尊尊之恩絕矣。可以行一時之計，而不可長用也，故曰嚴而少恩。若尊主卑臣，明分職，不得相逾越，雖百家弗能改也。』若此所論，可與《漢

志》之言相互發明。」[16]又，《講疏》所謂：「曠觀歷代興亡，亦何嘗專任儒術足以致治者乎？」由此亦可見舜徽先生深悉學術與政治之關聯，所言不迂。毛澤東〈七律‧讀封建論呈郭老〉一詩，更是一語道破天機：「勸君少罵秦始皇，焚坑事業要商量。祖龍魂死秦猶在，孔學名高實秕糠。百代都行秦政法，《十批》不是好文章。熟讀唐人《封建論》，莫從子厚返文王。」

（二）「術數」之興非在秦漢以後

〈術數類敘〉：「術數之興，多在秦漢以後。要其旨，不出乎陰陽五行，生克制化。實皆《易》之支派，傅以雜說耳。」

《講疏》：「《漢書‧藝文志》有《數術略》，凡分六家：曰天文，曰曆譜，曰五行，曰蓍龜，曰雜占，曰形法。《四庫總目》術數類，大抵近之也。陰陽五行之說，所起甚早，不得謂秦漢以後始有之。……《漢志》論及古者數術之士，則謂『春秋時，魯有梓慎，鄭有裨灶，晉有卜偃，宋有子韋；六國時，楚有甘公，魏有石申夫；漢有唐都。』則秦漢以前，已有以數術馳名周末者矣。即秦始皇所尊信之盧生、侯生，亦當時之方士也，以其行騙詐而久不能致奇藥，大興坑殺之獄，《史記‧儒林傳》稱之為『坑術士』，乃實錄也。焉得謂術數之興，多在秦漢以後乎？」

今案：《講疏》以術數之興當自春秋時始，非始於秦漢以後，證據確鑿，可謂定讞。

16 　張舜徽：《漢書藝文志通釋‧諸子略‧法家》，前揭，頁313。

（三）「類書」之興當溯源於《爾雅》

〈類書類敍〉：「類事之書，兼收四部，而非經非史，非子非集。四部之內，乃無類可歸。《皇覽》始於魏文，晉荀勖《中經部》分隸何門，今無所考。《隋志》載入《子部》，當有所受之。歷代相承，莫之或易。明胡應麟作《筆叢》，始議改入《集部》，然無所取義，徒事紛更，則不如仍舊貫矣。」

《講疏》：「類書之興，當溯源於《爾雅》。其書十九篇，有解說字義者，〈釋詁〉、〈釋言〉、〈釋訓〉是也；有專明親屬者，〈釋親〉是也；有記房屋器用者，〈釋宮〉、〈釋器〉、〈釋樂〉是也；有記自然現象者，〈釋天〉、〈釋地〉、〈釋丘〉、〈釋山〉、〈釋水〉是也；有錄生物品名者，〈釋草〉、〈釋木〉、〈釋蟲〉、〈釋魚〉、〈釋鳥〉、〈釋獸〉、〈釋畜〉是也。分類登載，有條不紊，此非類書而何？特由帝王分命臣工依類纂錄以成一書者，自魏文帝時編《皇覽》始耳。」

今案：《爾雅》是我國最早一部解釋詞義的專著，也是第一部大致按照詞義系統和事物分類而編纂的辭書，具有「百科全書」性質。《講疏》以《爾雅》為類書之祖，頗有識見。惟「帝王分命臣工依類纂錄以成一書者自魏文帝時編《皇覽》始」，故《提要》始表《皇覽》。

（四）屈原《天問》非「小說家」言所可比附

〈小說家類敍〉：「然屈原〈天問〉，雜陳神怪，多莫知所出，意即小說家言。」

《講疏》：「〈天問〉乃屈賦篇名。〈序〉言屈原放逐，彷徨山澤，見楚有先王之廟及公卿祠堂，圖畫天地山川神靈，琦瑋譎詭，及古聖

賢怪物行事。因書其壁，呵而問之，作〈天問〉。蓋壁之有畫，起源甚早，屈子睹物興懷，指事設難，提出一百七十餘問，乃其一時呵壁之作也。自劉向、揚雄援引傳記以解說之，闕者甚多，不能詳悉。東漢王逸雖為《章句》，仍未克盡憭其旨，理深辭奧，探索為艱，似非小說家言所可比附矣。」

今案：《漢志·諸子略》述「小說家」之義云：「小說家者流，蓋出於稗官。街談巷語，道聽塗說者之所造也。孔子曰：『雖小道，必有可觀者焉。致遠恐泥，是以君子弗為也。』然亦弗滅也，閭里小知者之所及，亦使綴而不忘。如或一言可采，此亦芻蕘狂夫之議也。」〈天問〉雖「雜陳神怪」，然無非借之以抒懷抱，即《講疏》所謂「一時呵壁之作」，確非小說家言所可比附。

四　集部

（一）稱錢謙益《列朝詩集》「顛倒賢奸，彝良泯絕，貽害人心風俗」非定評也

〈集部總敘〉：「至錢謙益《列朝詩集》，更顛倒賢奸，彝良泯絕。其貽害人心風俗者，又豈鮮哉！」

《講疏》：「錢謙益，字受之，號牧齋，明末常熟人。萬曆進士，官至禮部侍郎。入清，復授是職。以詩文標榜東南，後進奉為壇坫，有大名於當時。嘗集有明一代之詩為《列朝詩集》八十一卷，起洪武訖崇禎，共十六朝，凡二百七十八年，分為甲乙丙丁四集。上而列帝與諸王之詩，則入之乾集；下而僧道、閨秀、宗潢、婦寺、蕃服之詩，則入之閏集。而自元末至太祖建國，凡元之亡國大夫及遺民之在

野者，則別編為甲前集。入選者一千六百餘家。是書廣攬兼收，無分
男女貴賤，朝野華夷，以逮沙門道士。但錄其詩，不論其人。逸篇零
什，賴以保存者不少。在『總集』中為創格。於徵文考獻，不為無
補。後人徒以謙益為兩朝人物，節概行事，多可訾議，故論者多鄙薄
之。然吾嘗讀其《初學集》、《有學集》，知其湛深經史，學有本原，
論議通達，多可取者。當時閻若璩以學問雄海內，而生平最欽服者三
人，自顧炎武、黃宗羲外，則謙益也。又曾列謙益之名，冠十四聖人
之首。其推崇之至此，夫豈阿其所好哉！其二集在乾隆時，以語涉誹
謗，板被焚毀。修《四庫全書》時，既未著錄其著述，撰敘文者，又
假論及《列朝詩集》而抨擊加劇，非定評也。逞愛憎之私，失是非之
公，學者於此，必有辨矣。」

今案：謙益之學，無容置疑，然其先事清，後反清，「語涉誹
謗」，故《四庫全書》不錄其著述，且批評過甚。「顛倒賢奸，彝良
泯絕，貽害人心風俗」之論，乃針對其人而發，此文學史上「因人廢
學」之一例也。又，關於謙益之《初學集》、《有學集》，可參舜徽先
生《清人文集別錄》卷一首篇之提要。

（二）「楚辭類」可冠「總集」之首不必別為一類

〈楚辭類敘〉：「《隋志》集部以《楚辭》別為一門，歷代因之。
蓋漢魏以下，賦體既變，無全集皆作此體者。他集不與《楚辭》類，
《楚辭》亦不與他集類，體例既異，理不得不分著也。」

《講疏》：「《隋書・經籍志》『楚辭』一門，但著錄十部，二十九
卷。即《四庫總目》亦但著錄六部，六十五卷；存目十七部，七十五
卷，大抵皆注說也。竊謂此類著述無多，似可以冠《總集》之首，不
必別為一類。六朝時賦集之編多家，《隋志》悉入《總集》；宋元人

所編《樂府詩集》、《古樂府》之類，《四庫總目》亦歸之《總集》。斯皆文以類聚，合集成書，與《楚辭》體例相近，惟時代不同耳。《楚辭》『總集』之祖，取冠其首，尤足以明原溯本也。」

　　今案：《講疏》以《楚辭》例「總集」，故以可置《總集》之首，不必別為一類，情理暢通。然《提要》「漢魏以下，賦體既變，無全集皆作此體者。……體例既異，理不得不分著」，明《楚辭》與「總集」之不同。竊意「楚辭」之名原有，「總集」之名後起，且《漢書藝文志‧詩賦略》首錄「屈原賦之屬」，淵源有自。《提要》簿錄群書，多據古立名，故以「楚辭類」與「總集」平列亦未嘗不可。

（三）「別集」之名非東漢所創

　　〈別集類敘〉：「集始於東漢。荀況諸集，後人追題也。」

　　《講疏》：「《隋書‧經籍志》云：『別集之名，蓋漢東京之所創也。』《四庫》敘文承用其說，而非實也。《漢志》之〈詩賦略〉，即後世之集部也。觀其敘次諸家之作，每云『某某賦』若干篇，各取其傳世之文，家各成編，斯即別集之權輿。如云『《屈原賦》二十五篇』，即《屈原集》也；『《宋玉賦》十六篇』，即《宋玉集》也；『《司馬相如賦》二十九篇』，即《司馬相如集》也；『《孫卿賦》十篇』，即《荀況集》也；『《上所自造賦》二篇』，即《漢武帝集》也。循是以推，則『詩賦略』所錄五種百六家之文，大半皆別集矣。是劉向父子校書秘閣時，即已蒐集多家之文，依人編定，使可別行。當時無『集』之名，而有『集』之實。集之創始，必溯原於此，不得謂至東漢而後有此體制也。特後人一一追題，紛加集名耳。」

　　今案：《講疏》辨析集之「名」與集之「實」尤當，然《四庫總目》承用《隋志》之說，所言恰是「別集之名」，故未可以〈別集類

敘〉言「集始於東漢」為誤也。

（四）「別集」刻印雖早旋歸寂滅未可以「不幸」概之

〈別集類敘〉：「唐宋以後，名目益繁。然隋、唐《志》所著錄，《宋志》十不存一。《宋志》所著錄，今又十不存一。新刻日增，舊編日減，豈數有乘除歟？文章公論，歷久乃明。天地英華所聚，卓然不可磨滅者，一代不過數十人。其餘可傳可不傳者，則繫乎有幸有不幸。存佚靡恒，不足異也。」

《講疏》：「自唐宋以逮明清，作者競起，……撰述雖富，散亡尤易。觀歐陽修《唐書‧藝文志序》及〈送徐無黨南歸序〉，已言書之傳不傳，有幸有不幸，而深歎學者勤一世以盡心於文字間者，皆可悲也。即以兩宋而論，宋初文籍至南渡後，存者僅十二三，洪邁《容齋隨筆》、王明清《揮麈前錄》亦嘗慨喟道之。四部中別集尤為冗雜，而文士多無學術，連篇累牘，無非空論。人所厭觀，亦固其所。故刻印雖早，旋歸寂滅，又未可以『不幸』二字概之矣。」

今案：關於書籍之散亡，《隋書‧牛弘傳》載牛弘上表有「五厄」之說，明人胡應麟又補「五厄」，是謂「十厄」，主要指歷代之「兵燹」、「禍亂」。舜徽先生又提出古代典籍散亡的其他六種原因：一、由於「重德輕藝」思想而使涉及技藝之書散亡；二、刪繁存簡之書替代其他各家之書；三、由於重視文詞鄙棄樸學而使樸實說理之書散亡；四、重修之書盛行而使原書廢棄；五、由於著書之人犯罪伏法或身敗名裂而使其書散亡；六、收藏家不肯以孤本示人而使書籍散亡[17]。《講疏》中所述，其實又是另外一種狀況，屬因書籍自身價值不

---

[17] 參張舜徽：《中國文獻學》（武漢市：華中師範大學出版社，2004年），第一編，頁16～19。

高之故而導致寂滅，乃屬學術之自然淘汰。如此，則「刻印雖早，旋歸寂滅」，確乎「未可以『不幸』二字概之」。

（五）「總集」體例所成不始自摯虞《文章流別集》當始魏文帝之「撰其遺文，都為一集」

〈總集類敘〉：「文籍日興，散無統紀，於是總集作焉。一則網羅放佚，使零章殘什，並有所歸；一則刪汰繁蕪，使蕪稗咸除，菁華畢出。是固文章之衡鑒，著作之淵藪矣。《三百篇》既列為經，王逸所裒又僅《楚辭》一家，故體例所成，以摯虞《流別》為始。其書雖佚，其論尚散見《藝文類聚》中，蓋分體編錄者也。」

《講疏》：「《楚辭》本總集之始，《四庫總目》仍探原於摯虞《流別》者，本《隋書·經籍志》之說耳。《隋志》云：『總集者，以建安之後，辭賦轉繁，眾家之集日以滋廣。晉代摯虞，苦覽者之勞倦，於是采摘孔翠，芟剪繁蕪，自詩賦下，各為條貫。合而編之，謂為《流別》。是後又集總抄，作者繼軌。屬辭之士，以為覃奧，而取則焉。』……考魏文帝雅重文學，自為太子時，即與徐幹、劉楨、應瑒、阮瑀、陳琳、王粲、吳質為友。值魏大疫，諸人多死。太子〈與吳質書〉有曰：『昔年疾疫，親故多離其災。徐、陳、應、劉，一時俱逝，痛可言邪！』『頃撰其遺文，都為一集。觀其姓名，已為鬼錄。追思昔遊猶在心目，而此諸子化為糞壤，可復道哉！』……所謂『撰其遺文，都為一集』，即總集之體例，遠在摯虞《流別集》之前矣。」

今案：摯虞《文章流別集》雖佚，然據《隋志》所載，知其體例確為「分體編錄」，而非僅僅「以人繫文」，《提要》所謂「體例所成，以摯虞《流別》為始」，或就此立論。未知魏文帝之「撰其遺

文，都為一集」，亦為「分體編錄」否？

（六）宋人詩話未可與明人之作並論

〈詩文評類敘〉：「宋明兩代，均好為議論，所撰尤繁。雖宋人務求深解，多穿鑿之詞；明人喜作高談，多虛憍之論。然汰除糟粕，采擷菁英，每足以考證舊聞，觸發新意。《隋志》附『總集』之內，《唐書》以下則並於《集部》之末，別立此門。豈非以其討論瑕瑜，別裁真偽，博參廣考，亦有裨於文章歟？」

《講疏》：「此段首六句極言宋明兩代學弊，是矣。然其好為議論，非盡發之於詩話也。況宋人詩話，信多佳者，又未可與明人之作並論也。近世劉聲木《萇楚齋續筆》卷一有曰：『詩話始於宋歐陽修《六一詩話》。雖宋人詩話雜紀他事，往往體參小說，然予觀宋人自撰詩話，收入《四庫》者僅廿餘家。類皆能自抒心得，語多中肯，言簡意賅，不事鋪張，洵可為法。袁簡齋謂宋人詩可存，詩話可廢，實為謬論。』此劉氏有得之言也。大抵自詩話體兼說部以後，實已成為『筆記』之一種，所記彌廣。足以裨益見聞、考證舊事者，所在皆是。中惟明人之作，稍涉濫雜，空談為多，未足以厭人意。至清世講求樸學，乾嘉諸儒亦有自造詩話者。若洪亮吉之《北江詩話》，阮元之《定香亭筆談》、《廣陵詩事》之類，則又語關學術，事涉儒林，博參廣考，豈第有裨於品論詩文哉！」

今案：《提要》所謂「汰除糟粕，采擷菁英，每足以考證舊聞，觸發新意」，與《講疏》所引劉聲木「足以裨益見聞、考證舊事者，所在皆是」之說，其意可通。然《提要》統批宋明，《講疏》別白二代，肯定宋代詩話「信多佳者」，明人之作未可與之並論，可謂確論。

《續修四庫提要・經部》指誤一則

近日偶檢《續修四庫全書總目提要・經部》（中華書局，1993年），發現了其中的一則失誤，特予指出。

《續修四庫提要》之目錄中，《四書類・四書總義》下第二部書為《讀四書叢說》八卷，作者署為「元許衡撰」，提要正文亦云「元許衡撰」，這裏犯了一個著作權張冠李戴的錯誤，《讀四書叢說》的作者應當是與「許衡」一字之差的「許謙」。

許衡，字仲平，學者稱魯齋先生，祖籍懷州河內（今河南沁陽）人，金大安元年（1209）生於河南新鄭，卒於元世祖至元十九年（1282），是元代著名的政治家、理學家、教育家，他在四書學方面的著述主要有《大學要略》一卷、《大學直解》一卷、《中庸直解》一卷[1]，從未作過《讀四書叢說》之類的書。晚他六十一年的許謙（1270～1337），字益之，婺州金華（今屬浙江）人，學者稱白雲先生，也是元代一位著名的理學家，《讀四書叢說》即是其四書學名著，元人吳師道在該書〈序〉中給予了很高的評價：

> 今觀《叢說》之編，其於《章句》、《集注》也，奧者白之，約者暢之，要者提之，異者通之，畫圖以形其妙，析段以顯其義。至於訓詁名物之缺，考證補而未備者，又詳著焉。其或異義微悟，則曰自我言之則為忠臣，自他人言之則為讒賊，金先生（按：金履祥）有是言也。此可以見其志之所存矣……嗚

---

[1] 分別見《魯齋遺書》（《四庫全書》本）或《許文正公遺書》（清乾隆刻本）的卷三、卷四、卷五。

呼！欲通《四書》之旨者，必讀朱子之書；欲讀朱子之書者，
必由許君之說，茲非適道之津梁，示學者之標的歟！[2]

許衡逝時許謙僅為一小小少年，二人也無任何的學術交往。

《元史》許謙本傳載：「讀《四書章句集注》，有《叢說》二十
卷。」收入《四庫全書》的《讀四書叢說》則為四卷，《續修四庫提
要》所言「按此書已收入《四庫》。據《提要》止有許謙《讀四書叢
說》四卷，其中《大學》一卷，《孟子》一卷，《中庸》闕其半，《論
語》全闕。阮元《四庫未收書目提要》有《論語叢說》三卷，係依元
刻影抄本重抄。又有《讀中庸叢說》二卷，則從吳中藏書家得見元板
《中庸叢說》足本二卷，合之遂成完璧」，即指此書。

其實，《讀四書叢說》的作者問題清楚明白，學術界也未曾引起
過什麼爭議，《續修四庫提要》如此失誤或許僅僅是排版之技術疏忽
所致。今所以專門指出，一者有裨《續修四庫提要》再版時更正，二
者提醒讀者不致將「許衡」與「許謙」混淆。

---

2 （清）朱彝尊，《經義考》卷二五四。

從徽州到漢口

── 由《紫陽書院志略》看漢口紫陽書院的創建與影響

提要

　　《紫陽書院志略》八卷，由清代婺源人董桂敷受托撰成，由此書可見漢口紫陽書院的創建過程及歷史影響。漢口紫陽書院於康熙年間由徽州士紳商賈建成，既受到了清初文化政策的很大影響，也與當時徽商的商業活動和漢口的商業地位直接相關。在漢口創建紫陽書院，其目的在於「尊先賢以明道，立講舍以勸學，會桑梓以聯情」。漢口紫陽書院的建成經歷了一個艱難曲折的過程，許多士紳商賈乃至朝廷官員都為之付出了艱辛的努力。漢口紫陽書院具有鮮明的「尊朱」特色，對當地的學術世風產生了很大的影響。

　　古代徽州，有二地與南宋大儒朱熹關係密切，一為歙縣，一為婺源（今屬江西）。朱熹之父朱松，祖居歙縣篁墩，後因被任武職，舉家遷往婺源，故二地皆可謂朱子之家鄉。宋代書院勃興，與朱子相關的書院也多有創置。朱子逝後二十餘年，歙縣縣令彭方於寧宗嘉定十五年（1222）倡建「文公祠」，徽州太守韓補又於理宗淳祐五年（1245）呈請朝廷將「文公祠」改建書院，理宗賜名「紫陽書院」。「紫陽」之稱，乃因朱松曾讀書於歙縣城南之紫陽山，朱子徙居福建崇安後，題其廳事曰「紫陽書室」，後人因以「紫陽」為朱子之別號。隨著朱子之學在南宋以降中國社會影響的日漸擴大，以「紫陽書院」命名的書院幾乎遍涉全國各地，如江西、福建、江蘇、浙江、貴州、山西、湖南等省皆有，而於康熙甲戌（1694）創建於湖北漢口的

紫陽書院更是其中頗具特色的一座。

漢口紫陽書院，由僑居漢口的徽州婺源籍士紳商賈合議創建，奉祀鄉哲朱熹。雍正、乾隆之際，嘗首修院志，然雖「省視其目，秩然有序」，而「周覽其篇，或存或缺」，或為未成之書，且此後一直無人補葺。嘉慶間重修院舍，婺源人董桂敷乃受眾人之托，以增訂為任，「循其節目，補其遺文，缺其散佚者」[1]而成《紫陽書院志略》八卷，刊於嘉慶十一年（1806）。卷一為圖說，卷二為道統，卷三為建置，卷四為崇祀，卷五為學規，卷六為禮產，卷七為藝文，卷八為雜志。前有董桂敷〈增訂漢口紫陽書院志略序〉、〈舊凡例〉十二則、〈增訂志略凡例〉十五則、《紫陽書院遺圖》六幅；後有謝登雋〈漢口紫陽書院志略原跋〉及董桂敷所作〈跋〉。

應當說，《紫陽書院志略》是了解漢口紫陽書院最為重要的文獻資料，由之不但可以見出漢口紫陽書院的創建背景、創建目的、創建過程，而且可以見出紫陽書院的創建對漢口地區學術和社會風氣造成的影響。

一 漢口紫陽書院的創建背景

紫陽書院於康熙年間由徽州士紳商賈在漢口建成並非出於偶然，這既受到了清初文化政策的很大影響，也與當時徽商的商業活動和漢口的商業地位直接相關。

南宋以來，程朱理學的發展雖然稱不上是一帆風順，卻一直較為牢固地占據著政治和學術上的統治地位。明末清初，理學末流的消極影響越來越明顯，程朱理學卻仍然有著廣泛而忠實的擁躉。考據學是

---

[1] 《紫陽書院志略·增訂漢口紫陽書院志略序》。

有清一代的代表性學術形態，講求「孤證不立」，「無徵不信」，在方法上與理學有著很大差別。但即便是那些清代學術的開創人物，如顧炎武、黃宗羲、王夫之等，對程朱理學也並非完全否定。正如有學者所言：「清初學者，力挽明季之學風以返於宋，其尊程朱者十之八九，不尊程朱者十之一二而已。」[2]在這一學術大勢下，清政府採取了較為寬鬆的文化政策，為書院的創建提供了一定的文化前提。康熙初年，隨著南明韓王政權的覆滅，朝代更替的問題基本解決，社會逐漸趨於穩定，朝廷開始極力提倡程朱理學，開博學鴻詞科，設館編修《明史》，纂成《古今圖書集成》、《全唐詩》、《佩文韻府》、《康熙字典》等，網盡天下士人。非但如此，康熙帝還將朱子「升配十哲」[3]，又「御纂《朱子全書》，提綱挈要，以為學者指南」[4]，正所謂「聖朝崇儒右道，理學重光」[5]，「昌明盛世，重道尊儒，文明之象，麗日星而流江湖」[6]。與此相適應，在書院政策上，朝廷也適當放寬，不但允許廣建書院，如規定「特許直省營建書院，為士民觀摩地」[7]，而且毫不吝惜地給書院賜書賜額，如曾「頒御書扁額於婺源書院」[8]。據統計，康熙朝全國共建書院七百八十五所，列清代各朝第二[9]，漢口紫陽書院乃其中之一。

明人王世貞稱：「大抵徽俗，人十三在邑，十七在天下」[10]，可見

2　蕭一山：《清代通史》（北京市：中華書局，1985年），頁994。

3　〈崇祀〉《紫陽書院志略》（武漢市：湖北教育出版社，2002年），卷之四，版本下同。

4　〈藏書閣跋〉《紫陽書院志略》卷之七。

5　〈上姚太史書〉《紫陽書院志略》卷之八

6　〈尊道堂序〉《紫陽書院志略》卷之七。

7　〈上姚太史書〉《紫陽書院志略》卷之八。

8　〈崇祀〉《紫陽書院志略》卷之四。

9　鄧洪波：《中國書院史》（上海市：東方出版中心，2004年），第六章，頁410。

10　（明）王世貞：〈贈程君五十序〉《弇州山人四部稿》卷六一。

徽州在外從商人數之多。到了明代，徽商形成了一個人數眾多、勢
力較大的商幫，地位十分重要，萬曆時人謝肇淛在《五雜俎》中即
稱：「富室之稱雄者，江南則推新安（即徽州），江北則推山右（指
山西）。」至清代初期，徽商勢力更是達到了極盛。在頻繁的商業活
動中，許多徽籍人口散居於全國各地，以至產生了「無徽不成鎮」的
俗諺。如有人稱，「揚州之盛，實徽商開之」[11]，「山東臨清，十九皆徽
商占籍」[12]，而對於湖北漢口而言，亦有徽商深深的足跡，「漢鎮列肆
萬家，而新安人居其半」[13]即其明證。當然，徽商之所以能在僑寓之
地創建各種書院，不僅是因為他們具備一定的經濟實力，還因為他們
是大哲朱熹的同鄉，他們的商業活動一貫地在一種「賈而好儒」的
思想指導下進行。而漢口紫陽書院，是徽商在各地所建書院中規模最
大者，清人王恩注曾言：「我徽士僑寄遠方，所在建祠，以祀朱子，
而唯漢鎮最巨。」[14]清人程健學亦稱：「健（學）偕計北上，往來吳越
間，見所在皆有紫陽書院。側聞吾鄉前賢之請建於漢皋者，並有義
學、義渡，有藏書閣，有先儒講堂，非襲書院名，而有其實，規模尤
為宏遠。」[15]

　　漢口歷來為一商業重鎮，而在清初達到極盛，清人金承統云：

　　漢水發源嶓塚，導漾而東，合滄浪三澨諸流，至於大別，與岷
　　江會，是為漢口。地隸漢陽，延袤四十餘里，閭閻繡錯，帆檣
　　林立，雄居吳越上游。南瞰滇黔，西通秦蜀，北達幽燕，四方
　　之食貨集焉。而去汴洛最近，蓋亦適當地利之中雲。自李唐

11　陳去病：《五石脂》。
12　（明）謝肇淛，《五雜俎》卷十四。
13　〈尊道堂記〉《紫陽書院志略》卷之七。
14　〈新安通衢記〉《紫陽書院志略》卷之七。
15　〈重修紫陽書院後序〉《紫陽書院志略》卷之七。

時，即已稱豔於詩，所謂「居雜商徒遍富庶，地多詞客足風
流」是已。國朝以來，繁盛稱最。[16]

由此可見，漢口作為「七省通衢」[17]、「寰區巨鎮」[18]，在當時的確是士商
之「輻輳重地」[19]、「雲集之所」[20]，而「徽人客遊天下，惟漢口為多，有
成邑成都之漸」[21]，因此，徽籍士紳商賈能在漢口地區創建規模宏遠的
紫陽書院，就是情理之中的事了。

二　漢口紫陽書院的創建目的

《紫陽書院志略》卷之五〈學規〉稱：「書院之設，尊朱子、聯
梓誼也。」這便指明了紫陽書院創建的基本目的。董桂敷對此做進一
步闡述：

余維書院之建，一舉而三善備焉。尊先賢以明道，立講舍以勸
學，會桑梓以聯情。三者創立之大端，而興修之所由亟也。[22]

說法雖略有差別，所指卻是同一。

所謂「尊先賢以明道」，即指尊崇朱子，明立道統。朱熹在中國
封建社會後期社會地位之崇高無人可比，作為同鄉，徽籍士紳商賈對
之更是推崇備至，將其視為接續孔孟以來儒家道統的大儒。如〈六水

---

[16] 〈漢口徽國文公祠堂總圖記〉《紫陽書院志略》卷之一。
[17] 《紫陽書院志略‧舊凡例》。
[18] 〈紫陽書院志略序〉《紫陽書院志略》卷之七。
[19] 〈與同鄉書〉《紫陽書院志略》卷之八。
[20] 《紫陽書院志略‧舊凡例》。
[21] 〈紫陽書院志略序〉《紫陽書院志略》卷之七。
[22] 〈漢口重修新安書院碑記〉《紫陽書院志略》卷之七。

講堂記〉稱：

> 吾新安之有紫陽夫子，紹先聖之薪傳，為諸儒之統會。眾水朝
> 宗，群山尊嶽，固為孔孟以後直接道統之人。[23]

吳子華稱：

> 夫吾夫子大本達道，格致誠正，自秦漢以來，賴茲一燈，紹列
> 聖之薪傳，以集諸儒之大成。[24]

董桂敷亦稱：

> 漢宋周、程、張諸大儒出，始能上溯道統之源，而我朱子集其
> 大成，乃為孟子以後第一人。[25]

〈道學淵源〉中更是直接將朱子與孔子相比照：

> 孔子生周東遷之庚戌，文公生宋南渡之庚戌……孔子集群聖之
> 大成，文公集諸儒之大成。[26]

在當時來講，建立書院無疑是尊崇先哲的一種極好的表達方式，至於
是不是一定要在徽州之地，在僑寓漢口的徽州紳商們看來就是無關緊
要的了。因為他們認為即便是身處他鄉，依然能感受到朱子之學的沐
化，正如吳子華所說：

> 吾鄉人薰其德，沐其化，愈久而不能忘者耶。昔吾夫子之在閩

---

23 〈六水講堂記〉《紫陽書院志略》卷之七。
24 〈與祭記〉《紫陽書院志略》卷之七。
25 〈願學軒記〉《紫陽書院志略》卷之七。
26 〈道學淵源〉《紫陽書院志略》卷之二。

也，顏其書室曰「紫陽」，蓋以紫陽為徽之故山，夫子表之，
示鄉關之在望也。吾鄉人建祠於漢上，亦不啻依吾徽之闕里，
朝夕趨承，薦俎豆，奉粢盛，竭如在之誠，恍然夫子之式臨，
慢聞愾見，何莫非一誠之所通也哉！[27]

而有了紫陽書院這樣一個依托，便可實現徽州鄉人「尊先賢以明道」
的願望了。董桂敷即稱：

書院者，天下之公舉也。朱子，天下後世之所師法也。吾新安
又朱子之鄉也，以新安之人，合其心力建書院，奉朱子宜若易
然。[28]

關於這點，從《紫陽書院志略》的卷次設置也可略見一斑，如卷二內
容包括道統、道學淵源、《宋史》朱熹本傳、朱子年譜、朱子行狀、
紫陽夫子遺像、朱子自寫照銘、朱子自題警語、朱子自題像詩及朱子
像贊；卷四內容包括崇祀朱子之文十四篇等。

所謂「立講舍以勸學」，即指設立講壇，教育後學。這可以從兩
個方面來理解：

其一，書院教授內容嚴守朱子之學，絕不旁騖。〈舊凡例〉即
稱：

義學條目悉本朱子垂教大旨，不敢別立課程，惑亂向學心志。
附錄《摘訓》，以示麗澤相資之義，庶旅處者得以時加省察。

卷五〈學規〉亦稱：

---

27 〈與祭記〉《紫陽書院志略》卷之七。
28 《紫陽書院志略·增訂漢口紫陽書院志略序》。

今建學舍，延明師，與弟子約：先器識而後文章，先學問而後
功名。遵吾紫陽夫子分年讀書法，浸淫乎經史，而納躬於軌
物。藏焉、修焉、息焉、遊焉，或以道德，或以文章，務為有
用之學。坐而言，起而行，經知守變，亦知權書。日惟學、遜
志、務時，敏於以希聖希賢，未必不由此基也。

這樣一來，書院的創建者們便將「尊先賢以明道」的願望真正落到了
實處。

其二，書院教授對象主要為徽籍紳商的子孫，目的在於使朱子之
學在徽人後代身上薪火永傳，即董桂敷所謂：「將待其成，與父兄子
弟朋友日相講習於其中，本朱子之德行以為儀，述其所以教人者，以
為鄉之後進式。」[29]〈魁星閣記〉亦稱：

今建茲閣，正欲使吾鄉之僑寓漢濱者，父兄訓其子弟，朋友勉
其同儕，相與砥礪切磋，浸淫於詩書禮樂之中。挹其精華，發
為文章，黼黻皇猷，羽儀上國，以克副聖天子作人雅化。[30]

所謂「會桑梓以聯情」，即指於異地他鄉聯繫徽州鄉人之情誼。徽商
足跡遍布全國，尤以漢口為多，故依托書院以「聯梓誼」就顯得十
分必要。董桂敷述紫陽書院創建之原委道：「蓋昔鄉先生之旅處於斯
也，其心未嘗一日忘新安之教，故於鄉里聚會之餘，共敦孝方睦姻任
恤之誼，思有所托以行之永久，乃議創建書院。」[31]即指此意。時任兵
部尚書、總督湖廣等處地方軍務的學者畢沅亦稱：

余惟江漢名區，南北往還，會館之設，所在多有。而新安之以

---

29 《紫陽書院志略‧增訂漢口紫陽書院志略序》。
30 〈魁星閣記〉《紫陽書院志略》卷之七。
31 《紫陽書院志略‧增訂漢口紫陽書院志略序》。

書院名者，獨以文公之鄉而重也。余世家新安，而通籍於吳，
念鄉人之為此舉，無非充其好義樂善之懷，而為維繫桑梓之
本。[32]

三　漢口紫陽書院的創建過程

　　漢口紫陽書院，又名新安書院，位於漢口循禮坊內，經歷了一個
初建和重修的過程。起初，徽商在漢口建有准提庵，「以為同鄉公事
聚會之地，此吾郡會館之初基也」[33]；又於准提庵之西建有三元殿，二
者「皆書院之嚆矢」[34]。康熙三十三年（1694），在「適當漢脈中區」[35]
購得土地若干丈，請示督撫兩院和漢陽縣令後，開始正式建造書院。
董桂敷云：

> 漢口之有新安書院也，自康熙甲戌歲（1694），吳公蘊予、汪
> 公文儀等創始之，閱十二年而成。至乾隆乙卯歲（1795），畢
> 秋帆（沅）制軍以祠宇寖久，恐就傾頹，建議重修，汪君衡士
> 等實經理之，亦閱十年而後成。[36]

重修後的紫陽書院應當說相當氣派，在所有紫陽書院中堪稱翹楚，正
如清人王恩注所稱：「明宮齋廬，宏廓靜深，觀饗式時，嚴嚴翼翼。
自門闕堂階以達於寢室，復廟重簷，莫不饜飫心目。」[37]然而，紫陽書

---

32 〈募修漢鎮新安書院序〉《紫陽書院志略》卷之八。
33 〈別建〉《紫陽書院志略》卷之三。
34 〈別建〉《紫陽書院志略》卷之三。
35 〈紀書院本末〉《紫陽書院志略》卷之三。
36 〈漢口重修新安書院碑記〉《紫陽書院志略》卷之七。
37 〈新安通衢記〉《紫陽書院志略》卷之七。

院的建成卻經歷了一個艱難曲折的過程，許多士紳商賈乃至朝廷官員
都為之付出了艱辛的努力。他們不僅要克服資金上的困難，又要給予
力疲心瘁的鄉人同志以勖勉，還要與當地土著居民的阻撓作抗爭，
「事務之煩叢，錙銖莫可勝算」[38]。

　　首先，創建書院屬於一種公益行為，多由紳商自主捐貲興建，而
由於紫陽書院規模浩大，耗資甚巨，故時間一長，即便是對於具有相
當經濟實力的徽商們來說，生意也難免受到很大影響，正如〈西廳
記〉所云：「大抵新安人在漢各有生業，不難於捐貲急公，而難於出
身任事。蓋奉公者必廢私，故創造書院之人，生業多致落。」[39]這便在
很大程度上影響到了紫陽書院的建設進度，有時甚至面臨著因資金不
足而停工輟作的困難局勢，如〈再勸樂輸啟〉稱：

> 十載以來，惟吳蘊翁一人堅心奮志，竭蹶經營，然孤掌奚鳴，
> 縱使百計圖維，難作短袖之舞耳。今門堂樓室，巍然可觀，惟
> 塗塈丹艧，一切階壁傍廡，尚未完備。勢不能停工輟作，任一
> 簣之終虧。用是分項計貲，約略三千餘金，今除已注承認外，
> 仍缺千金。[40]

在此情形下，執事人員只得反覆發布「勸樂輸文」或「勸樂輸啟」，
勸勉鄉人捐輸資金，如〈再勸樂輸啟〉稱：

> 以合郡濟濟多士，稍為解囊，成功亦易。為此公募諸鄉臺先
> 生，以如雲如雪之襟期，遂希聖希賢之盛舉。各隨願力署，薄
> 慨輸將。芳名與貞珉並垂，而勝事同漢江俱永矣。

38　〈文公忌日設祭記〉《紫陽書院志略》卷之七。
39　〈西廳記〉《紫陽書院志略》卷之七。
40　〈再勸樂輸啟〉《紫陽書院志略》卷之八。

這種情況一直持續了二十餘年，直到「丁酉（1717）有西廳之舉，辛丑（1721）有義學、講堂之設，至乾隆乙未（1775），復開康衢以通商旅，並置市屋十餘椽，取給租賃，以足春秋二祀之需，固井井有條」[41]，書院的建設及經營才改變了原來僅靠鄉人同志捐貲的局面，逐漸步入正軌。

其次，紫陽書院創建之初，鄉人同志不僅資金富餘，而且興致甚高，所謂「其議一創，聞者響應」[42]，「人心踴躍，趨事恐後，所謂一鼓作氣也」[43]，然而「迨歲序遷流，力疲心瘁，資斧既不充囊，朋輩又皆星散，無怪乎衰而竭矣」[44]。這種精神上的懈怠有時比資金上的匱乏危害更大，於是執事人員又煞費苦心加以勖勉，由〈再勸樂輸啟〉即可見一斑，而發布於康熙戊寅（1698）之秋的〈再勸樂輸文〉亦勉勵大家道：

> 有志者事成，力倦者終輟。今紫陽書院之舉，志亦堅矣，而終未成，則非倦於力也，輟於力之不能繼也。輟於力之不能繼，則非一人之責，凡我同郡力可為而未經為，或為之而未竟其力者之責也……嗟乎！可與觀成，難與圖始。此為百姓言也，非為士大夫言也。且今日書院業已垂成，非圖始也。為書院惜，更為諸同鄉念。從前亦曾協力，縱未經協助，亦未經倡言，以為書院不當建者，則心許諒亦久矣。今再漠然，則某等志未嘗不堅，而力自不繼，後有議論，責亦有歸。[45]

---

41 〈募修漢鎮新安書院序〉《紫陽書院志略》卷之八。

42 〈尊道堂記〉《紫陽書院志略》卷之七。

43 〈再勸樂輸啟〉《紫陽書院志略》卷之八。

44 〈再勸樂輸啟〉《紫陽書院志略》卷之八。

45 〈再勸樂輸文〉《紫陽書院志略》卷之八。

由之可見執事人員之良苦用心。

再次，紫陽書院創建之初，遭到了漢口土著居民的阻撓破壞，徽籍人士也與之作了堅決的抗爭。〈紀書院本末〉稱：「爰募徽地工師，一遵吾郡世族祠堂規制，庀材鳩吉，百役齊興。不虞一二亡賴，忽爾操戈要挾，布棘環攻，好事者從中羹菲。幸賢有司特加懲創，始為斂跡。」[46]朱霖里亦稱：「初有好事者，擾攘不已，百方駕捏，思有以阻撓之。賴內外諸鉅公，侃侃正論，邪說熄焉。」[47]這種抗爭有時甚至到了要對簿公堂的嚴重地步，〈尊道堂記〉云：

> 方營造之初，不足於地，乃售民房以益之。既付價而仍令暫棲，以俟遷移。人苦不知足，既獲厚值，又不費銖黍，雇屋資得暫依止。及至營構毀拆，久假之後，反生溪壑，好事者遂憑之作競，鼓動浮言，幾興大訟。其為計也，不啻盡輟弦誦之音，盡毀羹牆之志不止。賴世教昌明，名公鉅卿，皆當時理學鴻儒，同心扶輪，極力攘斥，其氛乃靡。[48]

而屢次爭訟，均以徽籍人士的勝利而告終，故有學者認為：

> 其一，徽商為創建漢口紫陽書院，可謂同心竭力，志堅意誠，反映出深厚的新安傳統文化所孕育出來的徽商「賈而好儒」的特點。其二，在與漢口土著的屢屢爭訟中，徽商之所以最終皆能取勝，主要憑藉的是朝中仕宦子弟之助。這種活生生的事實，必然使徽商更加深切地認識到，沒有政治勢力作為靠山，商人要想維護自身利益是十分困難的，從而勢必使「賈而好

---

46 〈紀書院本末〉《紫陽書院志略》卷之三。
47 〈文公忌日設祭記〉《紫陽書院志略》卷之七。
48 〈尊道堂記〉《紫陽書院志略》卷之七。

儒」的徽商進一步加強其興學立教的自覺性。[49]

四　漢口紫陽書院的創建與當地學術世風

　　紫陽書院之先，湖北地區亦不乏書院，如宋代於麻城建有萬松書院，元初於黃岡建有問津書院，但在漢口，紫陽書院卻是第一家。漢口紫陽書院的創建有其鮮明的尊朱特色，《紫陽書院志略‧舊凡例》稱：「漢口為七省通衢，士商雲集之所，琳宮、梵宇，不知凡幾。獨吾郡首建書院，尊崇正學，禮教攸關。」故建成之後對漢口當地的學術世風都產生了一定的影響。

　　首先，書院的創建「尊朱子聯梓誼」為目的，講學內容嚴遵朱學，這對朱子之學從其發源地徽州到漢口的播遷起到了一定的促進作用。〈六水講堂記〉云：

> 理學之幟，於新安為獨盛。今既去故鄉，遷異地，理學種的，或亦因所居而漸移。此講堂之所以不可不設。而堂不以六水名，則後之人士且將忘其鄉先生闡發講貫之勤，留遺至今日以有此書院，而目為故事，視為遊眺燕會之所。則今日創興，諸君子之盛心，亦淹沒而不章矣。讀朱子之書，而參之以諸先生之著述，朝於斯，夕於斯，涵濡而浸淫，身體而力行，紫陽夫子有傳人，即六水諸先生有繼起。名山峻嶺，無不分幹於崑崙；長江大河，無不朝宗於海若。豈不盛哉！[50]

---

[49] 李琳琦：〈徽商與清代漢口紫陽書院——清代商人書院的個案研究〉，載《清史研究》，2002年2月。

[50] 〈六水講堂記〉《紫陽書院志略》卷之七。

陳亦韓所作〈寄題漢口紫陽書院〉亦云：「書院衍道脈，嘉名披吳閶。近傳漢江口，棟宇尤煒煌。」[51] 需要指出，這裏所謂「近傳到漢口」的絕非僅指紫陽書院之一建築，而是指作為紫陽書院魂脈的朱子之學，這由《紫陽書院志略》所載諸多楹聯也可很好地反映出，如李天祥云：「遠接尼山，道在黃岩白嶽之間。宜六邑群英，奉為千秋俎豆；近宗濂水，祠於廣漢永江之畔。知兩湖人士，共瞻數仞宮牆。」[52] 汪承霈云：「左挹鶴樓，右攬晴川，溯十載漢渚經遊，紛社簪纓崇道脈；瑞靄斗魁，祥凝東壁，三千里楚江星耀，天都人士頌奎垣。」[53]

其次，作為書院，講學育人乃其基本的特徵和功能。漢口紫陽書院的創建，培植大量人材，為當地教育事業也做出了貢獻。如書院之啟秀書屋，實為一小學教育機構，士商子弟來此問學，以應日後科舉之試，董桂敷云：

> 命曰啟秀，義豈苟然已哉！其啟之之法奈何？曰正學術、勤功課、擇師儒、厚培養，四者備而後可以言善。今之入塾者，受經書句讀，後輒從事於科舉之學……循是以行，十年之間，吾見人材之出，皆儼然有名儒碩輔之思，居鄉則一鄉之望，在朝則天下之望。以是言造物之所鍾，國家之所育，不誠當之而無愧也乎？[54]

自元代以至清朝，國家規定科舉考試以朱熹《四書章句集注》為主要內容，《四書》取代傳統的五經，占據了經學領域的主導地位。紫陽書院尊奉、傳授朱子之學，與當時的學術和政治背景可謂正相適應。

---

[51] 〈寄題漢口紫陽書院〉《紫陽書院志略》卷之七。
[52] 〈聯句〉《紫陽書院志略》卷之七。
[53] 〈雜聯〉《紫陽書院志略》卷之七。
[54] 〈啟秀書屋記〉《紫陽書院志略》卷之七。

再次，隨著紫陽書院規模的不斷擴大，對漢口之地社會風氣的影響也日漸深遠。不管是徽籍士紳商賈還是當地民眾，抑或蒞臨漢口的朝廷官員都深受教化，當地世風大有好轉，正所謂「民俗潛薰德，傳聞著有名」[55]。比如作為紫陽書院主體建築的尊道堂建成之後，

> 四方之士，觀者如市。登其堂，靡不嘖嘖奮興，而道心生焉。以故吾鄉無貴賤老少，咸知循禮守義，不肯自棄於四方之末，而不與聞君子之大道也[56]。

又，

> 堂既成，公卿蒞茲土者，進而行釋奠之禮。其文物之繁盛，禮節之閑都，觀光者咸有所感於心，而翕然向化。豈獨新安人入市而忘其市心，居其地而不沿其俗哉！蓋仁義禮樂之風，駸駸乎蒸被江漢之區，而振其不競[57]。

而作為紫陽書院另一主體建築的六水講堂建成後，

> 即漢口四方雜處之人，亦無不沐浴薰陶，感發興起，則書院之為功於人心風俗者，又不獨六邑之人被其澤也[58]。

事實證明，漢口紫陽書院的創建，為徽州士紳商賈在漢口地區傳播朱學、推行儒教尋求到一個堅實的依托。

---

[55] 〈寄題漢口紫陽書院〉《紫陽書院志略》卷之七。
[56] 〈尊道堂序〉《紫陽書院志略》卷之七。
[57] 〈尊道堂記〉《紫陽書院志略》卷之七。
[58] 〈六水講堂記〉《紫陽書院志略》卷之七。

《古史辨》第三冊〈自序〉讀劄
——兼論今日對待《詩經》之態度

提要

「古史辨派」所代表的「疑古辨偽」思潮，在中國現代學術思潮史上產生了重要影響。對待《周易》、《尚書》、《詩經》等經書，不再以經學的眼光審度，而將其降為史學乃至文學，試圖徹底摧毀經說。這一對待經典的態度，直到近百年後的今天依然沒有根本改變。然而二十一世紀的時勢與「五四」風潮下的「古史辨」時代迥乎不同，長此以往，會造成現代與傳統的日益隔膜。今日學人之首要任務，乃在於在批判「五四」以來「反傳統」、「疑古」傾向的同時，好好補古典學養的課。對於《詩經》，便首先要弄懂《詩經》學的一些基本問題，以及在子學時代和經學時代「詩教義」究竟如何發揮，再審慎地對其展開揚棄。「古史辨派」代表人物顧頡剛所撰〈古史辨第三冊自序〉，是「古史辨派」對待《詩經》的「宣言書」。今作劄記若干，以追原「古史辨派」之思想淵源及在《詩經》基本問題上的某些錯誤認識，目的是倡導一種尊重傳統、尊重歷史的學術風氣，「走出疑古時代」，「重啓古典詩學」。

　　無論在《詩經》研究史上，還是在中國現代學術思潮史上，「古史辨派」所代表的「疑古辨偽」思潮都可算得上是至關重要的一環。究其因，不惟在於它在研究視角上完成了相對於傳統經學的重大轉換——從經學降而至史學或文學，甚至將傳統的「六藝」、「四部」之學解構為西方學術分科體系下的哲學、文學、社會學、人類學

等——實現了對傳統經說的徹底顛覆；而且在於，這一學術思潮同時又是「五四」新文化運動「反封建」精神的自然延伸。它的影響既是學術的，又是政治的。

然而，儘管「古史辨派」的思想主張在很大程度上是出於「時勢」的「不得已」[1]，有其「歷史正當性」乃至政治上的「進步性」，而且在研究方法上也較前代有所開拓[2]，但它對《周易》、《尚書》、《詩經》等古代經書批判之過於武斷之處，亦十分明顯。比如在《古史辨》煌煌七冊中，隨處可見指斥古代經師解經「可笑」、「胡說八道」、「沒有眼睛」、「扭捏作態」等過激字眼，這於學術批評來說就不可能是客觀的了。

儘管其後中國又經歷了「唯物史觀」、「極左思潮」、「文化思潮」等學術思潮（或政治思潮），但就《詩經》研究而言，整個二十世紀的大體趨勢依然拘囿於「古史辨派」所指擿的方向，即把《詩經》當作一部周代先民的「歌謠集」——而不是儒家經書——來看待，認為讀《詩》研《詩》應當廢棄《詩序》，直從本文，以「民間文藝」的眼光「就詩論詩」[3]。更可注意的是，直至近百年之後的二十一世紀之

1　顧頡剛云：「適之、玄同兩先生固是我最企服的師，但我正因為沒有崇拜偶像的成見，所以能真實地企服他們；若把他們當作偶像一般而去崇拜，跟了他們的腳步而作應聲蟲，那麼，我用了同樣的方式去讀古書時，我也是古人的奴隸了，我還哪裏能做推翻古代偶像的事業呢？老實說，我所以有這種主張之故，原是由於我的時勢、我的個性、我的境遇的湊合而來。」（《古史辨》第一冊〈自序〉（上海市：上海古籍出版社，1982年），頁4

2　比如胡適主張研究《詩經》當講「文法」，《談談詩經》云：「前人研究《詩經》都不講文法，說來說去，終得不著一個切實而明瞭的解釋，並且越講越把本義攪昏昧了。」（《古史辨》第三冊（上海市：上海古籍出版社，1982年），頁581

3　比如陳槃《周召二南與文王之化》稱：「從來研究《詩經》的人，都中了西漢三家四家的經生的遺毒，只顧在發揮酸腐的話。《二南》二十五篇本是民間文藝（後被樂師收入樂章），也被他們把什麼『文王之德』一類垂訓後世的觀念酸化了！」（《古史辨》第三冊，前揭，頁424）

今日（二〇一一年是辛亥革命一〇〇周年、「五四」運動九十二周年），這一讀《詩》治《詩》眼光依然如舊[4]，大學中文系講先秦文學或者非中文系講《大學語文》涉及《詩經》之處，也基本按照婚戀詩、美刺詩、農事詩、戰爭詩、祭祀詩等的現代分類，從文學鑑賞的角度講解，並且世人、學子甚至包括諸多《詩經》研究者，也多已習以為常。

或許會有這樣的詰問：像「古史辨派」一樣，把《詩經》作為「歌謠」來看待不可以麼？以「文藝」的眼光對《詩經》進行文學鑑賞、陶冶性情不可以麼？經學時代現在既已成為已陳之芻狗，為什麼還要去把《詩經》當「經書」看呢？我們說，從文學角度審度《詩經》當然可以，並且很好！關鍵是，像諸多現代學人那樣僅僅當作文學作品來看待，問題就大了！而最要害的問題就在於，長此以往，今人可能會越來越不明古學傳統，傳統與現代的隔膜會越來越深，越來越無法彌縫！而這，已不單單是學術層面的事情了，甚至涉及一個國家的「主流政治價值觀」（蔣慶語）問題，涉及「古今中西之爭」問題，茲事體大焉！如此立論，緣由大端有三：

其一，《詩經》（戰國以前只稱《詩》）從起初並不是一部純粹的「歌謠集」，並不是一部文學書，《詩經》絕對不可等同於後世的「楚辭」、「唐詩」、「宋詞」或者「元曲」。即如〈國風〉中的許多作品

4　比如在現代《詩經》注本中占據重要地位的程俊英、蔣見元的《詩經注析》一書之〈序言〉即稱：「我們的願望，是想恢復《詩經》的客觀存在和本來面目。撥開經學的霧翳，彈卻《毛序》蒙上的灰塵，揩清後世各時代追加的油彩，她的面容是能夠豁然顯露的。南宋治《詩》大師朱熹，攻訐《毛序》，廢《序》不用，提出「就詩論詩」的原則。儘管他並沒有真正做到這一點，但開創風氣，意義是至為巨大的。今天，我們的治學眼光應該更加客觀，可以更徹底地就詩論詩。〈毛序〉中正確的自當吸收，但大部分必須否定。《詩經》就是詩，準確地說，就是歌曲，一首首頌德的歌、祭祀的歌、宴飲的歌、戀愛的歌、送別的歌、諷刺的歌等等，如此而已。」客觀地說，無論是字詞訓釋，還是主題分析，抑或藝術鑑賞，《詩經注析》在現代注本中皆屬上乘，學術含量頗高。該書尚且如此，遑論其他？

原初確乎採自民間，但隨著進入文本被譜成樂章，它的作用就不再是
「文學」的了。更何況「雅詩」、「頌詩」乃至部分「風詩」，本來就
是為著政治目的而作的「政治詩」。至於自漢代至今二千餘年，《詩
經》在社會上發揮作用，更主要是在政治領域輔助帝王移風易俗、治
國安邦。如此說來，讀《詩》研《詩》，如何能夠脫離開政治呢？如
何不去講「經夫婦，成孝敬，厚人倫，美教化，移風俗」呢？

其二，以「文藝」的眼光看待《詩經》，「五四」風潮下的「古
史辨派」倡言之，很大程度上順應了時代的「反封建」要求；而近百
年之後的今日，時勢迥乎不同，審度《詩經》以至其他經典的視角
不當追隨「古史辨派」的老路，而應當隨之改變。簡言之，自清末
至「古史辨」時代，思想家要做的工作主要是採納西方所謂「民主」
與「科學」的思想，將中國「落後」的傳統悉數改造一遍，自然會
「反傳統」；今日中國固然處於「全球化」的大趨勢下，但又恰逢自身
之「崛起時代」，無論在政治體制上還是在思想文化上，都當審慎地
從自身傳統中汲取營養，建立真正符合中國實際和體現民族自信力的
體制或觀念，而不當一味沿遵以「西方王官學」作為中國憲政基本思
想的老路，所以應當回過頭來好好認識一下自己的傳統[5]。落實到《詩

---

[5] 這樣說，並不意味著本人是什麼「復古派」，我個人的立場是，對待傳統態度一定
要審慎，需要努力挖掘傳統中有益的成分，並且首先要明曉自己的傳統究竟是怎樣
的。2010 年 9 月 25 日，「騰訊網」曾對杜維明先生和袁偉時先生有一個採訪，二人
之對話談及「五四」傳統與現代化的問題。袁先生比較激進，他認為不能對中國傳
統文化進行過度美化，中國傳統文化有其天生弱點，制度上沒有形成分權制約，沒
有形成法治精神等等，發展不出現代科學。以西歐、北美文明為代表的「現代文
化」，是人類共同的財產，各種文化的精華匯集，凝聚為人類的共同價值。東方社
會轉化為現代社會之際，應當接受以西方為代表的現代文化，這關係到一個國家的
盛衰和人民的福祉。杜先生則比較穩妥：「我認為對待傳統，最重要的是理解、認
識和分析，也可以用嚴屬的批判的方式分析……在向西方學習的同時，需要珍惜與
保護自己的傳統文化，更要需要繼承與發展自己的傳統文化，當然不是那些劣質

經》研究上，這一視角改變的首要任務便是：一定要徹底弄懂《詩經》到底是一部什麼性質的書，一定要仔細揣摩「經典世界中的人、事、物」[6]，一定要明晰釐清《詩經》在子學時代以及經學時代是如何在社會上發揮作用的。

其三，之所以提倡首先要弄清《詩經》之經書性質及詩教發揮之歷史，是因為今日學者與「古史辨派」學者有一重大區別：「古史辨派」批判傳統但懂得傳統[7]，比如激烈反對《毛詩序》的鄭振鐸在〈讀毛詩序〉一文中，梳理由漢至清《詩經》學的嬗變，考辨齊、魯、韓、毛四家同源；又如深受顧頡剛「疑古辨偽」思想影響的陳槃，在〈周召二南與文王之化〉一文中感慨：

> 我人幸生斯世，止是赤裸裸地，沒有遺傳的頭腦，也沒有應該遵守不渝的家法，盡可老老實實說自己的話，不必顧忌什麼，附會什麼。[8]

的成分……五四的精英們，對於真正繼承傳統、發揚傳統、並創造性轉化傳統的力度不夠，因為他們被向西方學習的這種極大的需求所激勵鼓舞。甚至包括蔡元培，蔡元培要以美學代替宗教，把經學整個拋棄了……現在我們的傳統沒有死，我們需要重新回顧，重新認識我們這個大難不死的傳統。」（參網址：http://blog.sina.com.cn/s/blog_482712a30100mgpc.html）又，近日讀到李零先生的新著《去聖乃得真孔子：〈論語〉縱橫讀》（三聯書店，2008 年），主張「《論語》是子書，要當子書讀」（頁1），又認為：「歷史上捧孔子，有三種捧法，一是講治統，這是漢儒；二是講道統，這是宋儒；三是拿儒學當宗教，這是近代受洋教刺激的救世說。三種都是意識形態，說是愛孔子，其實是害孔子。我是反其道而行之：去政治化、去道德化、去宗教化。這三條不去，其愚不可及也。」（頁12）竊以為，「政治化、道德化、宗教化」，都是孔子歷史形象的重要組成部分，都需要後世者去仔細剝離進而認清，而不是「去」。需要知道，並不是所有人都曉得「政治化、道德化、宗教化」下的孔子是個什麼模樣。而且對待傳統不能去「堵」，而應該去「疏」。

6　陳少明：《經典世界中的人、事、物》（上海市：上海三聯書店，2008 年）。

7　這樣說不意味著「古史辨派」學者在《詩經》基本問題的認識上沒有失誤，辨析詳見下文箚記。

8　顧頡剛：《古史辨》第三冊，前揭，頁425。

他們欲打破「家法」卻也懂得「家法」。今日眾多學子及世人（甚至
包括某些學者）因長期接受「反傳統、反封建」的教育，已不曉得中
國傳統之具體面目究竟如何了[9]。用蔣慶先生的話說，現在的《詩經》
研究，很大程度上「犯了『五四』以來中國學人打破『家法』進而
不懂『家法』的通病」[10]。這一研究格局，發人深省。正是從這一意義
上，柯小剛先生提出：

> 「五四」的時候，無論堅持傳統文化的保守派還是提倡各種新
> 潮主義的新文化健將，普遍有良好的中國古典學養；而今天無
> 論繼續激進的文化先鋒還是反求六經的先進學者（「先進於禮
> 樂」之先進），可能都比不上「五四」一代學者的中國古學功
> 底。這一基本事實提示我們：「五四」一代即使反傳統的主張
> 都有可能是傳統文化自身的一個變化形態，而今即使主張復興
> 傳統文化的立場都有可能是一種很不傳統的現代性主義論說的
> 表現。因此，今天談傳統文化的復興，首要的任務很可能不是
> 反思批判「五四」的反傳統立場，而是老老實實補課，補中國
> 古典學養的課。當我們恢復到「五四」一代先賢的古典學養水
> 平的時候，我們也許才有一雙古典的眼睛來看清，不久前的那
> 一代古人為什麼以及如何想像現代化：這場不同於任何其他文
> 明體之現代化進程的獨特現代化模式，它的出發點和結果，它
> 的過程和本質，它與自身獨特傳統的獨特關係，它的損益權
> 變，它在文質歷史中的位置，它所建立的新政治新文化與古代

---

9 比如不少講解《詩經》的書，其經學意義也僅是附於末尾點綴一下，讓人感覺味同
   「雞肋」。如此處理，即便涉及「經學」問題，也僅是作為「歷史」處理，未能將
   其精神激活。

10 蔣慶：《當今儒學存在的問題》，「中山大學高等人文研究院儒學中心講座講演
   稿」，2010年4月9日。

　　　　傳統的關聯，都還遠不是已經清楚明白的事情，而是仍然深深
　　　　地隱藏在未知之中，有待哲學的虛心學習和重新認識。[11]

我完全贊同柯先生「補課」的主張，但竊以為，補中國古典學養的
課，與反思批判「五四」的反傳統立場，不妨可以同時進行。

　　然而，「古史辨派」學者到底是如何具體解說《詩經》的？今日
的我們如何鑒戒歷史，開出研治經典的新境界？也是亟需解決的一
個課題。顧頡剛先生編著之《古史辨》第三冊，專門討論《周易》、
《詩經》二部經書（乃其研治「古史」的一個組成部分，詳見〈自
序〉）。《下編》專論《詩經》，收錄「民國前一年迄民國二十年九月」
（1911～1931）二十年間二十餘位學者的五十一篇文章。儘管其中有
些學者不一定劃歸「古史辨派」（如朱自清、鄭振鐸、鍾敬文等），
但大致都在「疑古」的思想風潮下討論問題，因此這些論文可以代
表那一時代的學術思想風貌。而顧頡剛所撰〈自序〉，又在很大程度
上可以視為「五四」以來學人對待《詩經》的「宣言書」。今就顧氏
〈自序〉本文，作箚記若干（以《詩經》問題為重點），以追原「古
史辨派」思想之淵源及在《詩經》基本問題上的某些錯誤認識，目的
是在《詩經》研究中倡導一種尊重傳統、尊重歷史的學術風氣，「走
出疑古時代」[12]，「重啟古典詩學」[13]。

---

[11] 柯小剛，《「五四」九十年古今中西學術的變遷與今日古典教育的任務》，「中國文
化論壇」第五屆年會論文，2009 年 7 月。

[12] 1992 年，李學勤先生在北京語言文化大學一次座談會上發表題為〈走出疑古時代〉
的演講，刊於當年《中國文化》第 7 期；又刊《走出疑古時代》論文集（瀋陽市：
遼寧大學出版社，1994 年）；1997 年 12 月，該書又出修訂本。

[13] 劉小楓：《重啟古典詩學》（北京市：華夏出版社，2010 年）。

顧頡剛《古史辨》第三冊〈自序〉

這第三冊《古史辨》分為上下兩編：上編是討論《周易》的，下編是討論《詩三百篇》的，多數是這十年來的作品，可以見出近年的人們對於這二書的態度。

　　案：據該書目錄所注，本冊所收《詩經》論文時限為「民國前一年迄民國二十年九月」，民國前一年（1911）之論文為胡適所撰〈詩三百篇「言」字解〉，民國二十年（1931）九月之論文為胡適所撰《談談詩經》，文下解題云：這是民國十四年九月在武昌大學講演的大意，曾經劉大傑君筆記，登在《藝林旬刊》（《晨報副刊》之一）第二十期發表，又收在藝林社《文學論集》。筆記頗有許多大錯誤，現在我修改了一遍，送給頡剛發表。廿，九，十一。「然除去胡適〈詩三百篇「言」字解〉一篇，其餘文字最早者便是顧頡剛的〈詩讀隨筆〉、〈論詩序附會史事方法書〉以及鄭振鐸的〈讀毛詩序〉，均作於民國十一年（1922）。顧氏〈自序〉落款為「二十，十一，一」，即西元一九三一年十一月一日，故稱「多數是這十年來的作品」。

其編纂的次序，以性質屬於破壞的居前，屬於建設的居後。於《易》則破壞其伏羲、神農的聖經的地位而建設其卜筮的地位，於《詩》則破壞其文、武、周公的聖經的地位而建設其樂歌的地位。但此處說建設，請讀者莫誤會為我們自己的創造。《易》本來是卜筮，《詩》本來是樂歌，我們不過為它們洗刷出原來的面目而已，所以這裏所云建設的意義只是「恢復」，而所謂破壞也只等於掃除塵障。

　　案：就《詩》而言，屬於「破壞」的篇目，大概起自顧頡剛所

撰〈詩經在春秋戰國間的地位〉，迄於杜子勁所撰〈詩經靜女討論的
起漚與剝洗〉，計三十七篇；屬於「建設」的篇目，則起於胡適所撰
〈詩三百篇「言」字解〉，迄於何定生所撰〈關於詩的起興〉，計十四
篇。

此等見解都是發端於宋代的，在朱熹的《文集》和《語錄》裏常有這
類的話。我們用了現代的智識引而申之，就覺得新意義是很多的了。

　　案：於此可見，宋人之疑經，乃是顧頡剛「疑古辨偽」立場的重
要思想淵源之一。顧氏編《古史辨》第三冊，於〈自序〉前一頁錄列
南宋鄭樵、朱熹二人論述《周易》、《詩經》語錄數則，作為該冊的
指導思想。錄鄭樵《通志・總序》云：「三百篇之《詩》盡在聲歌，
自置《詩》博士以來，學者不聞一篇之《詩》；六十四卦之《易》該
於象數，自置《易》博士以來，學者不見一卦之《易》……經既苟
且，史又荒唐，如此流離，何時返本？道之汙隆存乎時，時之通塞
存乎數。儒學之弊，至此而極。寒極則暑至，否極則泰來，此自然
之道也。」錄朱熹《朱子語錄》七則，論《詩》者三則，一則云：
「林子武說《詩》，曰：『不消得恁地求之太深！他當初只是平說，橫
看也好，豎看也好，今若要討個路頭去裏面尋，卻怕迫窄了。』」二
則云：「《詩序》，《東漢・儒林傳》分明說道是衛宏作。後來經意不
明，都是被他壞了……伯恭專言《序》又不免牽合。伯恭凡百長厚，
不肯非毀前輩，要出脫回護。不知道只為得個解經人，都不曾為得
聖人本意。是便道是，不是便道不是，方得。」三則云：「毛、鄭，
所謂山東老學究。歐陽會文章，故《詩》意得之亦多……因言歐陽永
叔《本義》，而曰：『理義大本復明於世固自周、程，然先此諸儒亦
多有助。舊來儒者，不越注疏而已。至永叔、原父、孫明復諸公，始
自出議論……此是運數將開，理義漸欲復明於世故也。』」四則材料

之關節點，大端有三：第一，《詩序》作者為東漢衛宏；第二，《詩序》之解遮蔽了《詩》意；第三，漢人經說茍且，「文章」角度，視《詩》為「聲歌」方得《詩》意。這些恰是「古史辨派」論《詩》的基本立場。

　　然而，民國廢經與宋代疑經之間存在著重大區別，宋人雖疑經而並未倒經，其最終目的仍在於「尊經」。比如朱熹雖曾主張廢〈詩序〉，然〈詩集傳序〉云：「此《詩》之為經，所以人事浹於下、天道備於上，而無一理之不具也。曰：『然則其學之也當奈何？』曰：『本之〈二南〉以求其端，參之列國以盡其變，正之於〈雅〉以大其規，和之於〈頌〉以要其止，此學《詩》之大旨也。於是乎章句以綱之，訓詁以紀之，諷詠以昌之，涵濡以體之，察之性情隱微之間，審之言行樞機之始，則修身及家、平均天下之道，亦不待他求而得之於此矣。』」維護經學的立場十分鮮明，充其量不過是以「宋學」反對「漢學」。民國廢經，歷史際遇則與宋代截然不同，時值「封建社會」剛剛覆亡，時勢要求學人對待《詩經》等經書，徹底降「經學」為「文學」（或「史學」）。至於顧氏本人，亦曾在《古史辨》第一冊〈自序〉中明確表達過他的「經史觀」：「我自己最感興味的是文學，其次是經學，直到後來才知道我所愛好的經學也即是史學。」又稱：「經者，古史耳；儒者，九流之一家耳。」這顯然是受了章學誠「六經皆史」思想的影響。只是後一句的說法，則不但降「經」為「史」，並且降「經」為「子」了。而在〈論獲麟後續經及春秋書〉一文中所言：「我現在對於今文家解『經』全不相信，我而且認為『經』這樣東西，壓根兒就是沒有的。經既沒有，則所謂『微言大義』也者，自然『皮之不存，毛將焉附』了。」[14]就更顯得十分激進了。

14　顧頡剛：《古史辨》，前揭，第一冊，頁280。

我們知道：我們的功力不但遠遜於清代學者，亦且遠遜於宋代學者。不過我們所處的時代太好，它給予我們以自由批評的勇氣，許我們比宋代學者作進一步的探索——解除了道統的束縛；也許我們比清代學者作進一步的探索——解除了學派的束縛。它又給予我們許多嶄新的材料，使我們不僅看到書本，還有很多書本以外的東西，可以作種種比較的研究，可以開出想不到的新天地。我們不敢辜負這時代，所以起來提出這些問題，激勵將來的工作。

　　案：「古史辨派」廢棄經學，試圖打破或解除的，一是「道統」，一是「學派」（或言「家法」）。顧頡剛打破「道統」，從宋代周程而溯於上古堯舜，仍是他推倒古史的一個組成部分。《古史辨》第四冊〈自序〉云：「道統是倫理的偶像。有了道統說，使得最有名的古人都成了一個模型裏製出來的人物；而且成為一個集團，彼此有互相維護的局勢。他們以為『天不變，道亦不變』，凡是聖人都得到這不變之道的全體。聖與聖之間，或直接傳授，或久絕之餘以天眚聰明而紹其傳。最早的道統說，似乎是《論語》的末篇：『堯曰：咨爾舜，天之歷數在爾躬！允執其中，四海困窮，天祿永終！舜亦以命禹。』……到宋代理學興起，要想把自己一派直接孟子，以徒黨鼓吹之盛，竟得成功，而濂、洛、關、閩諸家就成了儒教的正統，至今一個個牌位醇享在孔廟。這個統自堯、舜至禹、湯，至文、武、周公，至孔、孟，又至周、程們，把古代與近代緊緊聯起。究竟堯、舜的道是什麼？翻開經書和子書，面目各各不同，教我們如何去確定它？再說，孔、孟之道是相同嗎？何以孔子稱美管、晏而孟子羞道之；何以孔子崇霸業而孟子崇王道？即此可見孔、孟之間相去雖僅百餘年，而社會背景已絕異，其道已不能不變，何況隔了數千百年的。至於宋之周、程們，其道何嘗得之於孔、孟？」如此一來，堯、舜、孔、孟等

聖人便被「古史辨派」拉下了「聖壇」。

至於「家派」或「家法」，是經學的代表性特徵之一，當然也要遭到「古史辨派」的攻擊。顧頡剛在《古史辨》第五冊〈自序〉中稱：「現在我們所處的時代和他們截然不同了：我們已不把經書當作萬世的常道，我們解起經來已知道用考古學和社會學上的材料作比較，我們已無須依靠舊日的家派作讀書治學的指導。家派既已範圍不住我們，那麼今文古文的門戶之見和我們再有什麼關係！」對於《詩經》研究而言，掙脫「家派」或「家法」的束縛，究竟該如何去進行呢？顧頡剛在《古史辨》第一冊〈自序〉中給出了答案：「但到了現在，學問潮流已經很明白地昭示我們，應該跳出這個圈子了。我們自有古文字學、古文法學、古器物學、古歷史學等等直接去整理《詩經》。《毛傳》固要不得，就是《三家詩》也是《毛傳》的『一丘之貉』，又何嘗要得！至於我們為要了解各家派在歷史上的地位，不免要對於家派有所尋繹，但這是研究，不是服從。」

需要注意，顧氏倡言解除「道統」，打破「家法」，一方面這是時代的賦予，一方面這代學人是明曉「道統」、懂得「家法」的。

這一冊書的根本意義，是打破漢人的經說。故於《易》則辨明《易》「十翼」的不合於《易》「上下經」，於《詩》則辨明齊、魯、韓、毛、鄭諸家《詩》說及《詩序》的不合於《三百篇》。它們解釋的錯誤和把自己主張渲染到不相關的經書上許多許多是證據明確，無可作辯護的。我們的打破它們，只是我們的服從真理，並不是標新立異。倘有人視經書為神聖，因視漢人的解釋為同等的神聖，加我們以「狎侮聖言」的罪名，則我們將說：神聖的東西是「真金不怕火」的，如果漢人的解釋確是神聖，則我們這些非傳統的言論固嫌激烈，但終無傷於日月之明。如其不然，則即使我們不做這番工作，而時代是不饒

人的，它們在這個時代裏依然維持不了這一個神聖的虛架子。經久的
歲月足以證明真實的是非，請你們等著瞧罷！

案：這一節文字至關重要！涉及對《詩經》基本問題的長久以來
的重大認識盲點，而這恰又是「古史辨派」乃至歷代「疑古派」批判
《詩經》、批判經說的最為重要的依據！自宋代理學家到現代「古史
辨派」，批判《詩經》的一個焦點便是《詩序》之說不合於《詩》之
本文（即字面本義），故指斥經師解《詩》皆出於「附會」[15]。然而，
這皆由古來學者對《詩序》之結構、《詩序》之作者、《詩序》之性
質、《詩》義之層次等問題存在認識上的盲點所致。分述如下：

第一，《詩序》從結構上可以分為「首序」和「續序」，二者有
一個時間上的差距。所謂「首序」，是指每篇《詩序》中開頭一句
的簡練文辭；「續序」，則指「首序」之後的相對較長的文字，是
對「首序」的引申與發揮。如〈周南・桃夭〉之序云：「后妃之所致
也。不妒忌，則男女以正，婚姻以時，國無鰥民也。」其中「后妃
之所致也」即為首序，「不妒忌，則男女以正，婚姻以時，國無鰥民
也」則為續序。續序及〈關雎〉之前的〈詩大序〉出自漢人手筆，學
界並無異議，但首序是否也是漢代的產物呢？通過分析《毛詩》首序
解詩模式與周代禮樂制度之間內在的對應關係，今人馬銀琴認為：
「相傳兩千多年的《毛詩》首序，應是周代禮樂制度的直接產物，它
的產生，至晚應在周代禮樂制度尚未崩壞的春秋末期以前……它的
產生，在詩歌被采輯、編錄的同時。」[16]而這一問題，直接涉及對《詩

---

[15] 張西堂先生曾指摘《毛詩序》之十大「謬妄」：「雜取傳記」、「疊見重複」、「隨文
生義」、「附經為說」、「曲解詩意」、「不合情理」、「妄生美刺」、「自相矛盾」、
「附會書史」、「誤解傳記」。（張西堂：《詩經六論・關於毛詩序的一些問題》（北
京市：商務印書館，1957年），頁133～138。

[16] 馬銀琴：〈毛詩首序產生的時代〉，載《文學遺產》（2002年2月）。

序》解《詩》的認識。又據馬銀琴考證，三百零五篇《詩》文本的形成，經歷了「康王時代」、「穆王時代」、「宣王時代」、「平王時代」、「齊桓公時代」和「孔子刪《詩》」的六次結集，而且表現出一種「儀式色彩不斷弱化、德義成分不斷加強」的趨勢[17]。如此說來，所謂《詩序》解《詩》之「穿鑿附會」，就不能視「漢儒」為始作俑者了。

第二，順承第一個問題而來，《詩序》的著作權顯然不能僅僅歸之於東漢衛宏。張西堂先生亦對《詩序》的結構進行了區分，並將《詩序》的作者歸納為十六種說法，分別為「孔子所作」、「子夏所作」、「衛宏所作」、「子夏、毛公合作」、「子夏、毛公、衛宏合作」、「漢之學者所作」、「詩人之所自作」、「國史、孔子所作」、「孔子弟子、毛公、衛宏所作」、「孔子、毛公所作」、「村野妄人所作」、「山東學究所作」、「毛公門人記師說者」、「秦漢經師所作」、「經師所傳、弟子所附者」、「劉歆、衛宏所作」[18]。顧頡剛先生將〈詩序〉平面觀之，並視作者僅為衛宏，便失之於簡單化了[19]。

第三，明曉了「首序」的產生年代及《詩》文本的六次結集過程，即不難理解：《詩序》尤其是「首序」，本來就不是專為解說「詩本義」而作的，而主要是用以解說詩篇的「儀式用途」或「樂章義」等。《詩序》的這一性質與功能，與周代禮樂制度密切相關，須知〈風〉、〈雅〉、〈頌〉是按照特定的標準編集在一起，合樂而唱的。馬銀琴曾將首序解詩之法區分為四種模式：一是「言明詩歌的儀

---

[17] 馬銀琴：《兩周詩史·結論和餘論》（北京市：社會科學文獻出版社，2006年），頁487。

[18] 張西堂：《詩經六論·關於毛詩序的一些問題》，前揭，頁121～124。

[19] 顧頡剛：《毛詩序之背景與旨趣》云：「《詩序》者，東漢初衛宏所作，明著於《後漢書》。」載《古史辨》，第三冊，前揭，頁403。

式之用」，二是「說解詩歌的樂章義」，三是「從詩人作詩本意出發
來解詩」，四是「『以一國之事繫一人之本』，將詩歌的創作與時政聯
繫起來」。其中，只有第三點才算是在解說「詩本義」，其餘三者均
可能與「詩本義」有差距，有時甚至相去甚遠[20]。而歷代主張「廢序」
者，恰恰以此指斥《詩序》解詩之「附會」[21]，這實在是對《詩序》的
極大誤會！換句話說，《毛詩》首序「是周王室的樂官在記錄儀式樂
歌、諷諫之辭以及那些為『觀風俗、正得失』的政治目的采集於王
朝的各地風詩時，對詩歌功能、目的及性質的簡要說明」[22]。說得再通
俗一點，《毛詩》首序從產生之初，注定會在大多數情況下與「詩本
義」不相一致。在這一點上，《詩序》與上世紀末問世的「上博簡」
《孔子詩論》殊為不同。《孔子詩論》可以說的解說「詩義」的，《詩
序》則斷斷不是。

第四，當我們明曉了《毛詩》首序的說明詩歌「功能、目的」的
性質後，則不難理解：《詩》之義，除去原初的「詩本義」外，還有
首序所解說的「儀式義」或「樂章義」，還有續序以及歷代經師所解
說的「經學義」，到了現代則又產生了所謂《詩經》的「文學義」。

---

[20] 比如首序解說《詩》之「樂章義」，馬銀琴《兩周詩史・緒論》云「所謂樂章義，
指與樂歌相配合的音樂所表達的倫理意義。在《詩經》中，樂章義往往通過組歌的
形式——即給歌辭內容各不相同的一組樂歌賦予相同的音樂與儀式主題——表現
出來。這類序例集中出現於〈二南〉各詩。〈周南〉各詩繫之於『后妃』，如『〈關
雎〉，后妃之德也』，『〈葛覃〉，后妃之本也』，『〈卷耳〉，后妃之志也』，『〈兔
罝〉，后妃之化也』，『〈桃夭〉，后妃之所致也』。〈召南〉諸詩繫之於『夫人』，如
『〈鵲巢〉，夫人之德也』，『〈采蘩〉，夫人不失職也』，『〈采蘋〉，大夫妻能遵法度
也』，『〈草蟲〉，大夫妻能以禮自防也』。」（前揭，頁63）

[21] 譬如鄭振鐸〈讀毛詩序〉云：「《毛詩序》最大的壞處，就在於他的附會詩意，穿
鑿不通。《毛詩》凡三百十一篇，篇各有序，除六笙詩亡其辭，我們不能決定《詩
序》的是非外，其餘三百五篇之序，幾乎百分之九十以上是附會的，是與詩意相違
背的。」（《古史辨》第三冊，前揭，頁388）這一說法很有代表性。

[22] 馬銀琴：〈毛詩首序產生的時代〉，前揭。

《詩》之義「橫看成嶺側成峰」，分為若干層次，不可混同，需要加以別白。無論是宋代「疑古派」還是現代「古史辨派」，都極少注意到「詩義」這多個層次的區分，並把「詩本義」與「儀式樂章義」混淆在一起。這一認識盲點，與對《詩序》性質的錯誤判斷直接相關。譬如在現代《詩經》學史上占有一席之地的俞平伯的〈葺芷繚衡室讀詩箚記〉，開篇解說〈周南·卷耳〉云：「這篇，前人異說極多，什麼后妃、文王、賢人，攪成一團糟。現在因無一駁之必要，置之不論。朱熹頭腦比較清楚，知此詩為懷遠人矣，但仍不免扭捏地說了一句：『人，蓋謂文王也。』『蓋』者何？疑詞也。然則幸虧了這一個『蓋』字，諸家多不免說說『官賢』、『思賢』等話。其實從詩本文看，只見有征夫思婦，並不見有文王后妃，更何處著一賢人耶？『懷人』明明是念遠人，乃釋為思賢人，豈非大殺風景？這都是中了《傳》、《箋》之毒，套上了一副有色眼鏡，故目中天地盡變色了。」[23]如此解說，顯然也是以《詩序》（《傳》、《箋》乃遵從《序》說）所言「〈卷耳〉，后妃之志也」（「儀式樂章義」），當成了是對〈卷耳〉一詩「詩本義」的解說。

　　需要特為注意的是，歷代的「疑古派」都極力撻伐漢唐經師的「附會」詩義，作為漢唐經學集成之作的《五經正義》，卻恰恰早已明確意識到「詩義」多個層次的存在，並曾作出過嚴格的區分。譬如〈周南·麟之趾〉之〈序〉云：「〈麟之趾〉，〈關雎〉之應也。〈關雎〉之化行，則天下無犯非禮，雖衰世之公子，皆信厚如麟趾之時也。」孔穎達《毛詩正義》云：「此〈麟趾〉處末者，有〈關雎〉之應也。由后妃〈關雎〉之化行，則令天下無犯非禮。天下既不犯禮，故今雖衰世之公子皆能信厚，如古致麟之時，信厚無以過也。〈關

23　顧頡剛：《古史辨》第三冊，前揭，頁454。

雎〉之化，謂〈螽斯〉以前；天下無犯非禮，〈桃夭〉以後也。雖衰世之公子，皆信厚如〈麟趾〉之時，此篇三章是也。此篇處末，見相終始，故歷序前篇，以為此次。既因有麟名，見若致然，編之處末，以法成功也。此篇本意，直美公子信厚似古致麟之時，不為有〈關雎〉而應之。太師編之以象應，敘者述以示法耳。不然，此豈一人作詩，而得相顧以為終始也？又使天下無犯非禮，乃致公子信厚，是公子難化於天下，豈其然乎？明是編之以為示法耳。」唐代經師的這一段話，透射出來這樣幾點重要的信息：其一，《詩》文本經歷了一個編集的過程；其二，太師編輯詩篇，主要賦其儀式樂章之用；其三，編集為一組的諸多詩篇，賦予其大概一致的儀式樂章義；其四，儀式樂章義不必與詩之本義規規然相合。另外，清末今文經學家魏源在《詩古微‧齊魯韓毛異同論》中也同樣意識到了詩義的這種分別：「夫詩有作者之心，而又有採詩、編詩者之心焉。作詩者自道其情，情達而止，不計聞者之如何也。即事而詠，不求致此者之何自也。諷上而作，但蘄上悟，不為他人勸懲也。至太師採之以貢於天子，則以作者之詞，而諭乎聞者之志；以即事之詠，而推其致此之由，則一時賞罰黜陟興焉。國史編之，以備蒙誦，教國子，則以諷此人之詩，存為諷人人之詩，又存為處此境而詠己詠人之法，而百世勸懲觀感興焉。」遺憾的是，這一更接近《詩》之本相的認識，由於歷代的「反《序》」運動，竟然長期湮沒不彰！

如此說來，顧頡剛先生所謂「它們解釋的錯誤和把自己主張渲染到不相關的經書上許多許多是證據明確，無可作辯護的」，倒是真正值得商榷，今日需要好好替經師們「辯護」一番了。

可是，我們在這些工作裏證明了一件事，就是：我們要打破舊說甚易，而要建立新的解釋則大難。這因為該破壞的有堅強的錯誤的證據

存在，而該建設的則一個小問題往往牽涉到無數大問題上，在古文字學、古文法學、宗教學、社會學、民俗學……沒有甚發達的今日，竟不能作得好。例如〈邶風‧靜女篇〉是多麼簡單的一篇詩，可是摧毀毛、鄭之說絲毫不費力，也不發生異議，而要建立現代的解釋時，則「荑」呵、「彤管」呵、「愛」呵，觸處是問題，七八個人討論了五六年方得有近真的結論。照這樣看起來，討論一篇問題複雜的文字要費多少時候呢？要把一部書整個討論停當又要費多少時候呢？這幾部經書已經這樣夠困難，盡了我們幾個人的一生精力未必能有十分之一的整理，何況經書以外，古史的天地還大得很，我們是絕不能作「及身成功」的夢了！

案：《古史辨》第三冊，收錄有關〈靜女〉的討論文章計十三篇，分別為：

1.瞎子斷扁的一例──〈靜女〉（顧頡剛）

2.誰俟於城隅？（張履珍）

3.〈靜女〉的討論（謝祖瓊）

4.關於「瞎子斷扁的一例──〈靜女〉」的異議（劉大白）

5.答書（顧頡剛）

6.再談〈靜女〉（劉大白）

7.讀〈邶風‧靜女〉的討論（郭全和）

8.〈邶風‧靜女〉的討論（魏建功）

9.瞎嚼噴蛆的說《詩》（劉復）

10.〈邶風‧靜女篇〉「荑」的討論（董作賓）

11.三談〈靜女〉（劉大白）

12.四談〈靜女〉（劉大白）

13.《詩經‧靜女》討論的起漚與剝洗（杜子勁）。

近來有些人主張不破壞而建設，話自然好聽，但可惜只是一種空想。我們真不知道，倘使不破壞《易十翼》，如何可把《易經》從伏羲們的手裏取出來而還之於周代？倘使不破壞漢人的《詩》說，又如何脫去《詩序》、《詩譜》等的枷鎖而還之於各詩人？如不還之於周代及各詩人，則《易》與《詩》的新建設又如何建設得起來？所以，這只是一句好聽的話而已，絕不能適用於實際的工作。

　　案：〈詩序〉相關，已如前述，則可知《詩譜》（又稱《毛詩譜》、《鄭譜》）與《詩序》很大程度上實不可相提並論——顧頡剛先生顯然仍是將《詩序》看作東漢衛宏之作才這樣說的。《詩譜》乃東漢經學大師鄭玄編訂，乃是為《毛詩》「風」、「雅」、「頌」各類詩排定的譜系，前為文字，後為年表。《詩譜》的內容，主要說明某類詩產生的地域及王公歸屬、某類詩產生的社會歷史背景等等。鄭玄〈詩譜序〉稱，如此編列，學者「欲知源流清濁之所處，則循其上下而省之；欲知風化芳臭氣澤之所及，則傍行而觀之。此《詩》之大綱也」。除〈詩譜序〉外，共包括十六個分譜：〈周南召南譜〉、〈邶鄘衛譜〉、〈王城譜〉、〈鄭譜〉、〈齊譜〉、〈魏譜〉、〈唐譜〉、〈秦譜〉、〈陳譜〉、〈檜譜〉、〈曹譜〉、〈豳譜〉、〈小大雅譜〉、〈周頌譜〉、〈魯頌譜〉、〈商頌譜〉[24]。《詩譜》依據《春秋》次第和《史記》年表，為《毛詩》排定了一個各類詩的世次，建立起一個按照時代排列和解釋各詩的完整體系；並在《毛詩序》的基礎上，將「風雅正變」之說具體化[25]，進一步強化了《毛詩》經說，在《詩經》學史上產生了重要影響。然而《詩譜》排定諸詩世次，乃出於經學立場，與客觀的古史研究並不相同。譬如《周南召南譜》將〈召南〉之〈甘

---

[24] 一說，鄭玄原譜中，檜、鄭同譜，為《檜鄭譜》，孔穎達撰《毛詩正義》將其分立，則總譜數原為十五。

[25] 參劉冬穎：《詩經變風變雅考論》（北京市：中國社會科學出版社，2005年）。

棠〉、〈何彼穠矣〉二詩繫「武王」，其餘之詩皆繫「文王」，與歷史
便不吻合。

許多人看書，為的是獲得智識，所以常喜在短時間內即見結論。但
《古史辨》中提出的問題多數是沒有結論的，這很足以致人煩悶。我
希望大家知道《古史辨》只是一部材料書，是搜集一時代的人們的見
解的，它不是一部著作。譬如貨物，它只是裝箱的原料而不是工廠裏
的製造品。所以如此之故，我實在想改變學術界的不動思想和「暖暖
姝姝於一先生之說」的舊習慣，另造成一個討論學術的風氣，造成學
者們的容受商榷的度量，更造成學者們的自己感到煩悶而要求解決的
欲望。我希望大家都能用了他自己的智慧對於一切問題發表意見，同
時又真能接受他人的切磋。一個人的議論就使武斷，只要有人肯出來
矯正，便可令他發生自覺的評判，不致誤人。就使提出問題的人不武
斷而反對他的人武斷，這也不妨，因為它正可以因人們的駁詰而愈顯
其不可動搖的理由。所以人們見解的衝突與凌亂，讀者心理的徬徨無
所適從，都不是壞事，必須如此才可逼得許多人用了自己的理智作審
擇的功夫而定出一個真是非來。

　　案：顧氏提倡「造成一個討論學術的風氣」，也是他「疑古」、
「求真」思想的體現。許冠三先生〈顧頡剛：始於疑終於信〉一文稱
「其實熟讀顧氏述作的人皆知，他是經常在修正或放棄謬說誤論以求
真是非的。他所以勇於面對反詰與批評並樂於提倡討論，也是為了求
真是非。七大冊《古史辨》從頭到尾都以討論集形式出現，又盡量輯
入反駁和批評其古史學說的文章，便是為了『想改變學術界的不動思
想和「暖暖姝姝於一先生之說」的舊習慣，另造成一種討論學術的風

氣，造成學者們的容受商榷的度量』。」[26]

又，顧氏所謂「《古史辨》中提出的問題多數是沒有結論的」，曾遭到嚴厲的批判，認為這是他歷史「不可知論」的表現。參李錦全〈批判古史辨派的疑古論〉、楊向奎〈論「古史辨派」〉等文（均收入陳其泰、張京華主編《古史辨學說評價討論集》）。

數年前，曾有人笑說《古史辨》雜集各人信箚發表，其性質等於《昭代名人尺牘》。但我以為這個編纂法自有用處。凡是一件事情可以發生疑竇的地方，這人會想到，別人也會想到，不過想到的程度或深或淺，或求解答或不求解答。若單把論文給人看，固然能給人一個答案，但讀者對於這個答案的印象絕不能很深。換言之，即不能印合讀者們在無意之間自起的懷疑，因為他們的注意力不深，沒有求這答案的需要，不能恰好承受這個答案。現在我們把討論的函件發表，固然是一堆材料，但我們的疑竇即是大家公有的疑竇，我們漸漸引出的答案即是大家由注意力之漸深而要求得到的答案。這樣才可使我們提出的問題成為世間公有的問題，付諸學者共同的解決。從前人有兩句詩：「鴛鴦繡出憑君看，不把金針度與人。」我們正要反其道而行之，先把金針度與人，為的是希望別人繡出更美的鴛鴦。試看閻若璩的《尚書古文疏證》，每篇正文之後有附錄若干條，錄其自己的箚記及和他人的討論，有時自行駁詰而不割棄以前的議論。固然是零碎和支蔓，被人譏為著書體例不謹嚴，但若沒有此附錄，這正文是多麼枯燥呵！現在他把這些結論的來源發表出來，我們正可就此尋出其論證的階段而批評之，他的幾十年研究的苦心就不致埋沒，我們繼續加功

---

26 陳其泰、張京華：《古史辨學說評價討論集》（北京市：京華出版社，2001 年），頁 550。

也易為力了。所以我們現在處於這研究古史的過程中，正應借著《古史辨》的不謹嚴的體例來提出問題，討論問題，搜集材料，醞釀為有條有理的《古史考》，使得將來真有一部像樣的著作。

案：顧氏所謂「《古史辨》的不謹嚴的體例」，也就是「《古史辨》雜集各人信箚發表」的體例，一方面仍是顧氏「疑古求真」一貫思想的體現，另一方面純粹從學術研究角度講，其實是一種極好的方式。

又，顧氏自稱這一做法乃模仿閻若璩《尚書古文疏證》，閻氏之作是疑古辨偽史上的扛鼎之作，亦堪稱清代考據學的奠基作之一。梁任公極稱讚此書，云：「百詩（注：閻氏之字）著這部《古文尚書疏證》，才盡發其覆，引種種證據證明那二十五篇和《孔傳》都是東晉人贗作……中國人向來對於幾部經書，完全在盲目信仰的狀態之下。自《古文尚書疏證》出來，才知道這幾件『傳家寶』裏頭，也有些靠不住，非研究一研究不可。研究之路一開，便相引於無窮。自此以後，今文和古文的相對研究，六經和諸子的相對研究，乃至中國經典和外國經典的相對研究，經典『野人之語』的相對研究，都一層一層的開拓出來了。所以百詩的《古文尚書疏證》，不能不認為近三百年學術解放之第一功臣。」[27] 任公之《中國近三百年學術史》，作於一九二三年（據該書開篇《反動與先驅》），與顧頡剛引領的「古史辨」運動幾乎同時。

這一冊裏，十分之九都是討論《易》和《詩》的本身問題的，關於古史的極少。也許有人看了要說：「這分明是『古書辨』了，哪裏可以

---

[27] 梁啟超：《中國近三百年學術史・清代經學之建設》（北京市：東方出版社，1996年），頁85～86。

叫作『古史辨』？」如果有此質問，我將答說：古書是古史材料的一部分，必須把古書的本身問題弄明白，始可把這一部分的材料供古史的採用而無謬誤，所以這是研究古史的初步工作。我敢重言以申明之：這是研究古史的初步工作！譬如《周易》和《三百篇》，大家都知道它們是古書，以前也曾把這裏面所載的材料充分收入古史。但因它們的自身問題不曾弄明白，所以《易十翼》和《易經》會得看成同樣的意義，〈繫辭傳〉中的庖犧氏畫卦，黃帝作衣裳舟楫等故事遂成為典型的古史；而《三百篇》的真相也糾纏於漢人的《詩》說，遂使〈商頌〉成了商代人的作品，有「平王之孫」的〈二南〉也成了周初人的作品，為商代和周初添上了一筆偽史。我們現在要把這些材料加以分析，看哪些是先出的，哪些是後出的；春秋以上有多少，戰國以下有多少。再看春秋以上的材料，在戰國時是怎樣講，在秦漢時是怎樣講，在漢以後又是怎樣講，而這些材料的真實意義究竟是怎樣，以前人的解釋對的若干，錯的若干。這些工作做完的時候，古史材料在書籍裏的已經整理完工了，那時的史學家就可根據了這些結論，再加上考古學上的許多發見，寫出一部正確的《中國上古史》了。

所以我編這一冊書，目的不在直接整理古史。凡是分析這二經中材料的先後的，或是討論這二經的真實意義的，全都收入。希望秦漢以前的幾部書都經過這樣的討論，使古書問題的解決得以促進古史問題的解決。

　　案：顧氏實際上也是把「古書辨」作為「古史辨」的初步工作來做的，所言「《三百篇》的真相也糾纏於漢人的《詩》說，遂使〈商頌〉成了商代人的作品，有『平王之孫』的〈二南〉也成了周初人的作品，為商代和周初添上了一筆偽史」，便是明證。然顧氏以〈商頌〉非商代詩、〈二南〉非周初詩，實有可商之處，一個重要的原因是不甚了解《詩》文本多次結集的歷史，將《詩》文本平面視之了。

　　〈商頌〉的時代問題，是《詩經》學研究中的一大公案。一為
「商詩說」，源出《國語‧魯語下》：「昔正考父校商之名〈頌〉十
二篇於周太師，以〈那〉為首。」一為「宋詩說」，源出《史記‧
宋微子世家》：「襄公之時，修行仁義，欲為盟主。其大夫正考父美
之，故追道契、湯、高宗，殷所以興，作〈商頌〉。」兩種說法各有
理據，各執一詞，爭論二千餘年未有定論[28]。然而之所以形成千年聚
訟，恰恰是因為歷來學者將二說對立起來了。當我們明曉了《詩經》
文本的多次結集過程，再通過細緻考察〈商頌〉的文辭不難發現，
〈商頌〉之詩乃經歷了一個創始於商代、春秋宋國正考父曾經改造的
過程，二說其實可以統一起來。馬銀琴即稱：「〈商頌〉本是殷商文
化的遺存，詩歌的內容反映了殷商時代的文化特點；在周王室的政治
統治遭到衝擊而走向衰落的西周末、東周初，正考父據殷商舊辭進行
改制，得〈商頌〉十二篇，在宋國內部流傳；至齊桓公尊王攘夷、稱
霸中原之後，〈商頌〉五十篇被納入以《詩》為名的詩文本，由此開
始在諸侯各國間流傳開來。」[29]

　　周、召二〈南〉的創作時代，同樣持說不一，一主「西周說」，
一主「東周說」。顧氏顯然傾向於後一說。然而問題倒不在於〈二
南〉「東周說」之不成立，而在於顧氏以「平王之孫」作為證據認定
整個〈二南〉均不屬西周的邏輯推導，其實並不嚴密。因為「平王之
孫」一詩，確乎晚於其他諸詩進入《詩》文本。此處所言「平王之
孫」，乃指〈召南〉中的〈何彼襛矣〉一詩。其詩三章，云：「何彼
襛矣，唐棣之華。曷不肅雝，王姬之車。　　何彼襛矣，華如桃李。
平王之孫，齊侯之子。　　其釣維何？維絲伊緡。齊侯之子，平王之

---

[28]　參馮浩菲：《歷代詩經論說述評‧關於三頌》（北京市：中華書局，2003 年），頁
　　382。

[29]　馬銀琴：《兩周詩史》上編《西周詩史》，前揭，第四章，頁299。

孫。」平王，乃指周平王）；齊侯，乃指齊桓公。此詩歌頌的是齊侯
嫁女的場景，時值春秋中前期。據此，將〈何彼襛矣〉斷代為東周初
年之詩，應當沒有問題。然而當我們考察〈周南〉、〈召南〉兩組詩
〈詩序〉文字時，會發現〈周南〉多數繫之於「后妃」，〈召南〉多數
繫之於「夫人」，體現出鮮明的樂章組歌色彩，〈何彼襛矣〉詩序文
字「美王姬也。雖則王姬，亦下嫁於諸侯，車服不繫其夫，下王后
一等，猶執婦道，以成肅雝之 也」，與之明顯不相協調，故有詩作後
出之痕跡。並且，「二南」之樂本是流行於周、召二公岐南采地的鄉
樂，周公制禮作樂時取之以為王室房中之樂，東周後又上升為「王室
正樂」的組成部分，那麼，歌頌一個諸侯王嫁女的詩為什麼會進入
「王室正樂」之中呢？我們說：「這是王室在政治上倚重齊國的一種
表現，這只能發生在齊國政治勢力能夠對東周王室施加影響的時代，
最符合這一點的是齊桓公稱霸中原的時代」[30]，這可能稍晚於《詩序》
文字形式較為一致的〈鵲巢〉、〈采蘩〉諸詩。也就是說，〈召南〉十
四首詩乃至《詩經》中的其他組詩，每首詩的產生時代並非一致，需
要分別看待，不可等量齊觀。

十餘年前，初喊出「整理國故」的口號，好像這是一件不難的工作，
不幹則已，一幹則就可以幹了的。我在此種空氣之下，踴躍用命，也
想一口氣把中國古史弄個明白，便開始從幾部古書裏直接證明堯、
舜、禹等的真相。現在看來，真是太幼稚了，太汗漫了！近年每逢別
人詢問「你的研究古史的工作怎樣了」時，我即答說：「我不敢普泛
的研究古史了，我只敢用我的全力到幾部古書上。」實在，這並非膽
怯，如果不自認定了一個小範圍去做深入的工作，便沒有前進的可能

30　馬銀琴：《兩周詩史》上編《西周詩史》，前揭，第四章，頁273。

了！我自信，這一種覺悟是有益的。

　　案：「整理國故」的「空氣」，乃是受了「五四」運動的直接影響，也是「古史辨派」疑古辨偽工作的主要動力。路新生云：「『五四』新文化運動既然已提出要批判孔子及其學說，它也就不能不涉及對儒學經典的整理。所以，『整理國故』運動在『五四』新文化運動中興起，並不是一件偶然的事。」[31]

　　我敢正告青年們：這若干部古書本是一種專門學問而不是常識，不是現代的人們所必有的智識。如果你們毫不顧問，也沒有大關係。但是你們如果對於它發生了研究的興趣，要向這方面得到些智識時，則一定要幹苦工，要肯犧牲很多的時間去獲得那很少的智識。以前的人，束髮受經，有信仰而無思考，所以儒家統一了二千年的教育，連這幾部經書也沒有研究好；豈但沒有研究好，且為它增加了許多葛藤，使它益發渾亂。現在我們第一次開墾這個園地，當然要費很大的力氣為後來人作方便。我們處於今日，只有作苦工的義務而沒有吃現成飯的權利。

　　案：鄭振鐸反對《毛詩序》之語，與顧氏所謂「增加了許多葛藤，使它益發渾亂」，乃一脈而相承。鄭氏云：「《詩經》也同別的中國的重要書籍一樣，久已為重重疊疊的注疏的瓦礫把他的真相掩蓋住了。……我們要研究《詩經》，便非先使這一切壓蓋在《詩經》上面的重重疊疊的注疏、集傳的瓦礫爬掃開來，而另起爐灶不可。」[32]

　　數年來不滿意於我的工作的人很多，看他們的意見大都以為我所用的

---

[31] 路新生：《中國近三百年疑古思潮研究》（上海市：上海人民出版社，2001年），第五章，頁501。

[32] 鄭振鐸：〈讀毛詩序〉，載《古史辨》，前揭，第三冊，頁382～385。

材料不是古史的材料，所用的方法不是研究古史的方法。我以為這未
免是一種誤解。就表面看，我誠然是專研究古書，誠然是只打倒偽史
而不建設真史。但是，我豈不知古書之外的古史的種類正多著，範圍
正大著；又豈不知建設真史的事比打倒偽史為重要。我何嘗不想研究
人類學、社會學、惟物史觀等等，走在建設的路上。可是學問之大像
一個海，個人之小像一粒粟，我雖具有「長鯨吸百川」的野心，究竟
我是一個人，我的壽命未必有異於常人，我絕不能把這一科學問內的
事項一手包辦。我不但自己只能束身在一個小範圍裏做深入的工作，
而且希望許多人也都能束身在一個小範圍裏做深入的工作。有了許多
的專門研究，再有幾個人出來承受其結論而會通之，自然可以補偏救
弊，把後來的人引上一條大道。《荀子・解蔽篇》云：「垂作弓，浮
游作矢，而羿精於射。奚仲作車，乘杜作乘馬，而造父精於御。」只
要我們各個人能把根柢打好，把工具製好，將來精於射御的人就自然
會起來了。要是癡想「一步跨上天」，把許多的需要責望到幾個人的
身上，要他們在一個短時期內得到大成就，那麼只有逼得他們作八股
文章：大家會說那一套，但大家對於那一套都不能有真實的了解。試
問到了這步田地，還有什麼益處？那不是自欺欺人嗎？總之，處於現
在時代，研究學問除了分工之外再沒有別的辦法：分工的職業是無貴
賤之別的，超人的奢望是不可能的。

　　案：「只打倒偽史而不建設真史」，顧頡剛也曾因此招致「不可
知論」宇宙觀的批評。又，關於「唯物史觀」，顧氏前後態度實際有
所轉變。首先，顧氏所謂「我何嘗不想研究人類學、社會學、惟物史
觀等等，走在建設的路上」，顯然不能說他反對「唯物史觀」；非但
如此，顧氏更是在《古史辨》第四冊〈自序〉中宣稱：「又近年唯物
史觀風靡一世，就有許多人痛詆我們不站在這個立場上作研究為不
當。他人我不知，我自己絕不反對唯物史觀。我感覺到研究古史年

代、人物事跡、書籍真偽，需用於唯物史觀的甚少，無寧說這種種正是唯物史觀者所亟待於校勘和考證學者的借助之為宜。至於研究古代思想及制度時，則我們不該不取唯物史觀為其基本觀念。唯物史觀不是『味之素』，不必在任何菜內都滲入些。」當然，由此也可以明顯見出顧氏對「唯物史觀」的「保留」態度。至一九五四年十二月作《秦漢的方士與儒生・序》時，則對過去的立場進行了深刻反思：「這本小冊子終究是二十餘年前的舊作，我絕不能因為它是舊作而加以原諒。現在看來，這冊書裏有著明顯的錯誤。那時的我雖然知道應當從社會背景去解決問題，但因為沒有學習馬克思列寧主義，不能從兩漢社會的經濟基礎來分析當時的政治制度與學術思想，這是違背歷史唯物論的，是本書的根本缺點。」

至於我所研究的材料，說它不是古史的全部材料固可，說它不完全為真材料亦可，說它不是古史的材料則不可。為什麼？因為這些明明是古代流傳下來的，足以表現古代的史事、制度、風俗和思想。如《周易》是西周的著作，《詩三百篇》是西周至東周的著作，你能不承認嗎？既承認了，何以不能算是古史材料呢？從前人講古史，只取經書而不取遺物，就是遺物明明可以補史而亦不睬，因為經裏有聖人之道而遺物裏沒有。這個態度當然不對，不能復存在於今日。但現在人若陽違而陰襲之，講古史時惟取遺物而不取經書，說是因為遺物是直接史料而經書不是，這個態度也何嘗為今日所宜有的呢？學術界的專制，現在是該打破的了。我們研究史學的人，應當看一切東西都成史料，不管它是直接的或間接的。只要間接的經過精密的審查，捨偽而存真，何嘗不與直接的同其價值？況且既有間接的史料存在，而我們懶於收拾，擱置不談，無法把它使用，也何嘗是史學界的光榮？在經書中既存有許多待解決的問題，我們正不該錯過此好時光而不工作

呵！

　　案：「我們研究史學的人，應當看一切東西都成史料，不管它是直接的或間接的」，顧氏看待《周易》和《詩三百篇》都是這種態度，則可見其視過去之「經學」為今日之「史學」了（對《詩經》來說，客觀效果上則更多是「文學」的）。在顧氏頭腦中，的確有打破經說的明確意識，並且受錢玄同影響，經歷了一個由關注史書到關注經書的轉變。《古史辨》第一冊〈自序〉云：「在九年冬間，我初作辨偽工作的時候，原是專注目於偽史和偽書上。玄同先生卻屢屢說起經書的本身和注解中有許多應辨的地方，使我感到經部方面也有可以擴充的境界。但我雖讀過幾部經書，也略略知道些經學的歷史，並且痛恨經師的曲解已歷多年，只因從來沒有把經書專心研究過一種，所以對於他所說的話終有些隔膜。到這時，在《詩經》上用力了半年多，灼然知道從前人所作的經解真是昏亂割裂到了萬分，在現在時候絕不能再讓這班經學上的偶像占據著地位和威權，因此，我立志要澄清謬妄的經說。數年來，對於《詩經》的注解方面作了幾篇批評，對於《詩經》的真相方面也提出了幾個原則。」

於是有人說：「古書中的真材料，我們自然應當取出應用；至於偽材料，既已知道它偽了，又何必枉費氣力去研究！」這個見解也是錯的。許多偽材料，置之於所偽的時代固不合宜，但置之於偽作的時代則仍是絕好的史料：我們得了這些史料，便可了解那個時代的思想和學術。例如《易傳》，放在孔子時代自然錯誤，我們自然稱它為偽材料；但放在漢初就可以見出那時人對於《周易》的見解及其對於古史的觀念了。又如《詩三百篇》，齊、魯、韓、毛四家把它講得完全失去了原樣：本是民間的抒情詩成了這篇美后妃，那篇刺某王，甚至城隅幽會的淫詩也說成了女史彤管的大法，在《詩經》的本身上當然毫

無價值。可是我們要知道《三百篇》成為經典時被一般經師穿上了哪樣的服裝，他們為什麼要把那些不合適的服裝給它穿上，那麼四家詩的胡說便是極好的漢代倫理史實和學術史料，保存之不暇，如何可以丟棄呢？荒謬如讖緯，我們只要善於使用，正是最寶貴的漢代宗教史料。逞口而談古事如諸子，我們只要善於使用，正是最寶貴的戰國社會史料和思想史料。不讀讖緯，對於史書上記載的高帝斬白帝子，哀帝再受命，及光武帝以赤伏符受命等事的「天人相與」的背景是絕不能明白的。不讀諸子，則對於舜自耕稼陶漁而為天子，傅說舉於版築之間的傳說，以及高帝以一布衣五載而成帝業的事實的社會組織的變遷的背景，也是不會看清楚的。所以偽史的出現，即是真史的反映。我們破壞它，並不是要把它銷燬，只是把它的時代移後，使它脫離了所托的時代而與出現的時代相應而已。實在，這與其說是破壞，不如稱為「移置」的適宜。一般人以為偽的材料便可不要，這未免缺乏了歷史的觀念。

　　案：從學術研究的角度講，顧氏所謂「許多偽材料，置之於所偽的時代固不合宜，但置之於偽作的時代則仍是絕好的史料」確是真知灼見，偽書並非沒有研究價值。因此，他對這些材料採取了一種「移置」的處理方式，即將其移置到對應的時代來審視其價值。相比而言，鄭振鐸提出的主張《毛詩序》「必須最先掃除」[33]的態度，則顯得武斷了些。

　　又，顧氏所謂「《詩三百篇》，齊、魯、韓、毛四家把它講得完全失去了原樣：本是民間的抒情詩成了這篇美后妃，那篇刺某王，甚至城隅幽會的淫詩也說成了女史彤管的大法，在《詩經》的本身上當然毫無價值」，也是由於未曾了解「詩義」的多層次，誤把「儀式樂

33　鄭振鐸：〈讀毛詩序〉，《古史辨》第三冊，前揭，頁385。

章義」當成了「詩本義」所致。

又，顧氏以《詩》「本是民間的抒情詩」，這就是直到今天仍有很大市場的「國風出於民間論」。其實早在一九三三年間，文學史家朱東潤先生即在武漢大學《文哲》季刊上連續發表四篇關於《詩經》的系列論文，其中首篇即為〈國風出於民間論質疑〉。朱氏從對風詩中對於人物之稱謂、詩中之名物器具的分析入手，以嚴密的論證得出結論：「此〈國風〉百六十篇之詩，其中一半以上為統治階級之詩，則可斷言。」[34]繼而又作了更廣闊的推論：「既知〈國風〉之未必出於民間，則一切文學出於民間之論，即無從建立。」[35]殊能啟人。

一種學問的研究方法必不能以一端限，但一個人的研究方法則盡不妨以一端限，為的是在分工的學術界中自有他人用了別種研究方法以補充之。我深知我所用的方法（歷史演進的方法），必不足以解決全部的古史問題，但我亦深信我所用的方法自有其適當的領域，可以解決一部分的古史問題，這一部分的問題是不能用它種方法來解決的。

案：所謂「歷史演進的方法」，正是顧氏創造性提出的、被「古史辨派」奉為圭臬的主要研究方法。顧氏「層累地造成的中國古史說」和「五德終始下的政治和歷史」等著名論斷，都是運用這一方法而提出，詳細論說可參《古史辨》第一冊〈自序〉及收入第一冊的《與錢玄同先生論古史書》。當然，這一方法乃受其「疑古」思想指導而提出，因此甫一問世，即受到時人的大力讚揚者，比如胡適曾稱：「這是用歷史演進的見解來觀察歷史上的傳說。顧先生這一次討論古史的根本見解，也就是他的根本方法……他的這個根本觀念是顛

34　朱東潤：《詩三百篇探故》（昆明市：雲南人民出版社，2007年），頁32。
35　朱東潤：《詩三百篇探故》，前揭，頁44。

撲不破的，他這個根本方法是愈用愈見功效的。」[36]然而到上世紀五十年代，也招致了嚴厲的批評，如李錦全先生認為：「這個方法雖然強調演變，但它並不是把全部的古史傳說作為一個有機整體去考察，而是把所謂堯舜禹的故事、黃帝伏犧神農的故事……分開來一個一個去看他們傳說的演變，這種方法實在是形而上學的發展觀。」[37]

基於上述諸種理由，所以我有幾句話誠懇地祈求於人們之前：第一，從此捨棄正統和偏統等陳腐的傳統思想，不必以正統望人，也不必以偏統責人。大家既生在現時代，既在現時代研究學問，則必須承認「分工」是必要的，應當各尋各的路，不要群趨一個問題而以自己所見為天經地義，必使天下「道一風同」。第二，我們又要知道所謂學者本是作「苦工」的人而不是享受的人，只要有問題發生處便是學者工作的區域。這種工作雖可自由取捨，但不應用功利的眼光去定問題的取捨，更不應因其困難複雜而貪懶不幹。第三，我們一方面要急進，一方面又要緩進。急進的是問題的提出，緩進的是問題的解決。在我們的學力上，在時代的限制上，如不容我們得到充分的證據作明確的斷案時，我們只該存疑以待他日的論定。凡是一件有價值的工作必須由於長期的努力，一個人的生命不過數十寒暑，固然可以有偉大的創獲，但必不能有全部的成功，所以我們只能把自己看作一個階段，在這個階段中必須比前人進一步，也容許後一世的人更比自己進一步。能夠這樣，學術界才可有繼續前進的希望，而我們這輩人也不致做後來人的絆腳石了。

我們雖只討論古書和古史，但這個態度如果像浪花般漸漸地擴大出

---

[36] 胡適：〈古史討論的讀後感〉，載《古史辨》第一冊，前揭，頁192。

[37] 李錦全：〈批判古史辨派的疑古論〉，載《古史辨學說評價討論集》，前揭，頁26。

去，可以影響於它種學術上，更影響於一般社會上，大家不想速成，不想不勞而獲，不想一個人包攬精力不能顧注的地盤，而惟終身孜孜於幾件工作，切實地負責，真實地有成就，那麼，這個可憐的中國，雖日在狂風怒濤的打擊之中，自然漸漸地顯現光明而有獲救的希望了！倘使有這一天，那真是我們的莫大之幸，也是國家的無疆之休！

　　案：拋開「古史辨派」與政治形勢的關聯，單從學術研究角度講，顧頡剛先生這裏提出的研究學問的「分工」、「苦工」、「緩進」等主張，都是極富指導意義且有現實警示意義的治學真諦。

顧頡剛

二十‧十一‧一

　　案：清人阮元有云：「學術盛衰，當於百年前後論升降焉。」（（清）錢大昕《十駕齋養新錄‧序》）上世紀初的「古史辨派」曾經風靡一時，在史學界產生巨大影響，近百年後的今天如何客觀評價，卻是頗費思量。顧頡剛先生在《古史辨》第一冊〈自序〉中提到他「上古史靠不住的觀念」來源有四：一是唐人劉知幾至清人崔述的辨偽傳統，一是康有為為代表的清末今文經學，一是胡適傳播來的實驗主義史學方法，一是故事傳說、民間歌謠的暗示。唯獨沒有提到他極有可能看到的日本學者白鳥庫吉博士在《支那古傳說的研究》（一九〇九年）中提出的「堯舜禹抹殺論」[38]，而白鳥本人，曾於一九〇八年幫助「滿鐵」設立滿洲地理歷史調查室，參加了土肥原策劃的「滿洲國」運動。也就是說，白鳥博士提出「堯舜禹抹殺論」很可能有著某

38　李慶：〈〈崔東壁遺書〉和二十世紀初中日兩國的「疑古」思潮〉，載《古史辨學說評價討論集》，前揭，頁432。

種政治企圖。錢穆先生在《師友雜憶》中曾記述抗戰時的顧頡剛說：
「頡剛人極謙和，嘗告余，得名之快速，實因年代早，學術新風氣初
開，乃以枵腹，驟享盛名……而對其早負盛譽之《古史辨》書中所提
問題，則絕未聞其再一提及。余窺其晨夕劬勤，實有另闢蹊徑，重起
爐灶之心。」故此，有學者懷疑，顧氏如此表現，「是在抗日戰爭的
殘酷形勢下對自己早年勇於疑古的反省，這也可能包含有對自己早年
接受白鳥庫吉『堯舜禹抹殺論』的自責……由此看來，顧頡剛對於古
史辨運動興起的思想來源，確實有難言之隱」[39]。當然，這也僅是一種
推測。

　　無論如何，「古史辨派」在中國的學術界畢竟開創了一代新風。
今日的我們究竟該如何批判地繼承這份遺產，的確是一個很大的課
題。一九九一年八月十日，王元化先生在給友人邵東方的信中提到：
「近有一想法，學人多鑽研海外詮釋學，而對兩千年來前人注疏未加
注意。倘從詮釋學角度，將兩千年來前人注釋爬梳整理，總結其成
敗，對今後傳統文化研究定有極大幫助。自然，此項工作非個人可
就，亦非一時可就。我相信，在此基礎上，或將在顧氏等古史辨學派
後開創一新方法、新境界。五四以來，古史辨在我國所形成的主流學
派達數十年，其功固不可沒，但今天其病多已暴露，因循不思更張用
新方法以更代。上面所述，或許為此新方法誕生之一種前提耶？」[40]
竊以為，這才是今日接續傳統、發揚傳統之康莊正道！近日讀到臺灣
陳新雄先生〈詩序存廢議〉[41]和季旭昇先生〈《詩經》研究也應該走出

39　廖名春：〈試論古史辨運動興起的思想來源〉，載《古史辨學說評價討論集》，前
　　揭，頁268。

40　王元化：〈與友人書：談古史辨〉，載《古史辨學說評價討論集》，前揭，頁371～
　　372。

41　載〈1993詩經國際學術研討會論文集〉（保定市：河北大學出版社，1994年），頁
　　551。

疑古時代——以〈召南‧甘棠〉詩的詮釋為例〉[42]二篇宏文，頗為感奮，可謂「實獲我心」！

---

[42] 載陳致：《跨學科視野下的詩經研究》（上海市：上海古籍出版社，2010年），頁174。

《四庫總目》「四部關係論」四題

提要

《四庫總目》是傳統目錄學的集大成著作,充分體現出古典目錄書「辨章學術,考鏡源流」的功用。尤其是各類「序文」,排比整齊,堪稱一部「別樣之學術史」。修訂《四庫全書》、撰著《四庫總目》的工作,又在清代「漢學」復興的大背景下展開,因此剖析《總目》文字,無疑是理晰清人學術思想的很好視角。《總目》序文中,涉及對經、史、子、集四部性質及其相互關係的論說,今抽取之各為論析,以明清人四部關係之分疏,並試圖為今日古典學問之回歸提供一點借鑒。本文分四節,第一節乃就一個重要的經學命題「孔子與《六經》」,展現經學視角與史學視角的差別;第二節意在闡明四庫館臣「正史體尊,義與經配」與章學誠「六經皆史」說的「經史觀」區分;第三節意在梳理從子學時代到經學時代,經、史、子三部地位消長與嬗遞之脈絡;第四節意在突顯一個相對來講為人忽略的經與文之間相輔相成的關聯。

　　《四庫總目》是傳統目錄學的集大成著作,充分體現出古典目錄「辨章學術,考鏡源流」的功用。尤其是各類「序文」,排比整齊,堪稱一部「別樣之學術史」。修訂《四庫全書》、撰著《四庫總目》的工作,又在清代「漢學」復興的大背景下展開,因此剖析《總目》文字,無疑是理晰清人學術思想的很好視角。《總目》序文中,涉及對經、史、子、集四部性質及其相互關係的論說,今抽取之,各為論析,以明清人四部關係之分疏,並試圖為今日古典學問之回歸提供一點借鑒。

一 「經稟聖裁，垂型萬世，刪定之旨，如日中天」

　　這一節，乃就一個重要的經學命題，展現經學視角與史學視角的差別。

　　《總目·經部總敘》開篇云：「經稟聖裁，垂型萬世，刪定之旨，如日中天，無所容其贊述。」所謂「經稟聖裁」，乃指經書稟受聖人的裁斷；所謂「刪定之旨」，乃指聖人刪定六經的宏旨。這裏的「聖人」，當然指的是儒學宗師孔子。這一段話，點明了兩千餘年來尊經崇儒的真諦。

　　不難看出，《總目》以儒家六經皆經孔子刪定，乃是出於一種預設，在他們那裏理當如此，無需證明，這明顯是一種「經學」的立場。因為若從「史學」角度考察，六經是否皆經孔子刪定，則是一樁聚訟不已的學術公案，頗值得討論。譬如「孔子刪詩」說，有人贊同，有人反對。西漢史遷首倡孔子刪《詩》說，《史記·孔子世家》云：

> 古者《詩》三千餘篇，及至孔子，去其重，取可施於禮義，上采契、后稷，中述殷、周之盛，至幽、厲之缺，始於衽席。故曰〈關雎〉之亂以為〈風〉始，〈鹿鳴〉為〈小雅〉始，〈文王〉為〈大雅〉始，〈清廟〉為〈頌〉始。三百五篇，孔子皆弦歌之，以求合〈韶〉、〈武〉、〈雅〉、〈頌〉之音，禮樂自此可得而述，以備王道，成六藝。

　　清人方玉潤則堅決反對，認為孔子根本未曾刪《詩》，《詩經原

始‧自序》云：

> 且孔子未生以前，《三百》之編已舊；孔子既生而後，《三百》
> 之名未更。吳公子季札來魯觀樂，《詩》之篇次悉與今同，其
> 時孔子年甫八歲。迨杏壇設教，恒雅言《詩》，一則曰《詩》
> 三百，再則曰誦《詩》三百，未聞有三千說也。厥後自衛反
> 魯，年近七十，樂傳既久，未免殘缺失次，不能不與樂官師摯
> 輩，審其音而定正之，又何嘗有刪《詩》說哉？

至於當代，仍有眾多學者在為孔子是否「刪詩」各自尋找著理由。

我們要問的是，在經學家那裏，為何要把孔子刪定六經作為一種預設？茲仍以《詩》為例。受先秦諸子，尤其是孔、孟、荀三代儒師說《詩》論《詩》的影響，「漢儒對詩意的詮解立足於讀者的角度，先驗地限定了考察立場，他們認為解《詩》的終極目的是解釋其中隱含的微言大義，以資治政。《詩》之微言大義從何而來？為了解決這個問題，漢儒引進了孔子刪《詩》說」[1]。可見，引入孔子刪《詩》說，是漢儒經典闡釋體系中一個必要的步驟。這中間，今文學家和古文學家又存在差別。按周予同先生的區分，今文學家「崇奉孔子」，「以六經為孔子作」，《詩》當然也在其中；古文學家則「崇奉周公」，不過仍尊「孔子為先師」，並且亦認同孔子曾經整理過六經，只是「以六經為古代史料」[2]。即便是對司馬遷之說提出最大質疑的唐儒孔穎達，其真實意思也並非否定孔子刪《詩》編《詩》的事

---

[1] 劉立志：《漢代詩經學史論》（北京市：中華書局，2007年），第二章，頁65。

[2] 周予同：〈經今古文學〉，載《周予同經學史論著選集》（增訂本）（上海市：上海人民出版社，1996年），頁9。當然，在這點上，古文學家不如今文學家更重視孔子刪定六經所體現出的「微言大義」，但仍視孔子刪經為既定事實。

實，而只是懷疑「古者《詩》三千餘篇」之說[3]，〈毛詩正義序〉說得明白：「先君宣父，釐正遺文，緝其精華，褫其煩重，上從周始，下暨魯僖，四百年間，六詩備矣。」宣父者，孔丘也[4]。

　　如此說來，張舜徽先生僅從文獻形成角度論說此條，則顯得未觸抵其本質，《四庫提要敘講疏》云：

> 此昔人尊經崇孔之說也。自司馬遷以來，儒者莫不言孔子刪《詩》、《書》，定《禮》、《樂》。然無徵於《論語》，復不見稱於孟、荀，秦火以前，無此說也。《論語》為孔門所同記，於其師一言一行，乃至飲食衣服之微，喜樂哀戚之感，無所不記。使果有刪定之弘業，何其弟子無一語及之？史遷嘗稱『孔子以《詩》、《書》、《禮》、《樂》教弟子』，然《管子》中已云『澤其四經』，可知以《詩》、《書》、《禮》、《樂》為教者，不自孔子始。此四經者，皆舊典也，孔子特取舊典為及門講習之，所謂『述而不作』也。善夫龔自珍之言曰：『仲尼未生，先有六經；仲尼既生，自明不作。仲尼曷嘗率弟子使筆其言以自制一經哉！』見《六經正名》必具此識，而後可以不為俗說所惑。蓋自漢世罷黜百家，獨崇儒術，言及六籍，必推尊為孔子所刪定，此猶言《易》卦者，必托名於伏羲；言本草者，必托名於神農；言醫經者，必托名於黃帝；言禮制者，必托名於周公，莫不高遠其所從來，以自取重於世，後先相師，如出一轍，學者可明辨之。[5]

---

[3]　《毛詩正義·詩譜序》云：「如《史記》之言，則孔子之前，詩篇多矣。案書傳所引之詩，見在者多，亡逸者少，則孔子所錄，不容十分去九。馬遷言古《詩》三千餘篇，未可信也。」

[4]　《新唐書·禮樂志五》：「（貞觀）十一年，詔尊孔子為宣父，作廟於兗州。」

[5]　張舜徽：《四庫提要敘講疏·經部總敘》（昆明市：雲南人民出版社，2005年），頁1。

實際上，言六經必推尊孔子所刪定，「莫不高遠其所從來」只是一個表象，更深刻的原因乃在於他們要靠這個來搭建其經說創立施行的必要環節。

既然孔子刪定六經的預設對於經學家而言如此重要，那麼「五四」以來的現代學者反對經說時特意在孔子與六經關係上大作文章，便是情理之中的事了。譬如作為「古史辨派」代表人物之一的錢玄同，在〈答顧頡剛先生書〉（收入《古史辨》第一冊，〈中編〉）中便明言「孔丘無刪述或制作『六經』之事」「『六經』和孔丘無涉」。「古史辨派」的主倡者顧頡剛在《古史辨》第三冊〈自序〉中也明確表態：「這一冊書的根本意義，是打破漢人的經說……我們研究史學的人，應當看一切東西都成史料。」這些說法，無疑都是現代史學的立場。

換一個角度說，經師們肯定「經稟聖裁」，所看重的是這種預設背後「垂型萬世」的經學經世意義，而不太關注「經稟聖裁」的歷史真實性；反之，失卻「宗經」立場的現代學者，即便運用文獻考古等科學手段真正證明了孔子刪定六經的真實性，也不太會像經師們一樣，認定這中間存在什麼「如日中天」的「刪定之旨」。

二 「正史體尊，義與經配，非懸諸令典，莫敢私增」

這一節，意在闡明「正史體尊，義與經配」與「六經皆史」說的「經史觀」區分。

《總目‧正史類敘》云：

> 正史之名，見於《隋志》，至宋而定著十有七。明刊監版，合

宋、遼、金、元四《史》為二十有一。皇上欽定《明史》，又
詔增《舊唐書》為二十有三。近搜羅四庫，薛居正《舊五代
史》得裒集成編。欽稟睿裁，與歐陽修書並列，共為二十有
四，今並從官本校錄。凡未經宸斷者，則悉不濫登。蓋正史體
尊，義與經配，非懸諸令典，莫敢私增，所由與稗官野記異
也。

《總目》劃分「史部」為十五個小類，分別為：正史類、編年類、紀
事本末類、別史類、雜史類、詔令奏議類、傳記類、史鈔類、載記
類、時令類、地理類、職官類、政書類、目錄類、史評類，而於「正
史類」特為表章，置於端首。〈正史類敘〉中「正史體尊，義與經
配」一語最值得關注，因為它充分體現了《四庫總目》的經史觀。而
這一問題的探討，又需與學術史上影響甚大的章學誠的「六經皆史」
說聯繫起來考察。

我們先來看張舜徽先生對於〈正史類敘〉這段文字的論說：

「正史」之名，唐以前未有也。自唐設館修史，然後名朝廷詔
修之史籍為正史，亦猶唐初詔修五經義疏為《五經正義》耳。
《隋書·經籍志·史部·正史類敘》有云：「世有著述，皆擬
班、馬以為正史，作者尤廣，一代之史，至數十家。」是其所
謂正史，皆紀傳體也。劉知幾《史通》有《古今正史篇》，敘
列所及，並舉紀傳、編年，初未嘗專宗紀傳。嗣《唐志》列
紀傳為正史，而編年別成一類，宋以後皆因之。顧如晁公武
《郡齋讀書志·史部敘》曰：「編年、紀傳，各有所長，未易
以優劣論。而人皆以紀傳便於披閱，獨行於世，號為正史，不
亦異乎！」章學誠《史考釋例》亦曰：「編年之書，出於《春
秋》，本正史也。乃班、馬之學盛，而史志著錄，皆不以編年

為正史。紀傳、編年，古人未有軒輊。自唐以後，皆沿《唐志》之稱，於義實為未安。」可知自來學者，偶言及此，亦遞有是非。必如〈四庫總目敘〉所云：「正史體尊，義與經配。」揆諸情實，夫豈其然？[6]

顯然，張先生是不太認同《總目》所謂「正史體尊，義與經配」的說法的。竊以為，關於「正史」之名及其包含範圍，《講疏》言「自來學者，遞有是非」固是事實，然稱其「偶言及此」，恐非確論。尤其是對於章學誠而言，他在《史考釋例》[7]中的觀點，非但不是「偶言及此」，反而應當是刻意為之，用余英時先生的話說，「實為箴砭當時經學而發」[8]。從章學誠的學術行歷及個性考察，他顯然不滿於自己具有「刺蝟」的本性（重一貫與綜合，指義理學）而生當「狐狸」得勢的時代（尚博雅與分析，指考據學），因此，他撰著《文史通義》、《校讎通義》等書，倡言「六經皆史」之說，真正用意乃在於：

> 以「文史校讎」之學——也就是由釐清古今著作的源流，進而探文史的義例，最後則由文史以明「道」，來對抗當時經學家所提倡的透過對六經進行文字訓詁以明「道」之學。其目標則是要奪六經之「道」以歸之於史。[9]

而章氏所抗衡的對象，恰恰是考據派的學術領袖戴震（儘管戴東原從

6 　張舜徽：《四庫提要敘講疏・正史類敘》，前揭，頁49。

7 　據胡適著、姚名達訂補之《章學誠年譜》，《史考釋例》撰成於嘉慶三年（1798），此時《四庫全書》早已編纂完成，《四庫提要》也已由武英殿正式刊行。

8 　錢穆：〈章實齋〉《中國近三百年學術史》（北京市：商務印書館，1997年），第九章，頁420。

9 　余英時：〈章學誠文史校讎考論〉，載《論戴震與章學誠》（北京市：三聯書店，2000年），頁160。

內心深處更傾向於義理學），以及戴震所代表的當時學術界的主流趨
向——由紀昀任總纂官的《四庫提要》即是這種主流趨向下的產物。
換句話說，章學誠路數是「史學」的，戴震及《四庫提要》的路數是
「經學」的。從學科分疏角度講，章氏強調「史學」的獨立性，強調
一切「經學」歸於「史學」；而「正史體尊，義與經配」之說所透射
出來的，則是要將「史學」附於「經學」。《總目》之說儘管表面看
提高了「正史」的地位，但在章氏學術體系中斷然不可接受，章氏之
學不妨可以概括為「史學體尊，六經皆史」。

　　當然，這裏所謂章氏「史學」，準確地講是「古典史學」或「傳
統史學」，在與經學的關係上，跟「現代史學」大異其趣。簡言之，
現代史學視經書為史料，很大程度上排斥經世觀念，與傳統經學格格
不入，陳少明先生說得更為到位：

> 經學與史學的差別，關鍵在於後者拋棄了「宗經」的立場，從
> 而也就不以家法為是非，不爭正統……不宗經，也就意味著不
> 信通經能夠致用。[10]

而古典（傳統）史學與經學，其實並無本質差別，最核心的緣由就在
於，它同樣是明道的，同樣是經世的，無非是方式的不同，或者是所
明之「道」的差別（即使有差別，也不會越出儒家正統經世觀念的界
限）。從這一點說，經與史本屬一家，可以合流。不惟高舉「六經皆
史」旗幟的章學誠，就連跟章氏同時代的其他史家也多持經史相合
說。譬如嘉定錢大昕為趙翼《廿二史箚記》所作序文即云：

> 經與史豈有二學哉！昔宣尼贊修六經，而《尚書》、《春秋》，

10　陳少明：〈走向後經學時代〉，載《漢宋學術與現代思想》（廣州市：廣東人民出版
　　社，1998年），頁116。

實為史家之權輿。漢世劉向父子校理秘文為六略，而《世本》、《楚漢春秋》、《太史公書》、《漢著紀》列於「春秋家」，《高祖傳》、《孝文傳》列於「儒家」，初無經史之別。厥後蘭臺、東觀，作者益繁，李充、荀勖等創立四部，而經史始分，然不聞陋史而榮經也。[11]

儘管錢氏有著抬高「史學」的用意，但他的經史相合、並非二學的立場卻非常鮮明。又如嘉定王鳴盛，亦認為經史「小異而大同」，《十七史商榷序》云：

予束髮好談史學，將壯，輟史而治經。經既竣，乃重理史業，摩研排續。二紀餘年，始悟讀史之法，與讀經小異而大同。何以言之？經以明道，而求道者不必空執義理以求之也，但當正文字、辨音讀、釋訓詁、通傳注，則義理自見，而道在其中矣⋯⋯讀史者不必以議論求法戒，而但當考其典制之實；不必以褒貶為與奪，而但當考其事跡之實，亦猶是也。故曰同也。若夫異者則有矣：治經斷不敢駁經，而史則雖子長、孟堅，苟有所失，無妨箴而砭之，此其異也⋯⋯要之，二者雖有小異，而總歸於務求切實之意則一也。[12]

王氏所謂考其典制、考其事跡，「是以治經之法治史，故亦以尊經之說尊史，謂經史非二學，經史小異大同，以批判揚經抑史之習。這樣的史學，是與當時的經學樸學風氣相呼應的」[13]。不妨可以這樣說，章

---

11 （清）趙翼：《廿二史劄記》，湛貽堂藏板，《續修四庫全書》，冊0453。

12 （清）王鳴盛：《十七史商榷》，洞涇草堂藏版，《續修四庫全書》，冊0452。

13 龔鵬程：《六經皆文——經學史／文學史》（臺北市：學生書局，2008年），頁390。

學誠、錢大昕、王鳴盛等人「六經皆史」、「經史相合」、「經史小異大同」的觀念，仍在「經學」的大範圍內。

與此相關卻往往被人忽視的一個問題是，章學誠之史學是純粹的「史學」嗎？一個細節不可忘卻，他的著作叫《文史通義》，而不叫「史通」之類。龔鵬程先生給了它一個更準確的稱謂，叫做「文史學」：

> 章氏之學，夙為史學界所重，甚或謂其重大貢獻即在於區分文史獨立，但其實章氏是講文史通義的，跟許多史學界的朋友之描述，很不相同。文史相通，其史學乃是一種「文史學」，不了解他的文學觀，就無法了解其史論，只從史學說，是不能了解他的，因為那是文人的史學。[14]

與乾嘉以後重於史實纂輯和史考者不同，章學誠的文史學重在「作史」，在他的觀念中，「著述才是史學，整齊排比、考逸搜遺卻僅僅是史纂史考」，而要著述，則須恢復古代良史之體，為文章之正，並首先須辨別一般詞章文士之文與史家之文間的差異。可見，「實齋之文史學，即因此而不協於同時代的經史學，又不同於同時代的辭章學，拔戟獨立，自成一隊」[15]。

三 「儒家本六藝之支流，要可與經史旁參」

這一節，意在梳理從子學時代到經學時代，經、史、子三部地位消長與嬗遞之脈絡。

---

[14] 龔鵬程：《六經皆文──經學史／文學史》，前揭，頁373。

[15] 龔鵬程：《六經皆文──經學史／文學史》，前揭，頁392。

《總目‧子部總敘》云：

> 自六經以外，立說者皆子書也。其初亦相淆，自《七略》區而
> 別之，名品乃定。其初亦相軋，自董仲舒別而白之，醇駁乃
> 分。其中或佚不傳，或傳而後莫為繼，或古無其目而今增，古
> 各為類而今合，大都篇帙繁富。可以自為部分者，儒家以外，
> 有兵家，有法家，有農家，有醫家，有天文算法，有術數，
> 有藝術，有譜錄，有雜家，有類書，有小說家，其別教則有釋
> 家，有道家，敘而次之，凡十四類……夫學者研理於經，可以
> 正天下之是非；微事於史，可以明古今之成敗，餘皆雜學也。
> 然儒家本六藝之支流，雖其間依草附木，不能免門戶之私。而
> 數大儒明道立言，炳然具在，要可與經史旁參。其餘雖真偽相
> 雜，醇疵互見，然凡能自名一家者，必有一節之足以自立，即
> 其不合於聖人者，存之亦可為鑒戒。雖有絲麻，無棄菅蒯，狂
> 夫之言，聖人擇焉，在博收而慎取之爾。

顯然，在四庫館臣眼中，作為「六經以外立說者」的「子書」，是
一種「雜學」的地位，與「可以正天下之是非」的經、「可以明古
今之成敗」的史，不可同日而語。其中地位比較特殊的是諸子中
的「儒家」，「儒家本六藝之支流」，表明它素有淵源；「要可與經史
旁參」，則表明它仍是一種附於「經史」的地位——經史的崇高地
位早已十分穩固，經史關係的分疏見上文所述。至於「兵家」、「法
家」等剩餘十三類，《四庫全書》收錄的原因也只是「存之亦可為鑒
戒」，其與儒家非處同一層次，更與「經」、「史」遙遙相隔的境遇，
可見一斑。

可是，子、史、經的關係本來如此嗎？《總目》的這段文字，體
現出清代學術的何種特點？讓我們從連接子學時代和經學時代的重要

目錄書《漢書・藝文志》[16]談起。

　　首先來看《漢志》中經、史的關係。《漢志》採用的是六部分類法，所分六類分別為「六藝略」、「諸子略」、「詩賦略」、「兵書略」、「數術略」、「方技略」。六略與四部的對應關係大概是：「六藝略」相當於後世經部，居首位；「諸子略」是後世子部的主體，居次位；「詩賦略」相當於後世集部，居再次；「兵書略」、「數術略」、「方技略」後世則咸歸子部。《漢志》中並無史部，《世本》、《太史公書》等史書，皆附於《六藝略・春秋類》之後。《漢志》不為史書單獨立類，當然首先是因為史書數量不多，背後折射出的自然是史學的相對不發達，這應當是一個合乎邏輯的推論。而之所以把史書隸於《春秋》而不隸於其他，乃主要是因為《春秋》除去經書性質，又是一部編年體史書，附於其後，名實相稱。換句話說，史書隸於《春秋》首先是從書籍歸類角度考慮的——這也是目錄書的首要功能，南朝梁阮孝緒〈七錄序〉即云：

> 劉氏之世，史書甚寡，附見《春秋》，誠得其例。今眾家記傳倍於經典，猶從此《志》，實為繁蕪。且《七略》詩賦不從六藝《詩》部，蓋由其書既多，所以別為一略。[17]

而李零先生認為班固的這種處理「當與尊經有關，並非先秦兩漢史學的本來面貌。史書，先秦固有，特別是事語類的古書，出土發現越來越多。漢代，史書也很多。數量如此巨大的古書，無論如何，都不能以魯《春秋》一書而範圍之」[18]，似乎推導得稍遠了一些。附於《春

---

16 《漢志》文字直接來源於劉歆《七略》，但《七略》包括劉歆之父劉向所撰之《別錄》均早已亡佚。

17 見（唐）釋道宣：《廣弘明集》卷三，文淵閣《四庫全書》本。

18 李零：《蘭臺萬卷：讀漢書藝文志》（北京市：三聯書店，2011年），頁50。

秋》，不代表這些史書具有經書性質。況且，即便出土發現越來越多的先秦漢代史書，在劉歆、班固時代史書數量相對很少、史學相對不發達終究是一個歷史事實。再者，「數量如此巨大」這一說法也嫌過當。

其次再看《漢志》中經、子的關係。《漢志‧諸子略》序文云：

> 諸子十家，其可觀者九家而已。皆起於王道既微，諸侯力政，時君世主，好惡殊方。是以九家之術，蜂出並作，各引一端，崇其所善，以此馳說，取合諸侯。其言雖殊，辟猶水火，相滅亦相生也。仁之與義，敬之與和，相反而皆相成也。《易》曰：「天下同歸而殊塗，一致而百慮。」今異家者各推所長，窮知究慮，以明其指。雖有蔽短，合其要歸，亦六經之支與流裔。使其人遭明王聖主，得其所折中，皆股肱之材已。

這中間，「雖有蔽短，合其要歸，亦六經之支與流裔」一語最為關鍵。在班固看來，諸子之「九流十家」，絕非可以隨意增損，凡納入《諸子略》者，必須符合一個標準，那就是當為「六經之支與流裔」。也就是說，在《漢志》的學術體系中，「子」僅次於「經」，「子」與「經」關係十分密切，是「經」的支流餘裔。

那麼，《漢志》如此論說的學術深意何在？李零認為：

> 作者持「諸子出於王官」說，認為大道集於王官，本為一體之學，戰國，諸侯力政，官學破散，才有諸子之學。諸子各執一端，只有歸宗於儒，才能成其全，所以說諸子只是「六經之支與流裔」，只是「禮失而求諸野」的「野」。尊經貶子，尊儒家，貶諸子，它的書目是這樣排座次。[19]

19　李零：《蘭臺萬卷：讀漢書藝文志》，前揭，頁120。

　　李零的這番話，可以從兩個角度看：從戰國至於漢朝，經歷了一個諸子興盛終而歸宗於儒的過程，經歷了一個子學時代向經學時代的轉換過程，「本來，六藝是諸子共享，漢代變成儒家的專利。本來，儒家是諸子之一，漢代變成諸子之領袖」[20]。正是從這一角度講，李零認為《漢志》的論說及措置體現出的立場是「尊經貶子」。不過，假若倒轉回來從清代往前代看，則經學時代「子」與「經」的關係，在《漢志》那裏卻還是最密切的，無論在「六部」體系中還是「四部」體系中，「子」的地位還算最高。也就是說，漢代以來，「子」的地位一直是往下降的。

　　在這中間，還有三點值得討論：

　　第一，從先秦到清代，是一個從「六藝」格局向「四部」格局演化的過程，對於「子部」來講，則是一個外延逐漸擴大的過程。《漢志》的六藝格局，是先秦兩漢學術演遞的目錄學（同時也是學術史）反映。其中，「兵書」、「數術」、「方技」與「諸子」是並列關係，不相隸屬。至於唐代成書的《隋書‧經籍志》，正式確立了「經、史、子、集」的四部名稱，並將「兵、天文、曆數、五行、醫方」五類悉歸於子部，加之承襲《漢志》而來的「儒、道、法、名、墨、從橫、雜、農、小說」九家，子部共分十四小類。至於清代《四庫總目》，對以往目錄書再加增損，子部合「名、墨、從橫」於雜家，「天文、曆數」並而為一，易「五行」為術數，新立「藝術」、「譜

20　李零：《蘭臺萬卷：讀漢書藝文志》，前揭，頁121。張舜徽先生從另外一個視角論說諸子歸宗於儒的問題，以為從「務於治」（《淮南子‧氾論訓》）角度出發，不可拘泥於儒學意義上的六經，《漢書藝文志通釋》云：「大抵諸子之興，皆起於救世之急，咸思以其術易天下。雖各有短長，可相互為用。自古英才傑士，固於經藝之外，兼取諸子之長，以為匡濟之具。先秦如管仲、商鞅，後世如王安石、張居正，悉有取於道家、法家之要，得所折中，故能成股肱之材，立不朽之業。如徒拘泥於六經，羈絆於儒學，則膠柱鼓瑟，鮮能收經世濟民之效者。」

錄」、「類書」,「釋家」四類。雖仍凡十四類,包含的類型實有擴展。

　　第二,外延擴展的同時,也帶來了子部地位的逐漸降落。從先秦的「蜂出並作」、「各執一端」,到《漢志》的「六經之支與流裔」,便體現出明顯的降落。至於唐代《隋書・經籍志》,「經、史、子、集」的座次已經排定。關於這點,從同時代的文人奏疏中也可以得到印證,明人楊士奇等《歷代名臣奏議》卷二七五載:

> 僖宗咸通中,著作郎皮日休《請為孟子科狀》曰:「臣聞聖人之道不過乎經,經之降者不過乎史,史之降者不過乎子。子不異乎道者孟子也,舍是子者必戾乎經史,又率於子者,則聖人之盜也。夫《孟子》之文粲若經傳,天惜其道,不爐於秦。自漢氏得之,嘗置博士,以專其學。故其文繼乎六藝,光乎百氏,真聖人之微旨也!」

皮日休在這裏推崇《孟子》,但視「子」的地位仍是「史之降者」。而到了清代《四庫總目》稱諸子之學皆為「雜學」,子部地位更是直線下跌。

　　第三,諸子地位一路下跌的歷史原因,乃在於順應漢代一統社會而建立起來的經學發達與儒術獨尊。這要分兩層來說:一層是漢代建立一統社會,經學成為學術思想主導,同時意味著紛擾抗衡的諸子時代的終結,諸子地位勢必會降落;一層是漢代獨尊儒術,故「儒家」在諸子中一直穩固地居於首位,《漢志》如此,《隋志》如此,《總目》也不例外。明白了這一點,也就不難理解《總目》雖斥諸子為「雜學」,但仍對「儒家」另眼看待,稱「儒家本六藝之支流,要可與經史旁參」,由之亦可看出清代學術對漢代學術的繼承。

四 「文質相扶，理無偏廢，各明一義，未害同歸」

這一節，意在突顯一個相對來講為人忽略的經與文之間相輔相成的關聯。

《總目‧總集類敘》云：

> 《三百篇》既列為經，王逸所裒又僅《楚辭》一家，故體例所成，以摯虞《流別》為始。其書雖佚，其論尚散見《藝文類聚》中，蓋分體編錄者也。《文選》而下，互有得失。至宋真德秀《文章正宗》，始別出「談理」一派，而總集遂判兩途。然文質相扶，理無偏廢，各明一義，未害同歸。惟末學循聲，主持過當，使方言俚語俱入詞章，麗製鴻篇橫遭嗤點，是則並德秀本旨失之耳。今一一別裁，務歸中道。

這裏雖然講的是「總集」編纂的一種新路數，折射出來的卻是文學與經學的相互關聯。真德秀《文章正宗綱目》云：

> 「正宗」云者，以後世文辭之多變，欲學者識其源流之正也。自昔集錄文章者眾矣，若杜預、摯虞諸家，往往堙沒弗傳。今行於世者，惟梁《昭明文選》、姚鉉《文粹》而已。緣今眡之，二書所錄果皆得源流之正乎？夫士之於學，所以窮理而致用也，文雖學之一事，要亦不外乎此。故今所輯，以明義理、切世用為主，其體本乎古，其指近乎經者，然後取焉。否則，辭雖工亦不錄。

真氏所謂「明義理、切實用」,「其體本乎古,其指近乎經」的標準,其實就是一種「以理為宗」的宋代「道學」觀念在文集編選領域的客觀反映。換句話說,理學(準確地講是「經學化的理學」)對文學產生了直接的影響,許總先生即認為:

> 理學注重的是性理之學,文學則注重情文之美。但是,在宋代開端的文化「近世化」進程中,理學與文學形成了交流與溝通,理學家藉文以傳道明心,文學家重理而文以致用,而文人往往集學者、文士於一身的現象,更直接推進了文學與理學的融構過程。[21]

當然,這種融構有利有弊,清人顧炎武《日知錄》卷三〈孔子刪詩〉云:

> 真希元《文章正宗》,其所選詩,一掃千古之陋,歸之正旨。然病其以理為宗,不得選人之趣。且如《古詩十九首》,雖非一人之作,而漢代之風略具乎此。今以希元之所刪者讀之,「不如飲美酒,被服紈與素」,何異《唐詩·山有樞》之篇?「良人惟古歡,枉駕惠前綏」,蓋亦〈邶風〉「雄雉於飛」之義。「牽牛織女」,意仿〈大東〉;「兔絲女蘿」,情同〈車舝〉。《十九》作中,無甚優劣,必以坊淫正俗之旨,嚴為繩削,雖矯《昭明》之枉,恐失〈國風〉之義。六代浮華,固當芟落,必使徐、庾不得為人,陳、隋不得為代,毋乃太甚,豈非執理之過乎?

21　許總:〈序論〉《宋明理學與中國文學》(南昌市:百花洲文藝出版社,1999年),頁6。

《四庫總目》則對其利其弊均有剖斷：

> 德秀雖號名儒，其說亦卓然成理，而四五百年以來，自講學家
> 以外，未有尊而用之者，豈非不近人情之事，終不能強行於天
> 下歟？然專執其法以論文，固矯枉過直，兼存其理，以救浮
> 華冶蕩之弊，則亦未嘗無裨。藏弃之家，至今著錄，厥亦有由
> 矣。[22]

「文質相扶，理無偏廢，各明一義，未害同歸」的另一層含義，是文
學反過來對經學也有影響，經學典籍中的某些意義（即經學義）的形
成，往往得益於對這些經典的文學闡釋。而這一點，以往研究中沒有
受到應有的關注。譬如《詩經》，漢代以來經師往往慣於訓詁名物或
美刺勸戒的解說路數，而宋代以來尤其是明清兩代，卻興起了一股
「文學解《詩》」的風潮。比如清人陳繼揆《讀風臆補》卷一說〈周
南・卷耳〉云：

> 詩貴遠不貴近，貴淡不貴濃。唐人詩「嫋嫋城邊柳，青青陌上
> 桑。提籠忘采葉，昨夜夢漁陽」，亦猶是〈卷耳〉四句意耳。
> 試取以相較，遠近濃淡，孰當擅場。

甚至將後世「豔情詩」、「應酬詩」等的傳統也上溯於《詩》，例如
《讀風臆補》卷十三說〈檜風・匪風〉云：

> 「匪風」二語，即唐詩所謂「繫得王孫歸意切，不關春草綠萋
> 萋」。《注》乃云：「常時風發而車偈。」「顧瞻周道，中心怛
> 兮」，多少含蓄，《注》更補「傷王室之陵遲」，無端續貂添

---

22 《四庫總目・集部四十・總集類二》所撰《文章正宗》提要。

足，致詩人一段別趣盡行抹殺，亦祖龍烈焰後一厄也。[23]

對於這樣一種文學解《詩》路向，在經學家那裏當然不被接受，後世學人也很自然地將其與經學解《詩》的路徑對立起來，「但經學家也往往忽略了他們如此解詩的用心，把豔情推溯於《詩》，或以後世民歌豔曲、男女豔情去揣想詩旨，其實代表著對《詩經》中某些詩篇性質的一種認定。而這種認定，也並非要把《詩》淫佚化，朝豔情方向去解釋，而仍是要就豔情予以貞定之的。亦即將豔情傳統納入《詩》的流變中，然後告訴人應怎樣寫豔情，才能如《詩》那般樂而不淫、哀而不傷、得其中聲、溫柔敦厚……也就是說，此類解詩法，大多數其實正是持守著溫柔敦厚的詩教精神，而且藉著解《詩》來發揮其批判、貞定整個詩歌傳統的功能」[24]。也就是說，從古代《詩經》闡釋史看，所謂《詩》的「文學義」，其實正是「經學義」的有機組成部分，四部之中距「經」最遠的「文」，又何嘗完全脫離過政治教化呢（當然，這樣說並不否認「文學解詩」存在著對「經學解詩」的某些排斥）？「各明一義，未害同歸」，說的正是這個意思。

結　語

《四庫總目》以「書籍目錄」的形式完成了對中國傳統學術的系統總結，自然獨具學術價值。其中對於「經、史、子、集」關係的論述，乃是站在古典學問的角度，與現代學術視角殊有不同。從分疏傳統四部關係，指明現代研究之路講，我們可以得到如下啟示：

---

[23] 二處文字皆出（明）戴君恩原本、（清）陳繼揆補輯《讀風臆補》，光緒庚辰歲開雕，板藏拜經館，《續修四庫全書》經部冊58。

[24] 龔鵬程：《六經皆文——經學史／文學史》，前揭，頁182～183。

一、古典學問視域中的四部之學具有內在關聯，不可分割。「史、子、集」三部，與「經」部雖可別白，卻無一例外地體現出「致用、教化」的經世色彩（無非是濃淡區別而已）。「經」是「史、子、集」三部的共同源頭，經學思想是古典中國的「核心價值觀」。

二、現代以來，推倒經說，解構經學，視經書為史料，降經為史，排斥「宗經」立場，造成了今日經學傳統的斷裂與難以彌縫。承續和恢復學術傳統的首要任務，當然是「經」、「史」關係的分疏與協理。不過，由於「子」、「集」二部或是《六經》之支裔，或是以一種特別的方式提供著「經學義」，理應給以應有的關注，否則便有失偏頗。

三、現代學術研究的格局，既有現代文、史、哲之學相互之間的客觀排斥，又有未曾明確地意識到的現代學術與傳統四部之學之間的區別。扭轉這一局面，對待經典的態度是一個關鍵。在繼續推進儒家經典基本問題研究的基礎上，要把這些典籍當經書看，甚至需要重新找回那些曾經的經學立場上的「先驗性預設」（甚至說是一種「宗教性信仰」）。這一方面是進入家法、真正理會經典的方法論需要，另一方面也是重建經學、接續傳統的思想觀念上的必要前提──須知，經學之所以成為經學，在古代社會全方位地發揮作用，乃是由於它具有政治上的依托（比如科舉制度對經典的規定）以及社會各層級在思想及儀式上的基礎（比如各地孔廟中的祭祀活動）！當然，現代時勢大易，要重建的至多是一種「新經學」，它是傳統經學觀念在現代社會的合理性改造，理想狀態是：從體現在世俗中開始做起，最終又體現在憲政中，達到政教合一，反過來自上而下對世俗產生指撝作用。「經」的問題一解決，「史」、「子」、「集」的問題便迎刃而解。

四、純粹從學理角度講，「新經學」的建立，既可以從「政治儒學」的角度進行「儒教國教」建設（如蔣慶），也可以從「文化

儒學」的角度進行「公民宗教」建設（如陳明），又可以側重在現代「知識」的時代通過某些制度性的儒學建構最大程度地建立一種經學的「信仰」（如干春松），百慮一致，殊途同歸（這僅是從「學理」上講，若講落實，不同主張的可操作性差別會很大）。從實踐角度講，「新經學」的建立，當然首先需要從儒家經典的新詮釋入手。譬如讀《詩》，即需側重「以《詩》為勸善懲惡之用」、「以《詩》為修養身心之用」等角度對《詩經》做更多切合現代社會的闡發；而不當僅僅限於從「文字學」、「文章學」、「史地學」等角度作一種文史性、工具性的闡釋[25]。說到底，要有意突出《詩經》之「禮教學」在今日之顯揚，「以禮為質，以教為用」[26]。而這，最終無疑還得要靠一種「古典學」的思路。當務之急，則是使更多的人群、在更廣的層面上，切實而持久地感受到這種「新經學」思想的潤澤與感化！

---

[25] 「以《詩》為多識博聞之用」，古代經師即曾如此解《詩》，並豐富著《詩》的經學義。參見胡樸安：《詩經學・讀詩法》（長沙市：岳麓書社，2010 年），頁 62～66。

[26] 胡樸安：《詩經學・讀詩法》，前揭，頁 113。

國家圖書館出版品預行編目(CIP)資料

經史散論：從現代到古典 / 周春健著. -- 初版. --
　　臺北市：萬卷樓，2012.01
　　　面；　公分. --（經學研究叢書.經學史研究叢刊）
　　ISBN 978-957-739-740-9(平裝)

1.經學 2.史學 3.文集

　　090.7　　　　　　　　　　　　100025486

經史散論：從現代到古典

2012 年 1 月 初版 平裝

ISBN 978-957-739-740-9　　　　　　　　　　定價：新台幣 400 元

作　　者	周春健	出　版　者	萬卷樓圖書股份有限公司
發 行 人	陳滿銘	編輯部地址	106 臺北市羅斯福路二段 41 號 9 樓之 4
總 編 輯	陳滿銘	電話	02-23216565
副總編輯	張晏瑞	傳真	02-23218698
執行主編	陳欣欣	電郵	editor@wanjuan.com.tw
編輯助理	游依玲	發行所地址	106 臺北市羅斯福路二段 41 號 6 樓之 3
封面設計	果實文化設	電話	02-23216565
	計工作室	傳真	02-23944113
		印　刷　者	百通科技股份有限公司

如有缺頁、破損、倒裝　　網 路 書 店　　www.wanjuan.com.tw
請寄回更換　　　　　　　劃 撥 帳 號　　15624015